TOEFL®テスト
大戦略シリーズ 4

TOEFL®テスト リーディング問題 270 [4訂版]

田中 真紀子 著

Copyright © Educational Testing Service. www.ets.org
The TOEFL iBT® Test Directions are reprinted by permission of Educational Testing Service, the copyright owner. All other information contained within this publication is provided by Obunsha and no endorsement of any kind by Educational Testing Service should be inferred.

著者	田中真紀子（たなかまきこ）	
	神田外語大学外国語学部英米語学科教授。教育学博士。上智大学卒業後，上智大学大学院より MA（修士号），カリフォルニア大学サンタバーバラ校より MA（修士号），同大学より Ph.D.（博士号）取得。専門は教育学（英語教育，児童英語教育），応用言語学。これまでに英語学習番組，教材開発および監修，児童英語教員養成・研修など，英語教育の各方面で活躍。TOEFL テスト対策書やアカデミックプレゼンテーションの仕方を解説した *The Essential Guide To Academic Presentations*（マクミランランゲージハウス）など著書多数。NHK 教育テレビ 3 か月トピック英会話「カリフォルニア横断！ シンプル会話術」講師。	

編集	新元 環
装丁デザイン	内津 剛（及川真咲デザイン事務所）
本文デザイン	熊アート
編集協力	株式会社シー・レップス / 岡田真紀 / 髙橋義博 / Sarah Matsumoto / Jason Andrew Chau / Mike Joyce
イラスト	すどうまさゆき
Web 模試制作	有限会社 トピックメーカー

TOEFL（Test of English as a Foreign Language）はアメリカやカナダの大学，大学院に入学を希望する際に受験しなければならない英語能力試験（proficiency test）である。1964年ETS（Educational Testing Service）によって開発されて以来，今日世界の9,000もの大学，大学院で入学の可否を判断する材料の1つとして，そのスコアの提出が義務付けられている。1998年には，コンピュータを使用したテスト形式（Computer-Based Testing：CBT），さらに2005年9月にはインターネットを使ったテスト形式（The next generation TOEFL Internet-Based Testing：iBT）が新たに導入され，これに伴い問題形式や内容に変更があり，従来のペーパーテスト（Paper-Based Testing：PBT）よりもより正確に受験者の英語力を測定することが可能になった。

本書は当初PBT・CBT用に書かれたものであるが，iBTに対応できるよう，iBTの出題形式に即して内容を改訂したものである。本書はまず「基礎学習」でSTEPごとに読解やTOEFLリーディング・セクションのポイントに焦点をあてて学習できるようになっている。ここでは短めのパッセージを読み，読解の基礎とリーディング・セクションの攻略法を一通り学ぶ。次の「実戦練習」では，「基礎学習」で学習したことをiBT同様の形式で力試しをすることで，パッセージや設問形式に慣れ，読解力を高めることができる。最後に「Final Test」に挑戦することで，総仕上げができるように構成されている。

本書は人文社会科学関係，自然科学関係と幅広く出題されるTOEFLリーディング・セクションに対応すべく，様々な内容のパッセージを取り上げている。従って，本書を使って勉強することにより，読解力および語彙力を身につけられるだけでなく，英語で幅広く一般教養をも身につけることができるようになっている。最後まで学習を進めていただければ，一般教養，語彙力，読解力に加えて，TOEFLリーディング・セクションの攻略法に至るまでかなりの実力をつけることができると確信している。本書を丁寧に勉強して，ぜひ留学の夢を実現していただきたい。

なお，本書を作成するにあたり，神田外語大学のBruce Horton先生およびAlistair Van Moere先生に英文パッセージの執筆でご協力をいただいた。ここに感謝の意を表したい。

田中真紀子

Preface ······ 3

INTRODUCTION

本書の利用法 ······ 6
Web 特典について ······ 8
留学準備を始めよう！ ······ 10
TOEFL® テスト Information ······ 11
TOEFL iBT® 受験ガイド ······ 12

CHAPTER ❶ TOEFL リーディング問題 傾向と対策

出題内容と形式 ······ 16
設問の解き方 ······ 18
リーディング問題の対策 ······ 26
リーディング問題操作方法 ······ 29

CHAPTER ❷ 基礎学習

STEP 1	タイトルからパッセージの内容を推測する	《文化》	······ 35
STEP 2	設問と選択肢からパッセージに関するヒントをつかみ，解答にうまく生かす	《コミュニケーション／言語》	······ 41
STEP 3	内容の予測をしながら読む	《地理》	······ 47
STEP 4	文脈を利用して意味をつかむ 〜文の前後，補足説明や繰り返しをヒントにする	《法律》	······ 53
STEP 5	文法的結束性から意味をつかむ	《倫理》	······ 59
STEP 6	イメージしながら内容をつかむ	《天体》	······ 65
STEP 7	メモを取って，内容をまとめる 〜図式化して内容を視覚的に整理する	《化学》	······ 71

STEP 8	論理的思考を働かせながら読む	《健康》 …… 77
STEP 9	年数・年代などを表す数字や表現に注意する	《歴史》 …… 83
STEP 10	英文パラグラフの構成を知る	《考古学》 …… 89
STEP 11	パッセージの展開を見る (1)「過程・段階」を表すパッセージ	《植物》 …… 95
STEP 12	パッセージの展開を見る (2)「原因・結果」を表すパッセージ	《生物》 …… 101
STEP 13	パッセージの展開を見る (3)「比較・対照」を表すパッセージ	《環境》 …… 107
STEP 14	パッセージの展開を見る (4)「分類」を表すパッセージ	《地学》 …… 113
STEP 15	人物史に関するパッセージの読み方	《伝記》 …… 119
STEP 16	医学や生理学に関するパッセージの読み方	《医学》 …… 125
STEP 17	動物に関するパッセージの読み方	《動物》 …… 131

CHAPTER ❸ 実戦練習

実戦練習 ① …… 138
実戦練習 ② …… 174

CHAPTER ❹ Final Test

Final Test 1 QUESTIONS …… 224
Final Test 2 QUESTIONS …… 242
Final Test 1 ANSWERS …… 260
Final Test 2 ANSWERS …… 278

　本書は，TOEFL 受験に関する Information と，以下の 4 つの CHAPTER から構成されています。

CHAPTER ❶　TOEFL リーディング問題　傾向と対策

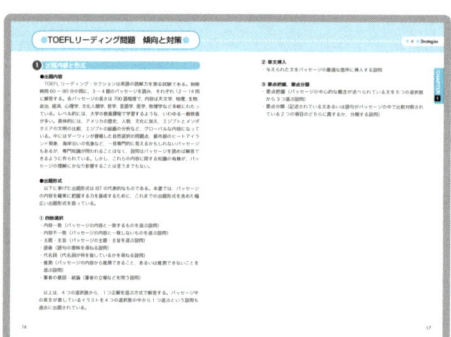

TOEFL リーディング問題の設問形式や，傾向と対策，そしてパソコン画面についてそれぞれ解説してあります。まずはここを読み，リーディングの概要を知ることから始めましょう。

CHAPTER ❷　基礎学習

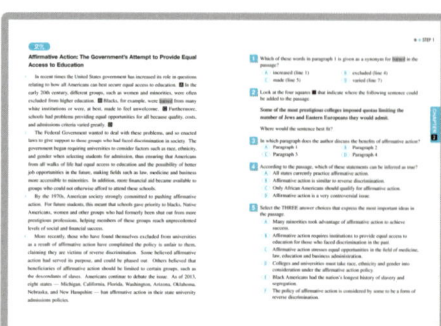

17 のステップを 1 つ 1 つ進めていくことで，リーディングの基礎学習が完成するようになっています。全て終わったときには，リーディングの力が確実に身についているはずです。

CHAPTER ❸ 実戦練習

CHAPTER 2 で基礎的な力をつけた後は，実戦形式の練習を重ねて，さらに力を伸ばしましょう。

CHAPTER ❹ Final Test

最後に，実際の試験形式の問題を2セット解き，ここまでに自分が身につけた力を確認しましょう。自分の得意なこと，苦手なことを認識し，必要があれば前に戻って復習をして，試験の準備を万端にしておきましょう。

Web特典について

　本書では，Webで模試を受験できる特典をご利用いただけます。本物のTOEFL iBTに近い操作感で，本書に収録されたFinal Testを受験できます。

Web特典の利用方法

❶ パソコンから下記URLにアクセスしてください。
　http://www.obunsha.co.jp/service/toefl/
❷『TOEFLテスト大戦略シリーズ』一覧から，本書をクリックしてください。
❸ 旺文社IDをお持ちでない方は，「新規登録」ボタンをクリックし，画面の指示に従ってID登録してください。
　※『TOEFLテスト大戦略シリーズ』の他の書籍で，すでにID登録をしている方は，❹に進んでください。
❹ 登録したIDでログインしてください。
❺ 表示された「学習メニュー」最下部にある「新規模試追加」ボタンをクリックし，新規教材登録をしてください。画面の指示に従い，以下の模試受験コードを入力し，「送信」ボタンをクリックしてください。

模試受験コード：2150

❻ 画面の指示に従って「学習メニュー」に戻ると，「学習コース」に模試が追加されています。受験したい模試の「START」ボタンをクリックし，模試を開始してください。

■ 推奨動作環境

対応OS：Windows OS および Mac OS
ブラウザ：[Windows OSの場合] Microsoft Internet Explorer 9以上，
　　　　　　　　　　　　　最新バージョンのGoogle Chrome および Firefox
　　　　　[Mac OSの場合] 最新バージョンの Safari および Firefox
Adobe Flash Player：最新バージョン
インターネット環境：ブロードバンド
画面解像度：1024×768以上

■ 注意

- ご利用のパソコンの動作や使用方法に関するご質問は，各メーカーまたは販売店様にお問い合わせください。
- このWeb模試サービスの使用により生じた，いかなる事態にも一切責任は負いかねます。
- 本サービスは予告なく終了されることがあります。
- Web模試サービスに関してお困りの点がありましたら，下記メールアドレスまでお問い合わせください。
  お問い合わせ先メールアドレス：moshi@english.obunsha.net

留学準備を始めよう！

　留学には，いくつもの方法があります。大学生で，所属している大学に留学関係の部署がある場合は，まずそこに相談しましょう。交換留学や語学研修のプログラムがあれば，申し込み方法を詳しく教えてもらえます。そういった環境がない場合には，書籍やインターネットを通じて自分で情報収集をしたり，日米教育委員会や British Council といった公的機関，留学予備校などに相談したりするとよいでしょう。英語力の向上をメインとした語学留学には高い語学力は求められませんが，大学への入学や MBA 取得などを目指す場合は，SAT，GMAT といった他の試験のスコアも必要で，出願書類の作成にも時間がかかります。

　留学を目指すにあたり，まずは必要なスコアを提出しなければならない時期を確認して，それに間に合うように TOEFL テストを受験する計画を立てましょう。計画の立て方も人それぞれですので，以下の2例を参考にしてください。

Aさん「行きたい大学のスコアが高い！」

　Aさんは必要なスコアが 100 点と高いので，十分な準備が必要と考え，1年間の準備期間を設定しました。また，1回で必要なスコアが取れない場合を考慮して，2～3回受験する前提で，できるだけ早めに学習を進めるようにしました。

　まず問題を解いてみて現在の自分の実力を確認し，もう少し語彙力があればより余裕を持って解くことができると考えたので，早い段階で語彙対策を始めました。各セクションの対策では，不安のあるライティングに特に注力しましたが，それ以外のセクションも，できるだけ時間をかけて取り組みました。

　1回目では苦手なライティングが足を引っ張り，わずかに 100 点に届かず悔しい思いをしましたが，2回目では対策のかいもあって無事に 100 点を取ることができ，希望の大学に留学することができました。

Bさん「行きたい大学は1つだけではない！」

　Bさんは，いくつか行きたい大学の候補があり，80 点で行ける大学もあれば，100 点を取らないといけない大学もありました。大学生活が忙しかったこともあり，無理に 100 点を目指さず，期間は半年間に絞って対策をしました。

　まず試験を解いてみて，80 点まではあと少しだと感じたので，得意なリーディングをさらに伸ばすことに特に注力しました。苦手なリスニングやスピーキングは，可能な範囲で学習し，当初よりも少しだけスコアを上げることができたので，それでよしとしました。

　時間的に余裕がなくて1回しか受験ができず，100 点は取れませんでしたが，80 点はなんとか超えることができました。80 点で行ける大学にも行きたい気持ちは強かったので，そこへ留学することができて，満足でした。

TOEFL®テスト Information

❶ TOEFL® テストとは？

TOEFL®テスト（Test of English as a Foreign Language）とは，主に北米の大学で学ぼうとする，英語を母語としない人を対象に実施される英語能力試験のことです。この試験は，アメリカの非営利教育機関である Educational Testing Service（ETS）によって運営されています。現在では，世界約 130 か国，9,000以上の大学・教育機関などで利用されています。また，試験は主にインターネット上で受験する TOEFL iBT®（Internet-Based Testing）という方式で実施され，日本では 2006 年 7 月より導入されています。

❷ TOEFL iBT® の構成

TOEFL iBT® の構成は以下のようになっています。問題数によって，解答時間（下記の時間は各セクションの所要時間）は変化しますが，その問題数は各セクション開始時にコンピュータの画面上に表示されます。

Reading	3-4 パッセージ	60-80 分
Listening	2-3 会話 / 4-6 講義	60-90 分
Break		10 分
Speaking	6 問	20 分
Writing	2 問	50 分

❸ TOEFL iBT® のスコア

スコアの配点は，右の表のようになっています。また，希望者には，実際のスコアが後日 ETS より送付されますが，受験日の 10 日後からオンラインでも確認できます。なお，TOEFL® テストのスコアは受験日から 2 年間有効とされています。

セクション	配点
Reading	0-30
Listening	0-30
Speaking	0-30
Writing	0-30
TOTAL	0-120

❹ スコアの目安

留学先の大学，大学院で必要とされるスコアのレベルは以下のとおりです。スコアはあくまで目安です。

一般大学レベル	
iBT	61-80 点
CBT	173-213 点
PBT	500-550 点

難関大学，大学院レベル	
iBT	80-100 点
CBT	213-250 点
PBT	550-600 点

超難関校レベル	
iBT	105 点
CBT	260 点
PBT	620 点

※すべて 2015 年 6 月現在の情報です。最新の情報は ETS TOEFL® テスト公式ウェブサイト（www.ets.org/toefl）でご確認ください。

❶ 受験申し込みにあたって

まず，TOEFL® Information and Registration Bulletin（受験要綱）を入手しましょう。TOEFL® テストの受験に関する情報が記載されています。こちらは国際教育交換協議会（CIEE）のウェブサイトまたは ETS の TOEFL® テスト公式ウェブサイトからダウンロードすることができます。

❷ 受験日・受験会場

年間 30 〜 40 回，土曜，日曜に試験日が設けられ，受験会場は全国各地に設定されています。複数回受験する場合は，間に 12 日間空けなければなりません。受験日・受験会場の詳細は，ETS の TOEFL® テスト公式ウェブサイト上の My Home Page 内で確認できます。My Home Page とはすべての受験者が作成する必要がある個人専用アカウントページです。

❸ 受験料

Regular registration（試験日の 7 日前までの通常の申し込み）と Late registration（オンラインは試験日の 4 日前まで，電話は試験日の前営業日 17 時までの申し込み）の 2 つの申し込み締切日があり，以下のとおり締切日によって受験料が異なります。ただし，Late registration は，空席がある場合のみ可能です。

　Regular registration：US$230　Late registration：US$270

支払いは，申し込み方法により異なりますが，クレジットカード（日本円支払いは VISA, Master），PayPal アカウント，国際郵便為替，銀行の送金小切手のいずれかの方法になります。詳細は TOEFL® テスト公式ウェブサイトをご覧ください。

❹ 申し込み方法

オンライン，郵送，電話の 3 つの方法があります。オンラインと電話の場合は日本円での申し込みが可能です。

① オンラインで申し込み

ETS の TOEFL® テスト公式ウェブサイト上の My Home Page から登録できます。試験日の 7 日前まで Regular registration，試験日の 4 日前まで Late registration 受付が可能で，受験料支払いはクレジットカードまたは PayPal アカウント。

② 郵送による申し込み

受験要綱内に表示されているURLから登録申込用紙をダウンロードし，必要事項を記入後，受験料とともにプロメトリック株式会社に，第1希望試験日の4週間前までに必着で送付。受験料支払いはクレジットカード，国際郵便為替または銀行の送金小切手。

③ 電話による申し込み

事前にETSのTOEFL®テスト公式ウェブサイトでMy Home Pageを作成し，プロメトリック株式会社に電話で申し込みができます。試験日の7日前までRegular registration，試験日の前営業日17時までLate registration受付が可能。受験料支払いはクレジットカードのみ。

５ 受験当日の注意

① 試験開始30分前までには，テストセンターに入りましょう。
② 有効な「身分証明書」と申し込み時に伝えられるRegistration Numberを用意しましょう。「身分証明書」は，原則として，テスト日当日に有効なパスポートです。

規定の時刻に遅れた場合，または必要なものを忘れた場合，受験ができなくなります。

６ 問い合わせ先

■ TOEFL iBT® 申し込みについて，受験に関わる一般情報について
プロメトリック株式会社
〒101-0062
東京都千代田区神田駿河台4-6　御茶ノ水ソラシティ　アカデミア5F
電話番号：03-6204-9830（土日祝祭日を除く AM 9：00 ～ PM 6：00）
ウェブサイト：http://www.prometric-jp.com

■ TOEFL iBT® スコアレポート発行・発送について
Educational Testing Service（ETS）
TOEFL®テスト公式ウェブサイト：http://www.ets.org/toefl
Customer Support Center in Japan
電話番号：0120-981-925（フリーダイヤル）
（土日祝祭日を除く AM 9：00 ～ PM 5：00）
E メール：TOEFLSupport4Japan@ets.org

■ TOEFL iBT® 一般情報について（ウェブサイト）
国際教育交換協議会（CIEE）日本代表部
ウェブサイト：http://www.cieej.or.jp/toefl

CHAPTER 1 »

TOEFL リーディング問題　傾向と対策

出題内容と形式 …………………… 16
設問の解き方 …………………… 18
リーディング問題の対策 ……… 26
リーディング問題操作方法 ……… 29

●TOEFLリーディング問題　傾向と対策

① 出題内容と形式

●出題内容

　TOEFL リーディング・セクションは英語の読解力を測る試験である。制限時間 60 〜 80 分の間に，3 〜 4 題のパッセージを読み，それぞれ 12 〜 14 問に解答する。各パッセージの長さは 700 語程度で，内容は天文学，地理，生物，政治，経済，心理学，文化人類学，哲学，言語学，医学，物理学など多岐にわたっている。レベル的には，大学の教養課程で学習するような，いわゆる一般教養が多い。具体的には，アメリカの歴史，人物，文化に加え，エジプトとメソポタミアの文明の比較，エジプトの絵画の分析など，グローバルな内容になっている。中にはダーウィンが提唱した自然選択の問題点，都市部のヒートアイランド現象，海岸沿いの気象など，一見専門的に見えるかもしれないパッセージもあるが，専門知識が問われることはなく，設問はパッセージを読めば解答できるように作られている。しかし，これらの内容に関する知識の有無が，パッセージの理解にかなり影響することは言うまでもない。

●出題形式

　以下に挙げた出題形式は iBT の代表的なものである。本書では，パッセージの内容を確実に把握する力を養成するために，これまでの出題形式を含めた幅広い出題形式を扱っている。

① 四肢選択

・内容一致（パッセージの内容と一致するものを選ぶ設問）
・内容不一致（パッセージの内容と一致しないものを選ぶ設問）
・主題・主旨（パッセージの主題・主旨を選ぶ設問）
・語彙（語句の意味を尋ねる設問）
・代名詞（代名詞が何を指しているかを尋ねる設問）
・推測（パッセージの内容から推測できること，あるいは推測できないことを選ぶ設問）
・筆者の意図・結論（筆者の立場などを問う設問）

　以上は，4 つの選択肢から，1 つ正解を選ぶ方式で解答する。パッセージ中の英文が表しているイラストを 4 つの選択肢の中から 1 つ選ぶという設問も過去に出題されている。

② **単文挿入**
・与えられた文をパッセージの最適な箇所に挿入する設問

③ **要点把握，要点分類**
・要点把握（パッセージの中心的な概念が述べられている文を 6 つの選択肢から 3 つ選ぶ設問）
・要点分類（記述されている文あるいは語句がパッセージの中で比較対照されている 2 つの項目のどちらに属するか，分類する設問）

❷ 設問の解き方

リーディング・セクションでよく出題される設問とその解き方を紹介する。設問のパターンを知り，慣れておくようにしよう。

●内容一致・内容不一致に関する設問の解き方

内容一致に関する設問では，パッセージの内容と一致するものを選ぶ設問が出題される。内容不一致に関する設問では，パッセージの内容と一致しないもの，あるいは述べられていないもの，例として挙がっていないものなどを選ぶ設問が出題される。設問に NOT や EXCEPT が含まれているのが特徴である。このタイプの設問は，パッセージで述べられている内容を選択肢から1つずつ消していくと確実に正解を得ることができる。

いずれの設問も選択肢の語句は，パッセージの表現が言い換えられていたり，またパッセージの文の構造が変えられていたりするので注意が必要である。

内容一致に関する設問文は以下のとおりである。
According to paragraph 1, when [where] was 〜 ?
Which of the following is an example of 〜 ?
Which of the following statement best states the process of 〜 ?
Which of the following is true of 〜 ?

内容不一致に関する設問文は以下のとおりである。
According to paragraph 1, which of the following is NOT an example of 〜 ?
Which of the following is NOT a characteristic of 〜 ?
Which of the following is NOT mentioned as 〜 ?
Which of the following is NOT true about 〜 ?
All of the following are mentioned EXCEPT

● 主題・主旨に関する設問の解き方

　英文パラグラフの第 1 文は主題文（topic sentence）と呼ばれ，主題（topic）ならびに「○○は△△である」という主旨（main idea），つまり筆者の主張が含まれていることが多い。例えば, Smoking is dangerous. という文であれば，主題は「喫煙」であり，主旨は「喫煙は危険である」ということである。2つ以上の段落から成るパッセージの場合も，論説文は基本的にこの構成で書かれることが多いので，各段落の topic sentence を読んでいけば，段落ごとに「主題」と「主旨」を素早く簡単に読み取れる。CHAPTER 2 の STEP 10 でも学習するが，この構成を覚えておくとパッセージの内容を把握しやすくなる。

主題・主旨を問う設問が出題されたら，次のことを心がけたい。
(1)　1 つの段落から構成されるパッセージの場合は，段落の第 1 文（topic sentence）を読む。
(2)　2 つ以上の段落から成るパッセージの場合は，それぞれの段落の topic sentence を読んで，全体としての主題と主旨を考える。
(3)　段落の第 1 文から主旨が見つからない場合は，第 2 文，第 3 文を注意して読む。パッセージによっては，主旨が段落の真ん中に隠れていたり，あるいは「結論」として述べられていたりするような場合もある。また, はっきり文中に明言されておらず，読み手側で読み取らなければならないものもある。しかしそのような場合でも，常に「筆者はここで何を言っているのか」ということを念頭に置いて読んでいけば，主旨を見つけるのは難しくはない。

主題・主旨に関する設問文は以下のとおりである。
What is the main idea of the passage?
What is the main point of this passage?
Which of the following best describes the main idea of the passage?
What is the author's main point?
The main theme of the passage is
What does the passage mainly discuss?

●語彙に関する設問の解き方

　リーディング・セクションでは，12〜14問中の2〜3問は語彙に関する設問であることが多い。語彙の設問は，内容理解に必要な中心的な語で，その語の意味が分からなければパッセージの内容が理解できていないと判断されるものがほとんどである。問題となる語彙は，たくさんの意味を持つ語（多義語）で，パッセージ中ではどのような意味で使われているかを判断させるものが多い。

　語彙に関する設問は，大半は単語についてであるが，語句の場合もある。その場合，the word "＿＿＿＿"の部分は the phrase "＿＿＿＿"となる。後者の場合は，1) 熟語（e.g., arise from など）である場合が多いが，2) 特別な意味を持っているような句（e.g., like whales on the beach「無力に横たわる人のように」）に関する設問も出題されている。どちらの場合も，語彙の意味は，前後の文などをヒントにパッセージから推測することができる。

語彙に関する設問文は以下のとおりである。問題となっている語彙は，パッセージの中でハイライトされている。
The word "＿＿＿＿" in the passage is closest in meaning to
Which of the following is closest in meaning to the word "＿＿＿＿"?

　なお，TOEFL CBT（Computer-Based Testing）では，パッセージ中の語句の同義語をパッセージの太字（bold）の部分から選んでクリックする形式の設問が出題されていた。この類の設問は今後のテストでも出題される可能性があるので，念のため設問文を記しておく。

Look at the word "＿＿＿＿" in the passage. Click on the word or phrase in the bold text that is closest in meaning to "＿＿＿＿."

● 代名詞に関する設問の解き方

　リーディング・セクションでは，it / he / they / them などの「人称代名詞」，this / these，that / those などの「指示代名詞」，one / ones などの「不定代名詞」，which などの「関係代名詞」が何を指しているかを問う設問が出題される。

　代名詞が指しているものは次の4つが考えられる。以下，網掛けは代名詞，下線はそれが指しているものを表している。
(1) 前にあるものを指す場合
　　The presenter asked the <u>participants</u> to brainstorm some ideas that could be used for their own classroom use.
(2) 後ろにあるものを指す場合
　　Internationally known for his work in the field of communication, <u>Richard Paul</u> (1992) describes critical thinking as …
(3) 前の文全体を指す場合
　　<u>Many plants open their leaves during daytime but close at night.</u> You may wonder how this is possible.
(4) 前の文の一部を指す場合
　　She took <u>the part of Cleopatra in the play *Antony and Cleopatra*</u>. This was her greatest performance as a stage actress.

　代名詞に関する設問文は以下のとおりである。
The word this in the passage refers to
Which of the following does the word it refer to?

　これは問題となっている代名詞がパッセージ中で上記のようにハイライトされており，正解を選択肢から選ぶ形式だが，代名詞が指している語（句）をパッセージの太字の部分から選んでクリックする形式で出題される場合もある。その場合の設問文は次のとおりである。

Look at it in the passage. Click on the word or phrase in the bold sentence that it refers to.

●推測に関する設問の解き方

リーディング・セクションには,「パッセージから推測できることは何か」「パッセージから推測できないことは何か」を問う設問がよく出題される。これは,パッセージには直接書かれてはいないが暗に意味していることは何か,パッセージの内容を基に,読み手側で読み取らなければならない設問である。

例えば,She was charged with involuntary manslaughter.（彼女は過失致死罪で告発された）という文があったら,『この女性は刑法に触れることをした』や『彼女自身は殺人を犯す意志はなかった』ことなどが推測できるだろう。推測に関する設問は,このようにパッセージに書かれた内容を基に推測させる問題である。

推測に関する設問は,パッセージに推測できる根拠となる文がなければ正解にできない。従って,解答する場合は,選択肢を1つずつ見て,それぞれ根拠となる文がパッセージ中に存在するかチェックするようにしよう。

推測に関する設問には以下のタイプがある。
(1) パッセージの内容,あるいはある文が暗に意味していることを推測させる設問
(2) パッセージが何を前提として書かれているかを推測させる設問
(3) ある一連の出来事から推測できる内容が何かを答えさせる設問
(4) パッセージから推測できないものを選ぶ設問

推測に関する設問文は以下のとおりである。
Which of the following can be inferred from the passage?
It can be inferred from the passage that
The author implies that
Which of the following can NOT be inferred from the passage?
It may NOT be inferred from the passage that

● Strategies

●筆者の意図・結論に関する設問の解き方
筆者の意図・結論に関する設問には，以下のタイプがある。
(1) パッセージの目的／筆者がそのパッセージを書いた目的を問う設問
(2) 段落の目的／筆者がその段落を書いた目的を問う設問
(3) 筆者がある例を挙げている目的・理由・意図を問う設問
(4) 筆者がパッセージ中のある部分に引用符を使う理由を問う設問
(5) 筆者のパッセージの内容に対する考え・態度を問う設問
(6) 筆者のパッセージの内容に対する結論を問う設問

　(1)から(4)のタイプの設問の特徴は，選択肢が全てto 不定詞になっていることである。つまり，「何の目的・理由・意図で…」という問いに対して，「〜するため」(To illustrate 〜, To compare 〜など) という形で答えるのである。(4)「筆者がパッセージ中のある部分に引用符を使う理由を問う設問」は，(a) 他の人の言葉を引用しているため，(b) 筆者が重要と考えているため，(c) 筆者が特別な意味で使っているため，などが考えられる。また，(5)「筆者のパッセージの内容に対する考え・態度を問う設問」では，(a) critical「批判的」，(b) neutral「中立的」，(c) respectful「敬意を表する」などが出題される。

筆者の意図・結論に関する設問文は以下のとおりである。
What is the author's main purpose in writing this passage?
What is the author's main purpose in paragraph 1?
What is the author's purpose in mentioning 〜?
Why does the author use quotation marks around the word " _____ "?
Which of the following best describes the author's attitude in the passage?
Which of the following conclusions can be drawn from the passage?
Which of the following best summarizes the author's point of view?
What is the author's conclusion in this passage?
It can be concluded from the passage that

●単文挿入に関する設問の解き方

　これは，与えられた文を，パッセージの画面 A, B, C, D のどこに挿入すると文の流れが最も自然か，最も適切だと思われる箇所をクリックして解答する設問である。A, B, C, D はたいてい 1 つの段落内に出てくるので，この問題を解く際は，該当する段落の 1 つ 1 つの文の文法的・意味的なつながりを考えて，どこに文を挿入すると文章全体が論理的な流れとなるか確認する。

文法的なつながりを考える際，挿入文には，次のような語句が含まれている場合が多いので，ヒントにしよう。
・this や these などの指示代名詞や his などの人称代名詞
　These 〜で始まる挿入文であれば，「これらの…」が指すものを，また his があれば，それが指しているものが誰かを考えればよい。

意味的なつながりに関しては以下を考えよう。
・挿入文が例（For example, 〜）を表している場合，どの例としてふさわしいか。
・挿入文が一連の過程（process）や段階（stage）を表している場合，どの過程の一部か，またどの段階か。
・Thus 〜で始まる挿入文であれば，「このように」が指す内容を探せばよい。

単文挿入に関する設問文は以下のとおりである。
Look at the four squares ■ that indicate where the following sentence could be added to the passage.
［ここに挿入される英文が入る］

Where would the sentence best fit?
Click on a square ■ to add the sentence to the passage.

● 要点把握・要点分類に関する設問の解き方

　要点把握は，従来の4つの選択肢から正解を1つ選ぶタイプの設問とは異なり，パッセージの中の中心的な概念（major points / main ideas）を6つの選択肢から3つ選ぶ設問である。要点分類は，与えられた選択肢をタイプ別に分類して，カーソルを移動させ，表を埋めるタイプの設問である。

　まず要点把握の設問では，パッセージがどのように構成されているか，すなわち中心的な概念（main idea）とそれを補足する詳説の部分（supporting details / facts）を読み分け，どの部分が何を補足説明する内容となっているかなどを整理しながら読む力が必要である。また，要点分類の設問では，パッセージがどのように展開しているか，つまり「比較・対照」「原因・結果」「賛成・反対」「類似点・相違点」などを読み分ける能力が必要である。

要点把握・要点分類に関する設問文は以下のとおりである。
【要点把握】
An introductory sentence for a brief summary of the passage is provided below. Complete the summary by selecting the THREE answer choices that express the most important ideas in the passage. Some sentences do not belong in the summary because they express ideas that are not presented in the passage or are minor ideas in the passage.

【要点分類】
Select the appropriate phrases from the answer choices and match them to the type of ... to which they relate. TWO of the answer choices will NOT be used.

❸ リーディング問題の対策

TOEFL テストの問題を分析すると，リーディング・セクションで要求される能力は以下の4つに集約される。

> ① 「概要から詳細」へとトップダウン式に内容を読み取る能力
> ② 知らない語の意味を推測する能力
> ③ パッセージ全体の構成，展開，論理的一貫性をとらえる能力
> ④ 短時間で内容を素早く理解する能力（速読速解能力）

本書では，以上のような能力を養成し，TOEFL のリーディング・セクションに対応できるよう，いろいろなリーディング・ストラテジーを解説しているので，CHAPTER 2 の各 STEP のポイントを熟読していただきたい。

さて，iBT では，どのような試験対策を立てたらよいだろうか。以下にまとめてみよう。

1　スキミングを通して「概要から詳細」へトップダウン式で読む練習をする

リーディング・セクションでは，設問を飛ばして次の設問に解答しても構わないし，何度も前に戻って解答し直すことも可能である。ただし，設問を飛ばしたり，設問間を行ったり来たりするには1回1回 Next や Back をクリックしなければならず，その分無駄に時間がかかる上，思考や集中の妨げとなるので，効率のよいやり方ではない。またパッセージ全体を飛ばし，解答しやすそうなものから手がけるというやり方も，パッセージと設問をスクロールするのに時間がかかって，貴重な試験時間の無駄である。コンピュータを使った方式で解答する場合は，それに合った読み方をするのが望ましい。すなわち，リーディング・セクションに入ったら，パッセージを飛ばしたり，設問を飛ばしたりせず，設問が提示される前の1回目のリーディングで，スキミング（skimming：ざっと読むこと）を通して概要を把握し，内容をトップダウン式につかむ訓練を行っておく必要がある。

2 語彙力を付ける

　語彙力は英文読解の最大の武器である。語彙力が豊富であればパッセージ中の知らない語も，すでに知っている多くの語から意味を推測することができる。TOEFL では幅広い分野に関する基本的な語彙を身につけておくことが，高得点を取るための大きなポイントとなる。海外で勉強していくには 5,000 語，さらに大学院で勉強できるようにするには 10,000 語が必要だと言われている。語彙の習得には，単語帳を作成するなどして，繰り返し何度も見直し，テストをして記憶を確認する地道な勉強が欠かせない。

3 パッセージの構成およびリーディング・ストラテジーを熟知する

　CHAPTER 2 の STEP 10 で詳しく解説しているように，英文パラグラフは，日本語の段落とは異なり，1 つのアイデアを基に，直線的かつ論理的に話題が展開していく。パッセージは 1 つ 1 つの段落の集まりであるが，全体として非常に一貫性のある構成になっている。このような英語のパッセージの特徴およびその構成を知ることは，英文読解に非常に重要である。また，この重要性は，パッセージの構成がつかめないと解答できない設問が多いことからもうかがえる。さらに，読解のポイントは，英文を正確に読むことであるが，英文を正確に読むには文章構造を見抜く力の有無が大きく関係してくる。すなわち，英文を読んでその構造が見えてくるようになると，そこに書かれた内容も正確に把握できるようになるのである。

4 時間配分について

　TOEFL の試験では，700 語程度から成るパッセージを読んで 12 ～ 14 問を 20 分で解答しなければならない。700 語程度から成るパッセージは合計 3 ～ 4 つ出題される。3 題出題されれば 60 分，4 題であれば 80 分試験時間を要することになる。リーディングは大変労力を使うテストである。受験者としては，集中力および知力を長時間働かせる持続力が必要である。従って，解答することが目的でなくても，日頃からコンピュータ上で長文に読み慣れておくことが大切である。

　本書を使って勉強をする場合，CHAPTER 2 の基礎学習の各 STEP はパッセージの長さが 350 語程度，設問数は 5 問となっているので，8 分程度で解答するよう時間配分を行っていただきたい。

5　背景的知識を身につける

　情報は，よく知っている物事について読む場合の方が，全く知らない物事について読む場合より速くつかめる。それは内容に関する予測が働き，文法が複雑で，難しい語句が文中に出てきても，文章の意味を推測することが可能となるからである。一方全く知らないことは，初めて知る情報を1つ1つ記憶しながら整理して読まなければならない。それゆえに，その分だけ時間がかかってしまう。知識は日本語で吸収することが十分可能である。TOEFLに関して言えば，社会科学や自然科学など，幅広い分野の知識を身につけておくと有利である。

● ● ● Strategies

④ リーディング問題操作方法

（実際の画面とは異なることがあります）

1 パッセージを読む画面

　まず，右の画面のように，ウインドウにパッセージが表示されます。ウインドウをスクロールすると，画面右上の表示が Beginning → More Available → End と変わっていきます。End になったら **CONTINUE** をクリックして設問に進みます。End にならないうちは進めません。

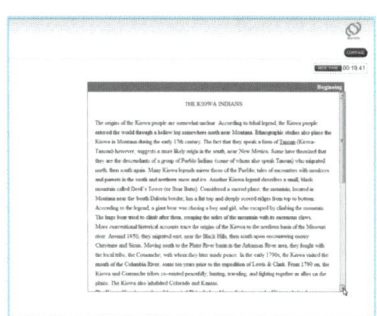

2 四肢選択

　4つの選択肢の中から正しいものを選ぶ設問です。右側のウインドウにパッセージが表示され，左側のウインドウに設問が表示されます。選択肢の○をクリックして解答します。新たに別の選択肢の○をクリックすることで解答を変更できます。次の設問に進む場合は **NEXT** を，前の設問に戻る場合は **BACK** をクリックします。

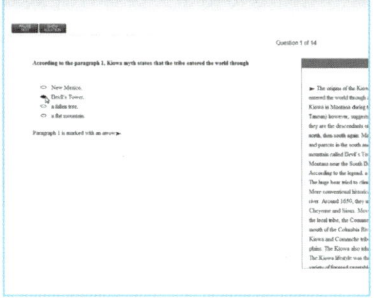

3 単文挿入

パッセージの適切な箇所に文章を挿入する設問です。左側のウインドウに設問が表示され，右側のウインドウには■が挿入されたパッセージが表示されます。文章を挿入したい箇所の■をクリックするとそこに文章が挿入された形になります。新たに別の■をクリックすることで解答を変更することができます。

4 要点把握，要点分類（選択肢をドラッグして解答する設問）

複数の選択肢をそれぞれ適当な項目に当てはめる設問です。適切と思われる選択肢を解答欄へドラッグすることで解答します。いったん解答欄へドラッグした選択肢をクリックすると，選択肢が元に戻る＊ので，改めて別の選択肢をドラッグすることで解答を変更することができます。このタイプの設問では，画面に設問のみが表示されるので，パッセージを見たいときは VIEW TEXT をクリックします。

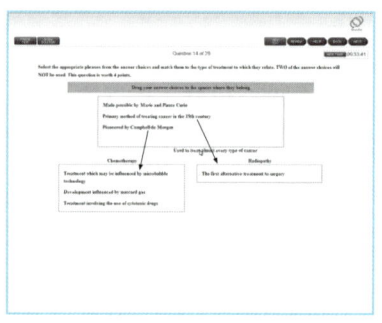

全ての設問に解答し，最後に CONTINUE をクリックすると終了します。

＊本書特典の Web 模試では，解答欄へ移動させた選択肢を元に戻すには，その選択肢を元あった選択肢一覧までドラッグする必要があります。ご注意ください。

5 Glossaryの機能

　パッセージ中に青字で表示され下線が引かれている語句には解説が付いています。語句をクリックすると解説が表示されます。

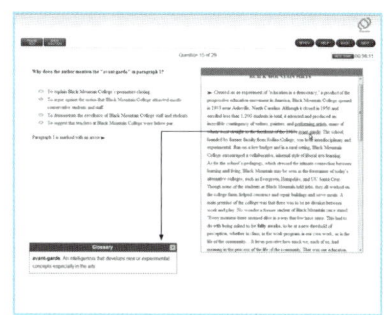

6 解答一覧（未解答の設問がチェックできる機能）

　REVIEW をクリックすると設問の一覧が表示されます。まだ解答していない設問を探すことができます。

CHAPTER 2 >>

基礎学習

STEP 1〜17 ...... 35〜136

STEP 1 タイトルからパッセージの内容を推測する

> **学習目標**　パッセージを読む前に，タイトル（表題）を読んで，パッセージの内容と出題される設問の予測をする。

ポイント

　TOEFL iBT のリーディングは，TOEFL ITP（ペーパー形式の団体受験）と違って，全てのパッセージにタイトルがついている。TOEFL iBT では，約700語に及ぶ長いパッセージが出題されるので，タイトルがあるのは受験者にとって大変ありがたい。それはタイトルを読むことで，大まかな内容や設問の予測ができ，その分，解答しやすくなるからである。

　例えば，ETS がインターネット上に掲載している「TOEFL ガイド」（TOEFL iBT Tips How to prepare for the next generation TOEFL test and Communicate with Confidence*）を見ると，Introduction 以下に次の2つのタイトルがつけられている。

What is different about the TOEFL iBT test?
Why is the TOEFL test changing?

ここから，まず前者に関しては，TOEFL iBT が従来のテストとどの点で異なるのか，その「相違点」，また後者に関しては，これまでのテスト方式と変わった「理由」が述べられていることが分かる。これが試験であれば，いくつかの「相違点」や「理由」が読解のポイントとなる。そこで，パッセージを読む前に，まずタイトルを確認し，内容や設問の予測をするようにしたい。

*http://www.transint.boun.edu.tr/toefl/belgeler/tips.pdf
（2014年1月現在）

> 文化

Affirmative Action: The Government's Attempt to Provide Equal Access to Education

1   In recent times the United States government has increased its role in questions relating to how all Americans can best secure equal access to education. **A** In the early 20th century, different groups, such as women and minorities, were often excluded from higher education. **B** Blacks, for example, were barred from many white institutions or were, at best, made to feel unwelcome. **C** Furthermore, schools had problems providing equal opportunities for all because quality, costs, and admissions criteria varied greatly. **D**

2   The Federal Government wanted to deal with these problems, and so enacted affirmative action to give support to those groups who had faced discrimination in society. The government began requiring universities to consider factors such as race, ethnicity, and gender when selecting students for admission, thus ensuring that Americans from all walks of life had equal access to education and the possibility of better job opportunities in the future, making fields such as law, medicine and business more accessible to minorities. In addition, more financial aid became available to groups who could not otherwise afford to attend these schools.

3   By the 1970s, American society strongly committed to pushing affirmative action. For future students, this meant that schools gave priority to blacks, Native Americans, women and other groups who had formerly been shut out from more prestigious professions, helping members of these groups reach unprecedented levels of social and financial success.

4   More recently, those who have found themselves excluded from universities as a result of affirmative action have complained the policy is unfair to them, claiming they are victims of reverse discrimination. Some believed affirmative action had served its purpose, and could be phased out. Others believed that beneficiaries of affirmative action should be limited to certain groups, such as the descendants of slaves. Americans continue to debate the issue. As of 2013, eight states — Michigan, California, Florida, Washington, Arizona, Oklahoma, Nebraska, and New Hampshire — ban affirmative action in their state university admissions policies.

● ● STEP 1

1 Which of these words in paragraph 1 is given as a synonym for barred in the passage?

- (A) increased (line 1)
- (B) excluded (line 4)
- (C) made (line 5)
- (D) varied (line 7)

2 Look at the four squares ■ that indicate where the following sentence could be added to the passage.

Some of the most prestigious colleges imposed quotas limiting the number of Jews and Eastern Europeans they would admit.

Where would the sentence best fit?

3 In which paragraph does the author specifically discuss which group of people benefited from affirmative action?

- (A) Paragraph 1
- (B) Paragraph 2
- (C) Paragraph 3
- (D) Paragraph 4

4 According to the passage, which of these statements can be inferred as true?

- (A) All states currently practice affirmative action.
- (B) Affirmative action is similar to reverse discrimination.
- (C) Only African Americans should qualify for affirmative action.
- (D) Affirmative action is a very controversial issue.

5 Select the THREE answer choices that express the most important ideas in the passage.

- (A) Many minorities took advantage of affirmative action to achieve success.
- (B) Affirmative action requires institutions to provide equal access to education for those who faced discrimination in the past.
- (C) Affirmative action stresses equal opportunities in the field of medicine, law, education and business administration.
- (D) Colleges and universities must take race, ethnicity and gender into consideration under the affirmative action policy.
- (E) Black Americans had the nation's longest history of slavery and segregation.
- (F) The policy of affirmative action is considered by some to be a form of reverse discrimination.

パッセージについて

　パッセージのタイトルを見てみよう。Affirmative Action という言葉はなじみが薄いかもしれないが，コロン以下の説明から，「教育の平等」に関する内容と推測できる。「教育の平等」と言えば，(人種，性別を問わず) 誰もが教育を受ける権利があり，政府がそれを推進しているといった内容であることの察しがつく。従って，パッセージを読むにあたって，Affirmative Action という政府の政策はいかなるものか，「教育の平等」の対象となっているのはどのような人々か，その人々はどのような恩恵を得ているのか，その政策に問題はないのか，などを念頭に読むと理解が深まるはずである。

Answers

1 　**設問訳**　パッセージの barred の同義語として第１段落の中で使われている語はどれか。
　ヒント　何の例として黒人が出ているのか考えよう。

解説　直前の文に「女性や少数民族などは高等教育からしばしば exclude されていた」とある。ここから黒人は exclude されていた少数派の例として挙げられていることが分かる。従って「黒人は歴史的に白人の施設から bar されていた」は，「exclude されていた」と同じ意味。

2　**設問訳**　次の文の挿入箇所として，４つの■のうち最も適切なものはどれか。
　　　　「一流大学の中には入学者の人数割り当てを課して，ユダヤ人や東ヨーロッパからの学生を制限した大学もあった」
　ヒント　ユダヤ人や東ヨーロッパからの学生も差別を受けた少数派の例。

解説　この文は，第２文に関する具体例なので，第３文以降に挿入するのが適切。**B** に挿入すると，この文の後に「例えば黒人は…」となり，つながりが悪くなる。Furthermore 以降は別の主張をしているので，**D** に挿入するのはふさわしくない。しかし **C** であれば，まず黒人の例，そして次にユダヤ人と東ヨーロッパからの学生の例が挙げられることになり，自然な流れとなる。

3　**設問訳**　差別撤廃政策でどの集団が利益を得たか筆者が具体的に述べている段落はどれか。
　ヒント　各段落の第１文を読んで，主旨をつかもう。

解説　それぞれの段落の第１文を読むと，第１段落はパッセージ全体の導入部分，第２段落は政府の affirmative action に関する試みが，そして第４段落は affirmative action に対する批判が書かれていることが分かる。第３段落は第１文でアメリカの社会が affirmative action を熱心に推し進めたとあり，第２文に黒人やネイティブ・アメリカン，女性などの集団を学校が優先させるようになった，とある。ここから正解は **C**。

4　**設問訳**　パッセージによると，以下のどれが正しい記述だと推測できるか。
　ヒント　パッセージに推測できる根拠となる記述がなければ正解にできない。

解説　**A** は最後の文に反する。**B** とは断言できない。**C** は第４段落第３文にあるように，一部の人の主張。第４段落に，差別を是正しようとする試みの一方で，それは反対に逆差別につ

ながるという主張もあると書かれていることから，Ⓓ「affirmative action は多くの論争を含んだ問題である」と推測できるので，これが正解。

5 設問訳　パッセージの中で表されている最も重要な考えを3つ選べ。
ヒント　パッセージのキーポイントとなる記述はどれか。
解説　パッセージの中心的な考えを表しているのは Ⓑ，Ⓓ，Ⓕ。Ⓐ，Ⓒ は詳細，また Ⓔ は，黒人の歴史的事実が述べられているにすぎない。

全訳

差別撤廃政策：教育の機会均等を提供するための政府の試み

　アメリカ合衆国政府は近年、いかに全国民が平等に教育を受ける機会を得ることができるか、という問題に関する役割を強化している。20世紀初頭には、女性や少数民族などの異なる集団に属する人々は、高等教育からしばしば締め出されていた。例えば黒人は、多くの白人の施設に入ることを禁じられていたり、よくても歓迎されていないと感じさせられた。一流大学の中には入学者の人数割り当てを課して、ユダヤ人や東ヨーロッパからの学生を制限した大学もあった。さらに、質や費用、入学要件などが大きく異なっているため、学校が全ての人々に平等に教育を受ける機会を与えるには問題があった。
　連邦政府はこういった諸問題を対処したかったので、社会で差別を受けてきた集団を支援するために差別撤廃政策を制定した。政府は、入学時に学生を選抜する際、人種や民族、性別などの要素を考慮するよう大学に義務付け始めた。そうすることで、少数派が法律、医学、ビジネスなどの分野にもっと従事しやすくなるように、あらゆる階層のアメリカ人に平等に教育を受ける権利と将来のよりよい雇用機会の可能性があることを保証した。さらに、これらの学校に経済的に通うことができない集団に対するさらなる学資支援も可能になった。
　1970年代までに、アメリカ社会は差別撤廃政策を推し進めることに熱心に取り組んだ。これから学生になる人たちにとって、このことは、かつてはより権威のある職業に就くことから締め出されていた黒人、ネイティブ・アメリカン、女性、その他の集団に属する人々を学校が優先させることを意味した。そして、こういった集団の人々がかつてないほどの社会的・経済的成功の水準に達するのを手助けすることを意味した。
　もっと最近では、差別撤廃政策の結果大学に入学できなかったと気付いた人々が、自分たちは逆差別の犠牲者であると主張して、その政策は自分たちにとって不平等だと不満を表している。差別撤廃政策はその目的を果たしたので、段階的に廃止してもよいと考える人々もいれば、差別撤廃政策の恩恵を受ける対象者は、奴隷の子孫のような特定の集団に限られるべきであると考える人々もいた。アメリカ人はその問題について議論を続けている。2013年現在、ミシガン、カリフォルニア、フロリダ、ワシントン、アリゾナ、オクラホマ、ネブラスカ、ニューハンプシャーの8州が、州立大学の入学に関して差別撤廃政策を取りやめている。

◎ 正解 ◎
1 Ⓑ　　**2** Ⓒ　　**3** Ⓒ　　**4** Ⓓ　　**5** Ⓑ，Ⓓ，Ⓕ

Vocabulary

表現	意味／説明
affirmative action	（少数民族・女性などに対する雇用・入学での）差別撤廃措置［政策］
secúre	動 〜を（苦労して）手に入れる；〜を守る
minórity	名 少数民族；少数派　　反 majority 大多数
exclúde	動 〜を締め出す　　反 include 〜を含む
bar 〜 from ...	〜を…から閉め出す
Federal Government	連邦政府
ethnícity	名 民族性
génder	名 （社会的・文化的）性別
aid	名 援助
prestígious	形 威信のある，名声の高い
ùnprécedènted	形 前例のない
víctim	名 犠牲者，被害者
reverse discrimination	逆差別
phase out 〜	〜を段階的に廃止する
bènefíciàry	名 利益を受ける人
slave	名 奴隷
ban	動 〜を禁止する

STEP 2 設問と選択肢からパッセージに関するヒントをつかみ，解答にうまく生かす

学習目標 設問と選択肢をざっと確認して，パッセージを読む際，何に集中し，何を読み取ればよいかを判断する。

ポイント

　設問や選択肢には，パッセージの内容に関して多くのヒントが隠されている。TOEFL の問題には，「設問が完結した形で出題されるもの」と「選択肢の中から正解を 1 つ選んで，設問とつなげて正しい文にするもの」がある。

　設問が完結した形式の場合，そこからパッセージの内容が分かることがある。例えば，STEP 1 ③ に In which paragraph does the author specifically discuss which group of people benefited from affirmative action? という設問があったが，この設問から，パッセージには「affirmative action の利点」が述べられていることが分かる。

　一方，選択肢の正解を設問と結び付けて解答する形式の場合にも，選択肢からパッセージに関するヒントが得られる。例えば，以下の例を見てみよう。

According to the passage, the Mississippi River basin is
- (A) 3,658 miles long
- (B) about two-fifths the size of ...
- (C) smaller than the basin of ...
- (D) about the same size as ...

　ここから，パッセージにはミシシッピ川の具体的な大きさや，他と比較してどれくらい大きいかが述べられていることが分かる。従って，パッセージを読むときはその該当する部分に注意して読めばよいのである。

> コミュニケーション／言語

Animal Communication Versus Human Communication

1. Humans are not the only creatures that communicate. Many other animals exchange signals and signs that help them find food, migrate, or reproduce, and this ensures their survival. For example, elephants emit very low-pitched sounds, below the level of human hearing, that call other members of the herd over many miles. Chimpanzees use facial expressions and body language to express dominance or affection with each other. Whales and dolphins make vocal clicks, squeals, or sing songs to exchange information about feeding and migration, and to locate each other. Insects regularly use pheromones, a special kind of hormone, to attract mates.

2. Humans have developed more complex systems of language that are used not only to ensure survival, but to express ideas and emotions, to tell stories and remember the past, and to negotiate with one another. They also created the written form, which began with drawings or marks made to indicate meaningful information about the world. 30,000-year old cave paintings that have been discovered in France, for example, illustrate Ice Age animals, while 15,000-year old counting marks have been found on reindeer antlers, perhaps to record the cycles of the moon.

3. Anthropologists believe the first writing system developed in Egypt in about 3300 BC. From that starting point, three forms of writing systems, ever more sophisticated, have been identified: logogram, syllabic, and alphabetic. Logogram systems, such as the early Egyptian hieroglyphics, use many signs or pictures which represent complete words. These are adequate for most nouns and simple verbs, but not sufficient for most adjectives, adverbs, and pronouns. The syllabic system overcomes the limitations of logographic writings by using signs to represent sounds, in this case, syllables. The advantage here is that words that have no pictorial representation can be expressed. Alphabetic writing, meanwhile, separates the consonant sounds from the vowel sounds. This is the most economic writing system, in terms of the number of symbols that have to be mastered.

1 The word emit in the passage is closest in meaning to
A give off   B hear   C signal   D socialize

2 Which of the following is NOT mentioned as a reason for communication?
- A To show superiority
- B To find a mating partner
- C To warn of danger
- D To share knowledge about food sources

3 At what point in the passage does the author first refer to writings made by man?
- A The sentence beginning in line 3
- B The sentence beginning in line 10
- C The sentence beginning in line 12
- D The sentence beginning in line 18

4 What is the main idea of paragraph 3?
- A Alphabetic writing is the most widely used today.
- B Writing systems originated in Egypt.
- C Anthropologists have identified three out of many writing systems.
- D Writing systems vary in usefulness and complexity.

5 Select the appropriate sentences from the answer choices and match them to the type of writing system to which they relate. TWO of the answer choices will NOT be used.

Logogram	Alphabetic
•	•
•	•
•	•

Answer Choices
- A This writing system uses syllables.
- B This writing system has consonants and vowels.
- C The early Egyptian hieroglyphics belong to this form of writing system.
- D Words that have no pictorial representation can be expressed.
- E Words are expressed by signs and pictures.
- F The words that have pictorial representation are not expressed with this writing system.
- G This writing system is not adequate for most adjectives, adverbs, and pronouns.
- H Adjectives, adverbs, and pronouns can be expressed with this writing system.

パッセージについて

　設問を見てみよう。まず 2 に「コミュニケーションをする理由として述べられていないもの」を選択肢の中から選ぶ設問が出ている。ここから、パッセージには「コミュニケーションをする理由」がいくつか述べられており、その部分に注意して読む必要があることが分かる。また、5 では、与えられた文を Logogram と Alphabetic に分類する設問が出ている。さらに設問中に、これらは the type of writing system とあるので、パッセージにそれぞれの writing system の特徴と相違点が述べられていると予測できる。従って、読む際はその該当する部分に集中して読もう。

Answers

1 **設問訳** パッセージの emit と最も意味が近いのはどれか。
ヒント 文脈を考えよう。

解説 「ゾウは何マイルも離れた同じ群れの仲間を呼ぶために、人間には聞こえない非常に低い音を emit する」という文脈から、emit は「〜を発する」という意味であることが推測できる。従って、Ⓐ が正解。

2 **設問訳** コミュニケーションをする理由として述べられていないものはどれか。
ヒント 述べられているものを消去していこう。

解説 Ⓐ は第1段落第4文「チンパンジーが優位を表すため」、Ⓑ は第2文「繁殖するため」、Ⓓ も同じく第2文「食料を見つけるため」、コミュニケーションをすると述べられている。しかし、Ⓒ に関してはどこにも述べられていないので、これが正解。

3 **設問訳** パッセージのどの部分で筆者は人間が書いたものについて初めて言及しているか。
ヒント 選択肢を1つずつ確認していこう。

解説 writings について初めて書かれているのは第2段落第2文 They also created the written form, ... である。従って、Ⓒ が正解。

4 **設問訳** 第3段落の主旨は何か。
ヒント writing system がこの段落のキーワードである。

解説 筆者は第2段落で、人間はより複雑な言語システムを発展させ、書記体系までも創り出したことを述べている。第3段落では書記体系として、人類学者が確認した3つの体系を1つずつ紹介しているが、筆者の主張は、最初にエジプトで書記体系が発達してから、「書記体系は ever more sophisticated なものへと発展した」ということである。つまり、より便利に、そして複雑になったということである。それを表しているのは、Ⓓ 「書記体系は有用性と複雑さの点で異なる」。

5 　**設問訳** 以下のそれぞれの種類の書記体系に関する記述と一致する文を選択肢から選べ。選択肢のうち 2 つは使わない。

　　　ヒント 書記体系について述べている第 3 段落を整理してみよう。

解説 第 3 段落から，Logogram に関する記述は ⓒ，ⓔ，ⓖ。Alphabetic は Syllabic の特徴も併せ持つと考えられるので ⓑ，ⓓ（最後から 3 文目），ⓗ（最後から 4 文目）となる。

全訳

動物のコミュニケーションと人間のコミュニケーション

　コミュニケーションし合う生き物は，人間だけではない。他の多くの動物も，食料を見つけたり，周期的に移動したり，繁殖したりする助けとなる合図や信号をお互いに交換しており，そうすることによって動物は確実に生き延びる。例えば，ゾウは人間の耳には聞こえない，非常に低い音を発するが，これは何マイルも離れた同じ群れの仲間を呼ぶためのものである。チンパンジーは，表情やボディランゲージを使って自分の優位やお互いへの愛情を表現する。クジラやイルカは，「カチッ」や「キーキー」という声を発したり，歌を歌ったりすることで，餌や移動に関する情報を交換する他，お互いの位置を確認し合ったりする。昆虫は，特別な種類のホルモンであるフェロモンを，相手を引きつけるために日常的に利用している。

　人間の場合はもっと複雑な言語システムを発達させてきた。この言語システムは，確実に生き残るためだけでなく，考えや感情を表現したり，話をしたり，過去のことを思い出したり，お互いに交渉し合ったりするためにも使われている。人間はまた，文字を創り出したが，それは世の中のことについて有意義な情報を示すための絵や記号から始まった。例えばフランスでは，洞窟に描かれた 3 万年前の壁画が発見されたが，そこには氷河期の動物の絵が残されていた。一方，1 万 5,000 年前のトナカイの角には，月の周期を記録するためのものなのか，数を示す印が刻まれているのが発見されている。

　人類初の書記体系が発達したのは，紀元前 3300 年頃のエジプトにおいてであると人類学者らは考えている。それを起点として，さらにより高度な 3 つの書記体系が確認されている。すなわち，表語的体系，音節的体系，そしてアルファベット的体系である。表語的体系はエジプト初期のヒエログリフ（象形文字）のように様々な記号や絵で完全な言葉を表すものである。これらはほとんどの名詞と簡単な動詞を表すには十分ではあるものの，形容詞，副詞，代名詞の大半を表現するには不十分である。音節的体系は，音（この場合は音節）を表すのに記号を使うことで表語文字の限界を克服したものである。この文字の利点は，絵に表せない言葉も表現できることだ。一方アルファベットでは，子音と母音が区別されている。これは，習得すべき記号の数の点から見て，最も経済的な書記体系だと言える。

◎ 正解 ◎

1 Ⓐ　　**2** Ⓒ　　**3** Ⓒ　　**4** Ⓓ

5 　Logogram：Ⓒ，Ⓔ，Ⓖ　　Alphabetic：Ⓑ，Ⓓ，Ⓗ

Vocabulary

表現	意味／説明
mígrate	動 [máɪgreɪt]（鳥などが）周期的に移動する；移住する
rèprodúce	動 繁殖［生殖］する
ensúre	動 ～を確実にする
emít	動 [ɪmít]（ガス・光・熱など）を発する
herd	名 （牛・羊などの）群れ
dóminance	名 優勢
afféction	名 愛情，好意
click	名 カチッ（という音）
squeal	名 キーキー鳴る音
phéromòne	名 フェロモン《生体内のある特定の器官から分泌され，同種族間のコミュニケーションに作用する物質》
réindèer	名 トナカイ
ántler	名 （雄ジカなどの）枝角
sophísticàted	形 （機械・技術などが）精巧な；（経験を積んで）洗練された 反 unsophisticated 素朴な
lógogràm	名 表語文字《dollar に対する $ など》
syllábic	名 音節主音　形 音節の 名 syllable 音節；音節を表すつづり（字）
hìeroglýphic	名 象形文字表記法；ヒエログリフ《古代エジプトの象形文字の1書体》 形 象形文字の
òvercóme	動 ～を克服する
pictórial	形 絵［写真］の

STEP 3 内容の予測をしながら読む

学習目標 パッセージを読みながら，後に続く内容を予測し，その内容を検証していく。

ポイント

　今回はパッセージを読みながら同時に「後に続く内容を予測する」スキルを身につけてほしい。具体的に例を出して考えてみよう。例えば，Weather refers to で始まる文があったとする。この後には「weather の意味が述べられ，climate の意味とは違うことが書かれているかもしれない」などと考えながら読んでいこう。パッセージを読む際は，このように内容に関する「仮説」を立て，実際の展開はどうなのか「検証」する「能動的な」読みをすることが大切である。

　「パッセージを読んでいても頭に意味が入ってこない」や「一通り最後まで読んだけれども何が書かれているのか分からない」という話を時々聞くが，それは「受動的な」読みをしているからである。そのような事態を避けるためにも，この「仮説 → 検証」の読み方を身につけよう。なお，内容の予測に関しては，読み手の知識が広くそして深ければ，それだけ多くのことを予測できる。普段から読書量を増やして知識の吸収を心がけるようにしたい。

地理

The Risk of Oasis Floods

1   The northeast part of the Sahara desert, also called the Libyan desert, covers about 424,600 square miles. Much of it is covered with plateaus and rows of sand dunes that tower hundreds of feet in the air. But the desert was not always dry. Periodically during Earth's history, what is now the Sahara had substantial rainfall, and an unknown quantity of that water (some believe up to the equivalent of 1,000 Nile Rivers) remains under the Sahara, trapped in aquifers under the desert. So, in a few rare places, there are oases. These occur when a natural depression or fissure allows underground water to reach the desert surface. As a result of these natural springs, plants, animals and humans can survive. Now these ancient waters are being exploited much more rapidly than in the past, with new technology allowing man-made wells to reach a depth of three-quarters of a mile or more, drawing water that comes to the surface boiling hot.

2   These schemes are not without their critics, and some claim the damage these projects do far outweigh the benefits. The situation in the oasis of Siwa and its adjacent city, the medieval capital of Shali, exemplifies these criticisms. The population of Shali has exploded, and in a frenzy of digging, there are now roughly 2,000 wells in its vicinity, an area of only 35 square miles. As a result, the residents now have so much water they are practically drowning in it. The Siwa depression, which sits over 140 feet below sea level, is rapidly filling with water flowing out of these wells, and some experts fear the entire basin could be drowned in the next 30 years, destroying the ancient city and its ancient artifacts.

3   Another problem that was unforeseen is rising soil salinity in the surrounding area. Increased irrigation is ruining the land for further cultivation because the underground water is slightly saline. When the water evaporates, the salt gets concentrated, and a crusty salt deposit is left behind on the soil.

● ● STEP 3

1 The word frenzy in the passage is closest in meaning to
- Ⓐ rush
- Ⓑ anger
- Ⓒ expense
- Ⓓ fatigue

2 According to the passage, which of the following best depicts the Siwa oasis?

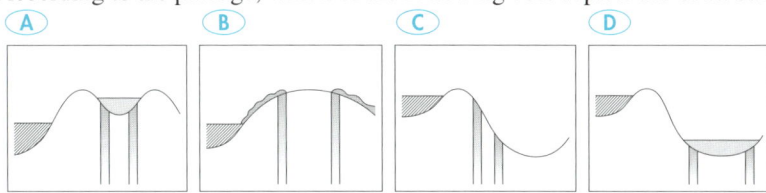

Ⓐ   Ⓑ   Ⓒ   Ⓓ

3 What does Another problem that was unforeseen in the passage mean?
- Ⓐ The problem was inexplicable.
- Ⓑ Nobody could see the reasons for the problem.
- Ⓒ Nobody was able to predict the problem.
- Ⓓ Somebody tried to cover up the problem.

4 What is the author's message in this passage?
- Ⓐ It is already too late to save the oases.
- Ⓑ The present situation in desert oases is great, but we must be careful in future.
- Ⓒ The present situation of the oases is already dangerous.
- Ⓓ We need to keep drilling wells in the oases.

5 Select the THREE answer choices that express the most important ideas in the passage.
- Ⓐ New technology is making the problem worse because it allows water to be overdrawn.
- Ⓑ Oases occur when a natural depression or fissure allows underground water to reach the desert surface.
- Ⓒ Exploitation of ancient waters is causing the rising outflow of wells and is gradually filling the Siwa depression.
- Ⓓ The Libyan desert is covered with plateaus and rows of sand dunes.
- Ⓔ Increased irrigation is ruining the land for cultivation because the underground water is salty.
- Ⓕ The Sahara had a lot of rainfall during Earth's history.

パッセージについて

　第 1 文から，サハラ砂漠について書かれたパッセージだと分かる。第 3 ～ 4 文 But the desert was not always dry. Periodically during Earth's history … と rainfall や an unknown quantity of that water から，「サハラ砂漠はかつて乾燥していなかったこと」と「雨が降ってたまった莫大な量の水がどこかにあること」が読み取れる。「その水は地下に存在するのか」などと予測しながら「仮説」を立て，読みながらそれらを「検証」していこう。予測は外れるかもしれないが，それが分かるということはパッセージを理解している証拠でもあるので，予測に反していてもどんどん先を読んでいくことが大事である。

Answers

1 　設問訳　パッセージの frenzy と最も意味が近いのはどれか。
　　ヒント　文脈を考えよう。

　解説　frenzy という語は「シャリの人口が急速に増え，井戸掘削の frenzy によって，わずか 35 平方マイルの地域に約 2,000 もの井戸が隣接している」という文に出てくる。たくさんの井戸を作ったことがこの結果を招いたのだから，正解は A 。

2 　設問訳　パッセージによると，シワオアシスを最もよく表しているのはどれか。
　　ヒント　オアシスはどのようにできるかを考えよう。

　解説　シワオアシスの状態を表している文は，第 2 段落最終文 The Siwa depression, which sits over 140 feet below sea level, is rapidly filling with water flowing out of these wells「海面下 140 フィートのシワのくぼ地は，これらの井戸からあふれ出た水によって急速に満たされつつある」である。イラストの中で陸地に水がたまった状態を表しているのは A ，D だけで，B ，C には水がたまっていないので不正解。A は水がたまっている部分が海面下ではないので，不正解。シワオアシスを最もよく表しているイラストは D 。

3 　設問訳　パッセージの Another problem that was unforeseen はどういう意味か。
　　ヒント　unforeseen という語を分解して意味を考えてみよう。

　解説　unforeseen は un + foreseen から成り，foreseen は foresee の過去分詞である。foresee は「～を予見する」，un- は否定を表す接頭辞なので，unforeseen は「予期しない，思いがけない」という意味である。従って，C 「誰もその問題を予期することができなかった」が正解。

● ● STEP 3

4 〔設問訳〕 このパッセージで筆者が伝えようとしているメッセージは何か。
〔ヒント〕 選択肢で当てはまらないものを消去していこう。

〔解説〕 筆者は A 「時すでに遅く,オアシスを救うことはできない」, B 「現在の砂漠のオアシスの状態は素晴らしいが,将来は気を付けなければならない」, D 「オアシスで井戸を掘り続ける必要がある」とは言っていない。筆者は C 「現在オアシスはすでに危険な状態にある」と言って,読者に注意を喚起している。

5 〔設問訳〕 パッセージの中で表されている最も重要な考えを3つ選べ。
〔ヒント〕 パッセージのキーポイントとなる記述はどれか。

〔解説〕 パッセージの中心的な概念（＝主旨）を表しているのは A , C , E 。B , D は詳細, F は単にサハラ砂漠の地学上の過去の事実を述べているにすぎない。

全訳

オアシス洪水の危険

　サハラ砂漠の北東部はリビア砂漠とも呼ばれ,その面積は,約42万4,600平方マイルにも及んでいる。そのほとんどが,台地か,高さが何百フィートにもなる砂丘の連なりに覆われている。しかしこの砂漠は常に乾燥していたわけではなかった。地球の歴史の中で,現在サハラと呼ばれる地域は,かつて定期的に相当な降雨があり,未知の量の水（その水量はナイル川1,000本分に相当すると考える人々もいる）がサハラの下に残って,砂漠の下の帯水層にたまっている。そのため,まれではあるがオアシスが存在する。これは,自然に生じる地面のくぼみあるいは亀裂から地下水が砂漠の表面に出てきたものである。この天然の泉のおかげで植物や動物,そして人間が生存できるのである。現在,これらの古代に蓄えられた水がこれまでよりも急激に開発され,くみ上げられている。新しい技術のおかげで,4分の3マイル,ないしはそれ以上に深い井戸が人工的に掘られるようになり,煮え立つほどの高温の水をくみ上げている。

　こうした計画を批判する人々がいないわけではない。このようなプロジェクトの損害は,利益をはるかに上回ると主張する者もいる。シワオアシスとその隣接する都市である中世の都シャリの事態が,こうした批判を実証する。シャリの人口が急速に増え,井戸掘削の異常なブームによって,現在,わずか35平方マイルの地域に約2,000本もの井戸が隣接している。その結果,今ではあまりにも大量の水があるので,住民はその中で水浸しになっているも同然である。海面下140フィートにあるシワのくぼ地は,これらの井戸からあふれ出た水によって急速に満たされつつある。盆地全体があと30年もすれば水没して,古代都市とそこにある古代の遺物をだめにしてしまうのではないかと恐れる専門家もいる。

　もう1つの思いがけない問題が,周辺地域の土壌の塩分濃度の上昇である。地下水にはわずかではあるが塩分が含まれているため,灌漑（かんがい）が進めば進むほど土壌が耕作に向かなくなってしまうのである。水が蒸発すると,塩分が濃縮され,土壌に硬い塩の沈殿物が取り残される。

◎ 正解 ◎

1 A **2** D **3** C **4** C **5** A, C, E

Vocabulary

表現	意味／説明
oásis	名 [ouéɪsɪs] オアシス《砂漠の中の水の出る緑地》 複 oases
platéau	名 [plætóu] 台地，高原
row	名 列，並び
sand dune	砂丘
tówer	動 高くそびえる
substántial	形 （数量などが）かなりの 類 considerable かなりの
equívalent	名 等しいもの 形 等しい，同等の
áquifer	名 [ǽkwɪfər] 帯水層
depréssion	名 くぼみ，くぼ地
físsure	名 [fíʃər] （長く幅の狭い）裂け目，亀裂
exploít	動 （資源など）を開発する；〜を（自己の利益のために）不当に利用する
scheme	名 [skiːm] （組織的）計画
crític	名 批評家，評論家
òutwéigh	動 〜より価値がある，〜より重要である
adjácent	形 近接［隣接］した
exémplifỳ	動 〜を例示する，〜を例証する
frénzy	名 狂乱
ùnforeséen	形 予期しない，思いがけない
salínity	名 [səlínəti] 塩分（濃度）
ìrrigátion	名 灌漑
eváporàte	動 蒸発する，蒸気になる
crústy	形 硬い
depósit	名 沈積（物），沈殿（物）

STEP 4 文脈を利用して意味をつかむ
～文の前後，補足説明や繰り返しをヒントにする

学習目標 知らない語句に出くわしても立ち止まらずに読み進め，文の前後や補足説明，繰り返しをヒントに意味を推測する。

ポイント

　パッセージを読んで知らない語句に出くわすと，先に進めないという心理的ブレーキがかかってしまうことがある。このような場合の対処法は「それでも先に進む」である。こうすることで，前後の関係から意味が分かったり，補足的な説明や別の表現による言い換え（＝繰り返し）から意味がつかめるからである。

　例えば，「アメリカはよく "melting pot" と言われる」という文があったとしよう。"melting pot" の意味が分からなくても，この後に but some immigrant groups have never blended into the mainstream culture「主流の文化に溶け込まない移住者もいた」とあったら，"melting pot" は「移住者が溶け込んだ社会」を意味することが分かる。

　また他にも，専門的な語であれば，その定義や意味が説明されていたり，別の表現に言い換えられて，繰り返し述べられていたりする。しかし，これらは先を読まなければ出てこない。従って，知らない語句に出くわしても立ち止まらずに先に進んで，意味を理解するヒントを見つけるようにしたい。

意味をつかむヒントとなる語句には，以下のものがある。
1) that is「すなわち」，in other words「言い換えると」などは，前の表現を説明するのに使われる。
2) for example, such as, for instance などは，その後に例が続く。
3) ダッシュ（—）は，その後に前の表現の言い換えが続く。
4) this が文頭や文中に置かれて前の部分を指す場合，this 以下から前に出てきた語句を推測できる。

> 法律

The Bill of Rights: Laws That Protect People's Rights

The first ten amendments ("additions") to the U.S. Constitution are called the Bill of Rights because they provide basic legal protection of individual rights. In America, the notion of the Bill of Rights started at the state level, with Virginia being the first to pass such laws on June 12, 1776 (just 22 days before the country declared its independence from Britain). The Virginia Declaration of Rights served as a model for other states and the U.S. Bill of Rights. The underlying purpose of all these bills was to give individual citizens protection from unnecessary government interference. James Madison (who was to become the 4th President) led the congressional fight for the Federal Bill of Rights, and Congress passed the amendments on September 25, 1789. They became the law of the land on December 15, 1791 when sufficient state governments had also approved these additions. The most important individual rights are in the 1st Amendment, which guarantees freedom of religion and freedom of expression. The 2nd and 3rd Amendments allow citizens to own weapons and limit the military burden which can be placed on individual homes. The 4th and 5th Amendments protect individuals from unreasonable government searches or property seizures. The next three (6th, 7th, and 8th) amendments guarantee criminal defendants basic protection and a fair trial, and the 8th Amendment protects those convicted of crimes from being punished in cruel or unusual ways. The 9th Amendment insists individuals have yet other rights, and the 10th Amendment says that any power not clearly given to the federal government belongs to local state governments.

1. The word pass in the passage is closest in meaning to
   - Ⓐ move
   - Ⓑ exceed
   - Ⓒ approve
   - Ⓓ miss

2. Which of the following is NOT mentioned in the passage as a right guaranteed by the Bill of Rights?
   - Ⓐ Equal treatment for all, regardless of religion, race, or sex
   - Ⓑ A fair trial if accused of a crime
   - Ⓒ Right to express one's opinions freely without fear of arrest
   - Ⓓ Protection of convicted criminals from strange or peculiar punishments

3. Which of the following can be inferred from the passage?
   - Ⓐ In Congress, James Madison represented the state of Virginia.
   - Ⓑ Constitutional amendments must be passed by both the federal and state governments.
   - Ⓒ The founders of the U.S. believed the country needed a strong central government.
   - Ⓓ The Bill of Rights makes America the world's best place to commit crimes.

4. Which of the following best states the topic of the passage?
   - Ⓐ The influences of Virginia and James Madison on America
   - Ⓑ How the Bill of Rights became the law in the U.S.
   - Ⓒ The laws providing people with their rights in America
   - Ⓓ The origins of Americans' belief in individual freedom

5. Select the THREE answer choices that express the most important ideas in the passage.
   - Ⓐ The most important individual rights are in the 1st Amendment.
   - Ⓑ The Virginia Declaration of Rights became a model for other states and the U.S. Bill of Rights.
   - Ⓒ The first ten amendments to the U.S. Constitution are called the Bill of Rights.
   - Ⓓ The Bill of Rights provides basic legal protection of individual rights.
   - Ⓔ Congress passed the amendments on September 25, 1789.
   - Ⓕ The aim of these laws was to give individual citizens protection from unnecessary government interference.

パッセージについて

　パッセージを注意して読むと，文の前後に語や句の補足説明があったり，また同じ意味の語が異なる語句に置き換えられたりして使われているのが分かる。まず第1文の（　　）内に補足説明があることに注目したい。また第1文の are called 以下から，the first ten amendments to the U.S. Constitution ＝ the Bill of Rights であること，そしてこれらは basic legal protection of individual rights であることが分かる。また第2文の such laws から，これは一種の法律であることも把握できる。第1文の the first ten amendments to the U.S. Constitution がその後，様々な表現で言い換えられている点にも注目したい。第3文では the U.S. Bill of Rights，第5文では the Federal Bill of Rights，さらに第6文では the law of the land と表現を変えながら，繰り返し説明されている。

Answers

1　**設問訳**　パッセージの pass と最も意味が近いのはどれか。
　　ヒント　pass such laws という文脈を考えよう。

解説　pass という語は，第5文中（Congress passed the amendments ...）にも出てくる。第6文では，sufficient state governments had also approved these additions と approve という語で言い換えられているのでヒントになるだろう。正解は approve「～を承認する」。

2　**設問訳**　権利章典で保障されている権利としてパッセージで述べられていないものはどれか。
　　ヒント　表現の言い換えに注意。

解説　Ⓑ は修正条項第6～8条で，犯罪被疑者が公平な裁判を受ける権利を保障している。Ⓒ は修正条項第1条で，言論の自由を保障している。Ⓓ は修正条項第8条で，有罪判決を受けた者を残酷で異常な刑罰から守ることを保障している。しかし，Ⓐ「宗教，人種，性別にかかわらず全員を平等に扱う」は保障されていない。

3　**設問訳**　パッセージから推測できるものはどれか。
　　ヒント　正解にするための根拠となる文がパッセージにあるか確認しよう。

解説　Ⓐ，Ⓒ，Ⓓ はそれらを正解にするための根拠となる文がパッセージにない。しかし，Ⓑ「憲法修正条項は連邦政府と州政府の両方で可決されなければならない」は，第5～6文から，まず連邦議会で法案が通過し，その後州政府が承認しないと国の法律にはならないことが分かる。従って，Ⓑ が正解。

● STEP 4

4 設問訳 このパッセージの主題として最もふさわしいのはどれか。
ヒント パッセージの第1文をヒントに考えよう。

解説 第1文を読むと「the U.S. Constitution に加えられた最初の10個の修正条項は，個人の権利を保障することから権利章典と呼ばれる」とある。この後は，権利章典が国の法律の一部となるまでの歴史が述べられているが，話の中心は，パッセージの第1文にあるように，アメリカ人の人権を保障する法律（修正条項）である。従って，正解は Ⓒ 。Ⓑ「権利章典はどのように米国の法律となったか」は主題ではない。

5 設問訳 パッセージの中で表されている最も重要な考えを3つ選べ。
ヒント パッセージのキーポイントとなる記述はどれか。

解説 パッセージの主旨を表しているのは Ⓒ，Ⓓ，Ⓕ。Ⓐ，Ⓑ は詳細，Ⓔ の法案とそれが制定された年月日はこのパッセージの中では重要ではない。

全訳

権利章典：人権を保護する法律

　米国憲法に加えられた最初の10個の修正条項（つまり「追加」のこと）は，個人の権利に関して基本的な法的保護を与えるものであるため，権利章典と呼ばれている。アメリカでこの権利章典という概念は州レベルで始まった。まずバージニア州（議会）が同種の法律を1776年6月12日に可決した（アメリカがイギリスからの独立を宣言するちょうど22日前）。バージニア権利章典は，他の州そして米国の権利章典の手本となった。これらの全ての法案の根底にあるのは，政府の不必要な干渉から1人1人の国民を守る，という目的であった。（後に第4代合衆国大統領となった）ジェームズ・マディソンは，連邦の権利章典を通過させるために奮闘し，米国議会は修正条項を1789年9月25日に可決した。そしてこの法案は，必要数の州政府の承認を受けた後，1791年12月15日に国法となった。最も重要な個々人の権利は，修正条項第1条に含まれている。これは信教と言論の自由を保障したものである。第2条と第3条では，国民に武器類の所持を認め，各世帯に課せられる兵役の負担を制限している。第4条と第5条では，政府権力による不合理な捜索や私有財産の没収から個人を保護している。次の3つの条項（第6条，第7条，第8条）では，犯罪被疑者の基本的な保護および公平な裁判を受ける権利が保障されており，第8条は，有罪判決を受けた者が残酷もしくは異常な方法で罰せられないことを保障するものである。第9条ではさらに別の個人の権利が明記され，第10条には，連邦政府に明確に与えられていない権力は州政府の権力とすることが記載されている。

◎正解◎

1 Ⓒ　**2** Ⓐ　**3** Ⓑ　**4** Ⓒ　**5** Ⓒ, Ⓓ, Ⓕ

Vocabulary

表現	意味／説明
bill	名 議案，法案 the Bill of Rights　権利章典，憲法修正第 1-10 条
améndment	名 修正条項；修正 the Amendments　米国憲法修正条項 動 amend　（法案など）を修正する
Cònstitútion	名 憲法《国家の基本的条件を定めた根本法。米国の憲法は，1787 年に起草，1788 年に発効，1790 年に全州により批准された》
decláre	動 〜を宣言する，〜を布告する
ìnterférence	名 干渉　　動 interfere　干渉する；妨げる
féderal	形 連邦の；連邦政府の the Federal Government (of the U.S.)　連邦政府，合衆国政府
cóngress	名 (C-) 米国議会；国会，議会
gùarantée	動 [gæ̀rəntíː] 〜を保証する
wéapon	名 [wépən] 武器，兵器
mílitàry	名形 軍（の）
búrden	名 （精神的）重荷，負担
próperty	名 財産；所有地
séizure	名 [síːʒər] 没収，差し押さえ　　動 seize　〜を没収する seize a person's property　人の財産を差し押さえる
críminal	形 犯罪の criminal law　刑法　　a criminal record　前科
deféndant	名 被告　　反 plaintiff　原告，告訴人
tríal	名 裁判　　a criminal trial　刑事裁判
convíct	動 [kənvíkt] 〜に（犯罪の）判決を下す a convicted prisoner　既決囚　　名 [ká(ː)nvɪkt] 既決囚

STEP 5 文法的結束性から意味をつかむ

学習目標 それぞれの文が，文法的にどのようにつながっているか確認し，そのつながり（結束性）を利用して語句の意味を把握する。

ポイント

「読解」には語彙力や背景知識が大きく関わっているが，内容が不得意な分野のときはどうしたらよいだろうか。1つは持っている「文法」の知識を最大限に生かすことである。文章はそれぞれ文法的・語彙的につながっていて，全体としてまとまりのある内容になっている。STEP 4 の「語句の繰り返し」は語彙的結束性（lexical cohesion）の例にあたる。ここでは文法的結束性（grammatical cohesion）の例を見てみよう。

例えば，次の文を見てみよう。

Tom is intrigued by birds of all kinds. He spends all day studying them. The kind he likes most is one with long wings.

He は Tom，them は birds，The kind は The kind of birds，one は a bird を指していて，それぞれの文は結束関係を持っていることが分かる。以上は，結束性の中の下記の例である。

1) 照応（reference）：He → Tom
2) 省略（ellipsis）：The kind → The kind of birds
3) 代用（substitution）：one → a bird

このような結束性を活用して前後関係から意味をつかむように心がけたい。この他，and, or, because, so, but, before, after などの接続詞で結ばれた語句や文も，前後の論理的関係から知らない語句の意味の把握に役立てられる。

倫理

The Question of Animal Rights

1   Advocates of animal rights believe that animals have rights just as human beings do. While some animal rights activists advocate total animal liberation, most animal welfare organizations take a more moderate approach, working for practical improvement of the relationship between animals and humans. Among the issues debated is the treatment of animals used in scientific research and in zoos.

2   Scientific researchers who experiment on animals in biomedical and veterinary research have developed successful medical treatments, including antibiotics and vaccines. Many scientists argue that animal experimentation remains a crucial tool for the investigation and treatment of serious diseases, such as cancer and heart disease. However, animal rights activists have protested against various forms of animal experimentation, noting that procedures such as vivisection ignore the capacity of animals to feel pain. They also object to toxicity testing performed on animals to help determine whether cosmetics and other products are safe for human use.

3   Zoos and their proponents claim that their institutions provide educational, zoological, and conservational benefits. Animal rights advocates, however, have expressed concern over the conditions in many zoos and circuses where animals are kept. They claim that animals in these facilities are forced to live in unnatural habitats and climates, with unsuitable housing and inadequate space. Other critics argue that such conditions promote abnormal animal behavior, such as pacing. Certainly, the conditions in zoos vary greatly from country to country.

4   Different countries have passed various laws on these issues, and international discussions have taken place on the ethics and legal issues involved. Interestingly, the ethics of killing animals that are considered pests — for example, sewer rats, house mice, and garden slugs — are less commonly questioned.

1 The word They in the passage refers to
 A Animal rights advocates
 B Procedures such as vivisection
 C Toxicity testings
 D The animals

2 In which paragraph does the author refer to unnatural habits that animals develop while in captivity?

- Ⓐ Paragraph 1
- Ⓑ Paragraph 2
- Ⓒ Paragraph 3
- Ⓓ Paragraph 4

3 What is the irony that the author mentions in paragraph 4?

- Ⓐ Different countries have different laws.
- Ⓑ Some animals appear to have more rights than others.
- Ⓒ We must discuss ethical issues concerning animals such as slugs.
- Ⓓ International laws are passed about animals that no one really likes.

4 What is the author's opinion?

- Ⓐ He/She is a hard-line animal rights activist.
- Ⓑ He/She is against animal rights.
- Ⓒ He/She is neutral.
- Ⓓ He/She is moderately in favor of animal rights.

5 Select the appropriate sentences from the answer choices and match them to the pros (for) and cons (against) of animal rights to which they relate. TWO of the answer choices will NOT be used.

Pros (For animal rights)	Cons (Against animal rights)
· · ·	· · ·

Answer Choices

- Ⓐ Research on animals led to the development of antibiotics and vaccines.
- Ⓑ Animals have rights just as humans do, and they should be liberated.
- Ⓒ The conditions in zoos vary greatly from country to country.
- Ⓓ Animal experimentation is crucial for treatment of diseases.
- Ⓔ Animals in zoos are kept in unnatural habitats and climates.
- Ⓕ Improvement of the relationship between animals and humans is necessary.
- Ⓖ Vivisection and toxicity testing on animals should be banned.
- Ⓗ Zoos are beneficial for educational, zoological and conservational benefits.

> **パッセージについて**
>
> 　第 1 段落第 1 文の主語 Advocates of animal rights は，第 2 文では some animal rights activists と言い換えられていることから，advocates の意味が分かるだろう。また，第 2 文 While some ～ , most … . という～と … が対照になっている関係から，a more moderate approach に対して total animal liberation の意味が推測できる。第 2 段落でも，第 1 文の主語 Scientific researchers は第 2 文で Many scientists と言い換えられている。このような文と文の文法的・語彙的つながりを基に内容を把握するようにしよう。

Answers

1　**設問訳** パッセージの They が指すものはどれか。
　　ヒント 前の文の主語は何か。

解説 前の文には animal rights activists have protested against … とあり，それに引き続き They also object to … とあるので，They の指しているものは animal rights activists である。従って，**A** が正解。

2　**設問訳** 筆者はどの段落で動物が捕らわれの身となっているときに見せる不自然な癖について述べているか。
　　ヒント in captivity「捕らわれの身になって」＝「動物園内」。

解説 動物園の是非に関して述べられているのは第 3 段落。最後から 2 文目の Other critics 以下に，動物園の不自然な環境や気候，不適切な飼育舎や広さは「abnormal animal behavior を助長する」とある。その異常な行動とは pacing のことで，動物はある場所を行ったり来たりするような異常な行動を見せるようになる。正解は **C**。

3　**設問訳** 第 4 段落で筆者が述べている皮肉は何か。
　　ヒント 皮肉だと思われることが書かれているのはどの文か。

解説 第 2 文に the ethics of killing animals that are considered pests「害虫・害獣だと見なされている動物を殺すことの倫理」に関しては，less commonly questioned「一般的にあまり問われていない」とある。ここから，**B**「ある動物は他の動物よりも権利があるようだ」が正解。

4　**設問訳** 筆者の意見はどれか。
　　ヒント 筆者の主張を表す表現を見つけよう。

解説 筆者は，科学者の動物実験に関する主張や，動物の権利擁護者の主張を客観的に述べているだけで，筆者自身の主張や考えは書かれていない。従って，**C**「筆者は中立的である」が正解。

● STEP 5

5 　設問訳　以下の中から動物の権利に関する賛成・反対の記述と一致する文を選択肢から選べ。選択肢のうち2つは使わない。

　ヒント　動物の権利擁護者の主張を整理しよう。

　解説　animal rights に関して pros「賛成」（動物の権利・自由・解放を主張する考え）は Ⓑ，Ⓔ，Ⓖ，cons「反対」（動物の使用は人間の発展・生存に必要とする考え）は Ⓐ，Ⓓ，Ⓗ。Ⓒ，Ⓕ はどちらとも言えない。

全訳

動物の権利に関する問題

　動物の権利を擁護する人々は，人間と同じように動物にも権利があると信じている。中には，動物の完全解放を主張する動物愛護活動家もいるが，ほとんどの動物福祉団体は，人間と動物との関係を実践的に改善するためにもっと穏健な取り組みを行っている。議論されている問題の1つは，科学的研究で使われている動物や，動物園の動物の扱いである。

　生物医学や獣医学上の研究で動物実験をする科学研究者たちは，これまで抗生物質やワクチンを含む有効な医学的治療方法を開発してきた。数多くの科学者が，ガンや心臓疾患などの深刻な病気の研究と治療のために，動物実験は極めて重要な手段であると主張している。しかしながら，動物愛護活動家たちは，生体解剖などの実験手順は動物の痛みに対する許容量を無視したものであるということに言及して，各種の動物実験に反対の意を唱えている。彼らは，化粧品などの製品を人間が使用しても安全かどうかを判断する手助けのために行われる，動物を使った毒性試験にも反対している。

　動物園関係者や動物園を支持する人々は，こうした諸施設には教育上，動物学上，さらには保護上のメリットがあると主張している。しかしながら，動物の権利を擁護する人々は，動物が飼育されている多くの動物園やサーカスにおける環境について懸念を表している。これらの施設に収容されている動物は不自然な環境や気候のもとで暮らすことを余儀なくされており，さらにその飼育舎も，その広さも不適切であると主張する。そういった環境が，例えば行ったり来たりするなど，動物の異常な行動を助長することになると主張する批評家たちもいる。確かに動物園の環境は国によって大きく異なっている。

　様々な国がこれらの問題に関していろいろな法律を制定してきた。さらに，関連する倫理的，法的問題について，国際的な議論も行われている。興味深いことに，例えばドブネズミや家ネズミ，庭にいるナメクジなど，害虫・害獣と見なされている動物を殺すことの倫理については，一般的にあまり問われていない。

◎ 正解 ◎

1 Ⓐ　**2** Ⓒ　**3** Ⓑ　**4** Ⓒ
5 Pros：Ⓑ，Ⓔ，Ⓖ　　Cons：Ⓐ，Ⓓ，Ⓗ

Vocabulary

表現	意味／説明
ádvocate	名 [ǽdvəkət] 主張者，擁護者
áctivist	名 行動主義者，活動家
lìberátion	名 解放，自由の身にすること
wélfàre	名 福祉，幸福　　類 well-being 幸福
móderate	形 (思想などが) 穏健派の；適度な
bìomédical	形 生物医学の
véterinàry	形 [vétərənèri] 獣医の
àntibiótic	名形 [æntibaiá(:)tik] 抗生物質 (の)
crúcial	形 非常に重要な，決定的な
protést	動 抗議する〈against ～に対して〉
note	動 ～に言及する
vìviséction	名 生体解剖 [実験]
toxícity	名 [tɑ(:)ksísəti] 毒性　　形 toxic 有毒な
propónent	名 支持者，擁護者
ìnstitútion	名 施設；機関
zòológical	形 動物学 (上) の　　名 zoology 動物学
cònservátional	形 保護の，保存の　　名 conservation 保護，保存
concérn	名 心配，懸念；関心事　　類 anxiety 不安，心配
hábitàt	名 (動植物の) 生息場所 [環境]
pace	動 (落ち着かずに) 行き来する
éthics	名 倫理学；(個人・集団などの) 倫理，道徳
séwer	名 [sú:ər] 下水道，下水溝
slug	名 ナメクジ

STEP 6 イメージしながら内容をつかむ

> **学習目標** 具体的な内容は，イメージをしながら意味をつかむ。

ポイント

　具体的で視覚的にとらえやすいパッセージは，その内容を映像化（イメージ化）しながら読むと，記憶に留めておきやすい。実際，優れた読み手は，意味のまとまりごとにイメージを構築し，そのイメージを次々に組み立てる作業を読解のプロセスで行っている。ただし，全ての文が具体的な記述でイメージできるとは限らないし，意味がつかめなくてイメージできないこともある。その場合は，可能な範囲でイメージし，イメージできないところは論理の展開や知識を生かしてイメージをつなげていけばよい。
　例えば，次の文を見てみよう。

Africa stretches from 34° latitude south to 37° latitude north, with the equator in its central part.

　この前半部分は latitude の意味が分からないと意味がつかめないかもしれないが，後半に「中央部分に赤道がある」という表現が出てくるので，34° latitude south to 37° latitude north というのはアフリカの地理上の位置を表していることが分かる。この際，地球儀を思い浮かべて，アフリカの位置をイメージしてみよう。赤道が緯度 0 度という知識を生かせば，「南緯 34 度～北緯 37 度」のことだと分かる。

天体

Comets

1   Comets, small objects that revolve around the sun like a planet, are only partly solid. A typical comet is made up of a solid core made of rock, ice, dust and frozen gases, measuring a few miles across, with a very thin atmosphere-like layer called a "coma." It also has a distinctive "tail," which becomes more apparent when the object approaches the sun. The tail is formed when heat from the sun begins to evaporate the core. Particles of dust from the core stream outwards from the comet, along with water vapor from the melting ice. The formation of the tail is aided by the solar wind, the hot gases produced and expelled outwards by the sun's topmost layer. This wind, which constantly blows away from the sun, causes the comet's tail to point away from the sun as well. The tail of a comet can be quite long; in extreme examples, it can extend millions of kilometers behind the comet's core. The closer to the sun the comet travels, the brighter the comet becomes. This is partially because of the light from the sun, but the increase in the size of the tail also plays a role. Despite this, only about half of the comets that have been identified in our solar system are visible to the naked eye, and only about one in ten of these can be considered "Great Comets," comets that are especially bright and easily visible to people without telescopes. Comets also dissipate over time. For example, scientists estimate that Halley's Comet loses 100 million tons of its 100 billion ton core with each pass of the sun. After a few hundred more of these trips, the comet will fade, eventually dissipating. The amount of time a comet takes to orbit the sun differs greatly; Encke's Comet, one of the fastest, orbits the sun once every 3.3 years. On the other hand, the round trip of Donati's Comet is roughly 2,000 years long. Some comets can take several million years to make the trip around the sun.

1 Which of these descriptions of the comet's core is most accurate?
- (A) The tail evaporates the core.
- (B) The core is made of dust, ice, and rocks.
- (C) The core can be seen by observers from a few kilometers away.
- (D) The core consists of molecules made of particles.

2 Which of these sentences best describes the solar wind?
- (A) A small object in space that orbits the sun.
- (B) Gases and particles blown back from the core.
- (C) Hot gases erupting from the sun's topmost layer.
- (D) The length of one trip around the sun.

3 Which of these sentences is NOT true?
- (A) A comet's tail can get over a million kilometers in length.
- (B) The tail gets longer as the comet gets closer to the sun.
- (C) The solar wind causes the tail to point away from the sun.
- (D) Almost all the comet's tail is visible to people without telescopes.

4 What is the main idea of this passage?
- (A) Comets pose a great danger to the earth.
- (B) Comets will soon go extinct.
- (C) Comets extend millions of kilometers out into space.
- (D) Comets have many interesting characteristics.

5 Which of the following best describes the characteristics of comets?
- (A) Most comets circle the sun within a human lifetime.
- (B) Most comets weigh the same and have long orbits.
- (C) Comets are usually visible only on sunny days.
- (D) Comets get smaller each time they pass by the sun.

パッセージについて

　まず第 1 文に，Comets ... revolve around the sun とあるので，「太陽の周りを回っている彗星」をイメージする。続く第 2 文に，「それは rock や ice などでできた固い核から成る」とあるのでそれをイメージし，第 3 文 It also has a distinctive "tail," which becomes more apparent when the object approaches the sun. から，「太陽に近づいたら特徴的な尾が現れる」様子をイメージする。この後も「太陽の熱が彗星の氷を蒸発させ，核にあるちりの粒子と水蒸気が噴き出す」ことを具体的にイメージしよう。

Answers

1　設問訳　彗星の核の描写として最も正確なものはどれか。
　　ヒント　core に関する記述は何箇所か出てくるので，順番にチェックしよう。

解説　第 2 文に「彗星の核は made up of a solid core made of rock, ice, dust and frozen gases」とあるので，Ⓑ が正解。Ⓐ 「尾が核を蒸発させる」は間違い。Ⓒ a few kilometers away とは書かれていない。Ⓓ は意味を成さない。

2　設問訳　太陽風を最もよく表している文はどれか。
　　ヒント　wind と関係ないものは消去しよう。また solar wind 以下にも注目。

解説　第 6 文に the solar wind, the hot gases produced and expelled outwards by the sun's topmost layer とある。コンマ以下は，太陽風（the solar wind）とは何かを説明している部分である。従って，Ⓒ が正解。

3　設問訳　以下の文章で正しくないものはどれか。
　　ヒント　パッセージをよく読んで，正しいものを消していこう。

解説　Ⓐ は段落中盤の第 8 文 The tail of a comet can be quite long; 以下から正しい。また Ⓑ は第 10 文 but the increase in the size of the tail also plays a role から，Ⓒ は第 7 文 This wind ... causes the comet's tail to point away from the sun から正しい記述と分かる。第 11 文に「太陽系で確認されている彗星の半分くらいしか肉眼で見ることができない」とあるので，Ⓓ は誤り。

4　設問訳　このパッセージの主旨は何か。
　　ヒント　パッセージ全体を通して，何が述べられているかを考えよう。

解説　このパッセージは彗星の特徴を列挙している。太陽に接近する際に現れる尾，太陽の周りを回るたびにその一部を失っていくことなどを解説している。従って，Ⓓ 「彗星には多くの興味深い特徴がある」が正解。

● ● STEP 6

5 　設問訳　彗星の特徴を最もよく表しているものはどれか。
　ヒント　1つ1つパッセージを当たってみよう。

解説　Ⓐ は，終盤に「彗星が太陽を回る周期は様々で，短いものでは 3.3 年，長いものは数百万年である」とあるので誤り。Ⓑ 「ほとんどの彗星の重量は同じで周期は長い」とは書かれていないので誤り。Ⓒ 「彗星は普通，晴れの日にしか見られない」とは書かれていない。Ⓓ は最後から 5 文目 Fox example, 以下から正しい。

全訳

彗星

　惑星のように太陽の周りを回る小さな天体である彗星は，部分的に固体であるにすぎない。典型的な彗星は，岩，氷，ちり，凍った気体でできた固い核から成る。直径は数マイルあり，「コマ」と呼ばれるとても薄い空気のような層で覆われている。彗星は特徴的な「尾」も持ち，天体が太陽に近づくとよりはっきり見えるようになる。太陽からの熱が核を蒸発させ始めると，尾が形成される。核にあるちりの粒子が，溶けた氷から出る水蒸気とともに彗星の外に噴き出す。太陽の最外層から発せられ外側へ放出される熱いガスである太陽風が，尾の形成を助ける。また，太陽から常に吹き出ているこの風によって，彗星の尾は太陽とは反対方向に向く。彗星の尾はかなりの長さになり得る。極端な例では，彗星の核の後ろに何百万キロメートルにも及ぶこともある。彗星が太陽に近づけば近づくほど，彗星はより明るくなる。これは，一部には太陽からの光のおかげであるが，尾のサイズが大きくなることも一因である。これにもかかわらず，太陽系で確認されている彗星の半分くらいしか肉眼で見ることができない。またこれらのおよそ 10 個のうちの 1 個のみが，特に明るくて，望遠鏡を使わなくても人間の目で簡単に見ることができる彗星，「大彗星」と見なされる。彗星はまた，時間とともに消える。例えば，ハレー彗星は太陽を通過するたびに 1,000 億トンの核のうち，1 億トンを失うと科学者たちは推測している。太陽の周りをあと数百回も回れば，彗星は徐々に消えていき，やがてなくなる。彗星が太陽の周りを回る時間は，大いに異なる。最も速いものの 1 つであるエンケ彗星は，3.3 年に 1 度太陽の周りを回る。一方，ドナティ彗星が太陽を回るにはおよそ 2,000 年かかる。彗星の中には，太陽の周りを回るのに数百万年かかるものもある。

◎ 正解 ◎

| 1 | B | 2 | C | 3 | D | 4 | D | 5 | D |

Vocabulary

表現	意味／説明
cómet	名 彗星
revólve	動 回転する
sólid	名形 固体（の）　反 liquid 液体　反 gas 気体
core	名 核；(物の)中心（部）；核心
láyer	名 [léɪər] 層
distínctive	形 他と異なった，特徴的な 類 distinct 明らかに異なる
eváporàte	動 〜を蒸発させる；蒸気になる
párticle	名 微粒子，小片
stream	動 (液体が)流れる
water vapor	水蒸気
solar wind	太陽風
tópmòst	形 一番上の
solar system	太陽系
vísible	形 (目に)見える　反 invisible 見えない
naked eye	裸眼，肉眼
télescòpe	名 望遠鏡
díssipàte	動 消散する
fade	動 (徐々に)消えていく，(色が)あせる；(健康・力などが)次第に衰える
órbit	動 軌道上を飛行する　名 軌道

STEP 7 メモを取って，内容をまとめる
～図式化して内容を視覚的に整理する

学習目標　理解が深まるようにパッセージを図式化して，全体の構成や相互の関連性をつかめるようにメモを取る。

ポイント

　TOEFL iBT は PBT（ペーパー形式）や ITP（ペーパー形式の団体受験）とは違って，メモを取ることが許されている。そこで本 STEP では，パッセージを「図式化してメモを取る方法」を身につけてほしい。これは，全体の構成や相互の関係が一目で分かるような「図」を書くことである。よく知られているものに，マインドマップと呼ばれる方法がある。これは中心にパッセージのトピック（主題）を書いて，そこから枝を伸ばしてパッセージで書かれている内容を矢印や記号を使って書き加えていくものである。

　TOEFL iBT の英文は約 700 語にも及ぶ長文なので，細かくメモを取る必要は全くない。メモはあくまでも頭を整理し，問題を解きやすくするためのものなので，ポイントだけ押さえれば十分である。図式化すると，パッセージで述べられている内容に関する原因／結果の因果関係や，過程，相違点・類似点などがはっきり見えてきて，理解も深まる。ただ，このようなメモの取り方は慣れと練習が必要である。試験本番で活用できるよう，本書を用いて STEP 1 からそれぞれのパッセージを図式化する練習をしておこう。練習するにしたがって，よりポイントをうまく押さえたマインドマップが書けるようになるだろう。全てのメモを保管し，後で見直してみると効果的である。

化学

Chlorine: A Dangerous but Useful Chemical

1   The chemical element chlorine is a poisonous, corrosive, greenish-yellow gas which human beings have found many uses for. Chlorine is obtained by running an electrical current through salt water, and then it can be put to use in various ways. Its corrosive powers make it useful. For instance, chlorine (in the form of sodium hypochlorite) is the basis of almost all liquid and powdered bleaches used in cleaning garments; however, it is too strong to be used on either wool or silk. Its poisonous qualities make it useful for killing bacteria, so small amounts of liquid chlorine are added to city drinking water and to swimming pools. It is also found in some insecticides used to kill harmful insects and to increase agricultural yield. A chlorine compound, hydrochloric acid, is extremely important in manufacturing metals, foods, plastics, and other products. Indeed, chlorinated organic compounds are the basic ingredient of many common plastics, including polyurethane (used in plastic bags and paints), vinyl chloride (used to make durable plastic piping), and chloroprene (a type of synthetic rubber). The chlorine ion is also necessary for human health. It is, for example, needed for the stomach's digestive juices. Because large amounts of it are lost through perspiration, people on low-salt diets often have to take special salt supplements to keep up their body's supply of chlorine and sodium.

1. The word current in the passage is closest in meaning to
   A) tendency
   B) present
   C) tide
   D) charge

2. Human beings produce chlorine
   A) by finding greenish-yellow gases
   B) in liquid and powdered bleaches
   C) by sending electricity through salt water
   D) to get the chemical compound sodium hypochlorite

3. Which of the following is NOT mentioned as a use of chlorine?
   A) It is used to clean silk and wool garments.
   B) It is used to keep swimming pools clean.
   C) It is used to protect crops from insects.
   D) Its compounds are used to make plastics.

4. In the human body, chlorine plays an important role in
   A) perspiration
   B) digesting food
   C) replacing salt in the diet
   D) supplying the body with salt supplements

5. Which of the following can be inferred from the passage?
   A) City drinking water and swimming pools contain bacteria.
   B) Some insecticides contain more chlorine than others.
   C) Too much chlorine intake is dangerous for the health.
   D) People who sweat a lot lose chlorine easily.

パッセージについて

以下は今回のパッセージを図式化したものである。

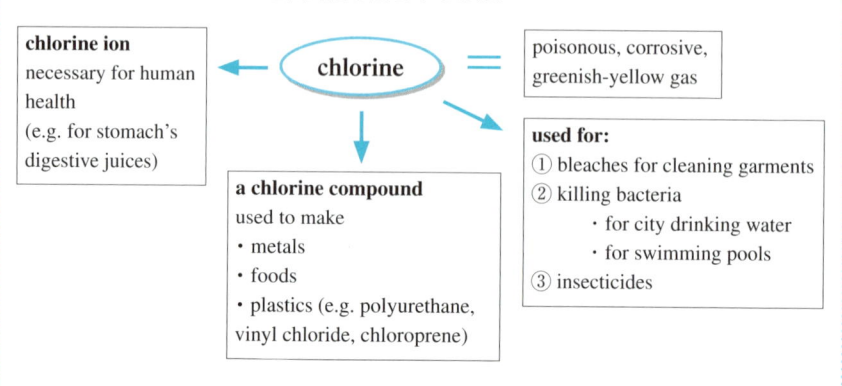

chlorine ion
necessary for human health
(e.g. for stomach's digestive juices)

← **chlorine** = poisonous, corrosive, greenish-yellow gas

↓

a chlorine compound
used to make
- metals
- foods
- plastics (e.g. polyurethane, vinyl chloride, chloroprene)

used for:
① bleaches for cleaning garments
② killing bacteria
　・for city drinking water
　・for swimming pools
③ insecticides

このように，1つの情報を次の新しい情報と→や＝などの記号を用いて結び付ける。こうして全体のつながりを図式的にとらえると，内容が視覚的に整理され，理解も深まる。

Answers

1　設問訳　パッセージの current と最も意味が近いのはどれか。
　　　ヒント　文脈を考えよう。

解説　current には「流れ，風潮」など，たくさんの意味があるが，ここでは run an electrical current という文脈から，「電流」の意味であることが分かる。従って，**D** charge の意味で使われている。

2　設問訳　人間はどのように塩素を作り出しているか。
　　　ヒント　chlorine ができる仕組みは何か。

解説　第2文 Chlorine is 以下に「塩素は塩水に電流を流すことで得られる」とある。設問文と結び付いてこの意味を表す **C** が正解。パッセージの by running an electrical current は，選択肢では by sending electricity と言い換えられている。

3　設問訳　塩素の利用法として述べられていないものはどれか。
　　　ヒント　第4文 (For instance, ...) 以降で塩素の利用法について述べられている。

解説　**B** は第5文 (Its poisonous ...)，**C** は第6文 (It is also ...)，**D** は第7文 (A chlorine ...) に述べられている。しかし，**A** は第4文中に it is too strong to be used on either wool or silk とあり，ウールや絹に使うことはできないので，**A** が正解。

● ● STEP 7

4 設問訳　人間の体で塩素はどのようなところで重要な役割を果たすか。
ヒント　human health については，パッセージの後半に書かれている。

解説　最後から3文目（The chlorine ion ...）に「塩素イオンが人間の健康に欠かせないこと」が書かれている。また，最後から2文目には，It is ... needed for the stomach's digestive juices. とある。従って，Ⓑ「食べ物の消化」が正解。

5 設問訳　パッセージから推測できるものはどれか。
ヒント　パッセージ中に正解にするための根拠となる文が存在するか確認しよう。

解説　Ⓑ，Ⓒ，Ⓓ は，これらを正解にするための根拠となる文がパッセージ中にない。Ⓐ「都市の飲料水道水や水泳プールには細菌が含まれている」は，第5文の Its poisonous qualities make it useful for killing bacteria, so small amounts of liquid chlorine are added to city drinking water and to swimming pools. から推測できる。飲料水道水や水泳プールには細菌が含まれているから，塩素を少量注入して細菌を殺すのである。

全訳

塩素：危険だが役に立つ化学薬品

　塩素という化学元素は，有毒な腐食性の黄緑色のガスで，人間にとって多くの使い道があるものである。塩素は，塩水に電流を流すことで得られ，様々な利用方法が可能だ。その腐食性が利用できる。例えば，服などを洗濯する際に使われる液体または粉末の漂白剤のほとんどは，（次亜塩素酸ナトリウムの形で）塩素がそのベースになっている。ただ，これはかなり強力なので，ウールや絹には使えない。塩素の毒性を利用すれば細菌を殺すことができるため，都市の飲料水道水や水泳プールに，液体塩素が少量加えられている。害虫を殺し，農業生産高を上げるために使用される一部の殺虫剤にも使われている。塩素化合物の塩化水素酸は，金属，食品，プラスチック，その他の製品を生産するために極めて重要である。実際，塩素で処理した有機化合物は，ポリウレタン（ビニール袋やペンキに使われる），塩化ビニル（耐久性の高いプラスチック配管に利用される），クロロプレン（合成ゴムの一種）などを含む，ごく一般的なプラスチックの原材料である。塩素イオンはまた，人間の健康には欠かせないものである。それは例えば，胃の中の消化液で必要とされている。塩素イオンは発汗作用によって大量に失われるため，低塩食を摂っている人々はしばしば体内の塩素とナトリウムの量を維持するために，特殊な塩の補助食品を摂取しなくてはならない。

◎正解◎

1 Ⓓ　**2** Ⓒ　**3** Ⓐ　**4** Ⓑ　**5** Ⓐ

Vocabulary

表現	意味／説明
chlórine	名 塩素
póisonous	形 有毒な
corrósive	形 腐食［浸食］性の
electrical current	電流
sodium hypochlorite	次亜塩素酸ナトリウム
bleach	名 漂白剤
gárment	名 衣類
bactéria	名 細菌, バクテリア
insécticìde	名 殺虫剤
yield	名 [ji:ld] 産出（物）, 生産（高）；利益
cómpòund	名 複合［合成］物
hydrochloric acid	塩酸, 塩化水素酸
chlórinàte	動 〜を塩素で処理する
ingrédient	名 成分, 材料；要素
pòlyúrethàne	名 [pà(:)lijúərəθèɪn] ポリウレタン
vinyl chloride	[vàɪnəl klɔ́:raɪd] 塩化ビニル
dúrable	形 長持ちする, 丈夫な　類 lasting 永続的な
chlòropréne	クロロプレン《アセチレンと塩化水素から生じる無色の液体；合成ゴムの原料》
synthetic rubber	合成ゴム
chlorine ion	塩素イオン
digéstive	形 [daɪdʒéstɪv] 消化の, 消化力のある　digestive juice 消化液
pèrspirátion	名 発汗（作用）

STEP 8 論理的思考を働かせながら読む

学習目標 パッセージはどのように展開するか，また文や語句はどういう意味か論理的思考を働かせて考えよう。

ポイント

「論理的思考を働かせながら読む」というのは，常識的・論理的に考えて，内容や意味を推測し，結論を導き出すことを意味する。このような意識を働かせながら読むことは，全体の流れをつかむ上でも重要である。

STEP 10「英文パラグラフの構成を知る」で詳しく解説するが，英語のパラグラフでは，ある1つの主題（topic）に対して，ある主張（main idea）をするために，書き手は様々な例を出したり数値を提示したりして議論を展開する。書き手の主張は，読み手が納得できなければ理解されないし，受け入れてもらえない。そのため書き手は，読み手が理解できるように，正当な論理に基づいて話を進める。

例えば，Medicine in the U.S. has developed new problems. と書かれていたら，どんな problems があるかをすぐ後で述べる必要があるし，解決策を提案するのであれば，原因に言及する必要もあるだろう。

では読み手としてはどのように論理的思考を働かせたらよいだろうか。もし文中に Though the U.S. has enough physicians, they are poorly distributed. Suburban areas ... という記述があったら，この後はどのような内容が続くだろうか。おそらく「都市部には多くの医師がいるが，地方には医師が少ない」といった内容が続くことが考えられる。また他にも，We can prolong life, but should we always do so? とあったら，この後は「そうすべきではない」といった展開になると考えられる。このように，パッセージがどのように展開するか，論理的思考を働かせながら読み進めるようにしよう。

健康

Immunization to Fight Against Dangerous Diseases

1   One of the most effective techniques for combating disease has been immunization. Doctors immunize people by injecting them with a mild form of the disease which does not cause severe reactions but which builds up the body's natural disease fighters, the protective antibodies. These antibodies then protect people from more dangerous forms of the disease. This process is also called vaccination because the first immunization in 1796, was the use of vaccinia virus (which causes a mild disease called cowpox) to produce antibodies to fight smallpox, a very serious disease. In 1885, the French scientist Louis Pasteur used a weakened rabies virus to protect against the natural infection. In 1897, a vaccine against typhoid fever was developed in England.

2   Now, immunizations are usually introduced through a scrape in the skin, called an inoculation, although a few, such as the Sabin polio vaccine, are taken orally. Immunization is the most effective defense against diseases caused by viruses because few antibiotics work against them. Public health workers aim at immunizing all children and women of child-bearing age for a variety of diseases, including German measles and diphtheria. As a result, in America in the 1980s, measles, which used to kill nearly 900,000 people a year in the 1940s, occurred in only 1,000 cases per year. Unfortunately, cuts in funding led to an increase in the disease in the 1990s. Researchers are now seeking new vaccines to fight AIDS and for diseases like malaria which ravage various peoples in developing countries.

1. Which of the following is an accurate statement about the immunization process?
   - (A) Immunization works by giving people a mild form of a disease.
   - (B) Immunization combats diseases by injecting antibodies into people.
   - (C) Immunization involves giving people the vaccinia virus.
   - (D) Immunization introduces antibodies to the real bodies which stop serious diseases.

2. Which of the following is NOT an accurate statement about the history of vaccinations?
   - (A) The first vaccination was in 1796 to prevent smallpox.
   - (B) A scientist found a way to defend against rabies in 1885.
   - (C) A vaccine for typhoid fever was developed in 1897.
   - (D) Researchers have found vaccines for AIDS and malaria.

3. The word mild in the passage is closest in meaning to
   - (A) warm-hearted
   - (B) soft
   - (C) warmer
   - (D) weak

4. According to the passage, how can vaccine improve public health?
   - (A) Most vaccines work only on children and women of child-bearing age.
   - (B) Serious diseases are prevented by giving vaccines to huge numbers of people.
   - (C) Serious diseases such as polio and diphtheria can be cured with antibiotics.
   - (D) Public health workers are demanding funding cuts to improve vaccinations.

5. Which of the following can be inferred about measles?
   - (A) Measles developed into an extremely deadly disease during World War II.
   - (B) Measles attacks children and women but not adult men.
   - (C) Fewer people were being given measles immunizations in America in the 1990s.
   - (D) Measles vaccines result in only 1,000 deaths in good years.

パッセージについて

　パッセージ冒頭で，One of the most effective techniques for combating disease ... とあるので，次に「病気と闘うための最も効果的な方法」と「どういう点で効果的なのか」が述べられることが推測できる。実際，パッセージには，その方法とは"immunization"であり，それが効果的な理由は第2文で述べられている。また第2段落後半の As a result 以下に数字が出てくるが，このパッセージは「免疫法の効果」について述べているものなので，ここはその効き目を表す証拠となる数字が並んでいると論理的に判断できるだろう。

Answers

1　設問訳　免疫法の過程として正しいのはどの記述か。
　　　ヒント　免疫はどのようにして人間の体内で作られるかを考えよう。

　解説　第1段落第2文（Doctors immunize people ...）に「医師が軽い病原菌を人間の体内に注射することで免疫を作る」とある。従って，(A) が正解。(B)「抗体を注射する」は不適切。antibody というのは，第2文 body's natural disease fighters のことで，これは a mild form of the disease を体内に注射することで，体の中で作られるもの。(C) の vaccinia virus は第4文から，cowpox（牛痘）を起こすもので，smallpox（天然痘）と闘う抗体を作るためのものである。これは免疫法の一例であり，immunization process ではない。(D)「免疫法は危険な病気を治す抗体を人間の体内に取り入れる」も誤り。

2　設問訳　ワクチン接種の歴史について正しくない記述はどれか。
　　　ヒント　年数をパッセージと照らし合わせてチェックしよう。

　解説　(A) は第1段落第4文，(B) は第5文，(C) は第6文から正しい記述と分かる。しかし (D)「研究者たちは AIDS とマラリアのワクチンを発見した」は，第2段落の最終文 Researchers are now seeking new vaccines to fight AIDS 以下から，「研究者たちは現在模索している」ことが分かるので，誤り。

3　設問訳　パッセージの mild と最も意味が近いのはどれか。
　　　ヒント　選択肢を文脈と照らし合わせて考えよう。

　解説　mild はここでは (D) weak の意味で使われている。第1段落第2文の a mild form of the disease which does not cause severe reactions も同じ意味で使われている。

4　設問訳　パッセージによると，ワクチンはどのように公衆衛生を改善することができるか。
　　　ヒント　public health がパッセージのどこに出てくるか確認しよう。

　解説　第2段落第3文に「公衆衛生の関係者らが様々な病気に対する予防接種を全ての子供と出産年齢にある女性に実施しようとしている」とある。そうすることで公衆衛生を改善することができるからである。従って，(B) が正解。(A)，(C)，(D) に関してはパッセージからは分からない。

● ● STEP 8

5 設問訳 はしかに関して推測できることはどれか。
ヒント measles に関して述べられているのは第2段落第3文以降。

解説 Ⓐ，Ⓑ，Ⓓ に関してはそのように推測できる根拠となる文がパッセージ中にない。一方，第2段落第4文（As a result ...）を見ると「measles は1940年代には年間90万人近くの命を奪ったが，1980年代には年間1,000件しか起こらなかった」とある。さらに第5文に「補助金（funding）が削減されたため，1990年代は再び増加した」とあり，ここから Ⓒ「1990年代にアメリカでははしかの免疫注射を受けた人が少なかった」と推測できる。

全訳

危険な病気と闘う免疫法

　病気と闘うための最も効果的な方法の1つとして免疫法がある。医師は，体の中に自然に備わっている病気と闘う力，つまり防御抗体を作り上げる，深刻な病状を引き起こさない程度の弱い形にしたある病気の病原菌を人に注射することで人に免疫性を与える。これらの抗体はやがて，より危険性の増した，その病気から人を守るのである。この過程は，ワクチン接種とも呼ばれている。というのも，この免疫法が1796年に初めて行われた際に使われたのが，人に牛痘の軽い症状を引き起こすワクシニア・ウイルスで，これを使って非常に危険な病気である天然痘に対する抗体を作り出したからである。1885年にはフランスの科学者ルイ・パスツールが，自然感染を防ぐために，弱毒化した狂犬病のウイルスを使った。1897年には，イギリスで腸チフスに対するワクチンが開発された。

　今日，免疫は一般に，予防接種と呼ばれる皮膚に軽い引っかき傷をつけることによって与えられる。中にはセービン・ポリオ・ワクチンのように経口摂取で行われるものもある。免疫法は，ウイルスによって引き起こされる病気に対しては，最も効果の高い予防法である。というのもそうした病気には抗生物質があまり効かないからだ。公衆衛生の関係者らは，風疹やジフテリアを含む様々な病気に対する予防接種を，全ての子供と出産年齢にある女性に対して実施することを目標としている。アメリカではその結果，1940年代には年間90万人近くの命を奪っていたはしかが，1980年代には年間1,000件しか起こらないようになった。残念なことに，（こういった予防接種に対する）補助金が削減されたため，1990年代には再びはしかが増加した。研究者たちは現在，エイズや発展途上国で様々な人々に大きな被害をもたらしているマラリアなどの病気に対する新しいワクチンを探し求めている。

◎ 正解 ◎

1 Ⓐ　**2** Ⓓ　**3** Ⓓ　**4** Ⓑ　**5** Ⓒ

Vocabulary

表現	意味／説明
combát	動 ～を撲滅しようとする
ímmunìze	動 （予防接種などで）～に免疫性を与える
injéct	動 （薬など）を注射する
ántibòdy	名 抗体
vàccinátion	名 ［væksɪnéɪʃən］ ワクチン接種
vaccinia virus	ワクシニア・ウイルス
cówpòx	名 ［káupɑ̀(ː)ks］ 牛痘
smállpòx	名 天然痘，ほうそう
Pastéur	名 ［pæstə́ːr］ ルイ・パスツール《1822～95年；フランスの化学者・細菌学者》
inféction	名 （病気の）伝染，感染　　acute infection　急性感染症
týphoid	名 ［táɪfɔɪd］ 腸チフス　　typhoid bacillus　チフス菌
scrape	名 擦り傷　　動 ～をこする；～をこすって傷つける
inòculátion	名 （予防）接種　　protective inoculation　予防接種
Sabin polio	セービン・ポリオ 名 Sabin　セービン《Albert Bruce Sabin 1906～93年；ポーランド生まれの米国の医師・細菌学者。ポリオ生ワクチンを開発》 名 polio　小児まひ，ポリオ（＝ poliomyelitis）
órally	副 経口で；口頭で
chíld-bèaring	形 子供の産める
méasles	名 はしか　　German measles　風疹
diphthéria	名 ジフテリア《のどの粘膜に白っぽい黄色の偽膜ができる病気》
malária	名 マラリア《マラリア病原体が血液に寄生して起こる熱病》
rávage	動 ～を破壊しつくす

STEP 9 年数・年代などを表す数字や表現に注意する

学習目標 歴史的な出来事や人物に関するパッセージは、年数や年代を整理しながら読む。

ポイント

　歴史的な出来事や人物に関するパッセージでは，年数を問う設問がよく出題され，簡単な計算を要するものが多い。例えば，ある人物が機械を考案した年（e.g. 1965）と，それを完成させた年（e.g. 1970）がパッセージで述べられており，「完成に何年かかったか」という設問が出題されたり，ある人物が生まれた年（e.g. 1945）と，その人物が何かしらの業績を残したときの年齢（e.g. at the age of 34）が記述されており，「何年にその業績を残したか」という設問が出題されたりする。

　年数に関する問題で注意を要するのは，数字ではなく，a decade ago [later]，a few years ago [later]，a mere century later，around the turn of the century などと表現されている場合である。これらは数字のようにすぐ見つけ出すことができないので，見逃さないように注意が必要である。

　さらに，パッセージ中の at fourteen years of age が，設問では when she was a young teenager と表現が変えられていることがある。他にも，パッセージ中で，ある人物が 1897 年に老齢であることを読み取らせた上で，設問では at the late period of his life などと表現が言い換えられていたりもする。数字だけに気を取られず，その他の表現で示された年数や年代にも注意を払って，頭を整理しながら読むことが大切である。

歷史

The Terrible Price of the U.S. Civil War

1   The United States' Civil War raged for four years, tearing the nation apart. When it finally ended in 1865, the nation was truly unified for the first time since its founding in 1776. It had also become an industrial power as well, growing in stature and importance among the nations of the world. Rebuilding the country was an enormous challenge; the war contained some of the most savage battles in history. The war pitted the industrial northern versus the largely agricultural southern states. The forces of the north consisted of over two million black, white and Native American soldiers, while the 750,000 southern soldiers were mostly white. The death toll on both sides was enormous; nearly a third of the northerners lost their lives, and historians estimate a similar number of southerners also perished, although the actual figure was never determined. The financial cost was equally high; the North lost billions of dollars, while the South lost even more. The government of the south was stripped of everything, and many land owners lost their holdings as well. Even worse was the price of hatred sewn by the war. While the Civil War was meant to free the slaves, it caused some new problems for them, as southern whites fought every attempt to improve the status of the former slaves. The post-war reconstruction period in the decade that followed witnessed northern attempts to free black slaves and punish southern whites, but this in turn led to increased hostility towards the local black populace from southern whites. It was not until a century after the Civil War ended that the Civil Rights Movement spearheaded by Dr. Martin Luther King, Jr. began to give blacks true freedom and equality with whites.

1. When did the Civil War begin?
   - (A) 1776
   - (B) 1861
   - (C) 1865
   - (D) The 1960s

2. The word savage in the passage is closest in meaning to
   - (A) brutal
   - (B) undeveloped
   - (C) exciting
   - (D) unfortunate

3. Which of the following is NOT mentioned as a result of the Civil War in the passage?
   - (A) A large number of people died.
   - (B) Many southern whites lost their homes and land.
   - (C) Cotton was no longer the major crop of southern states.
   - (D) The government of the South had its money and property taken.

4. Which of the following can be inferred from the passage?
   - (A) Most black Americans supported the North.
   - (B) Most black soldiers fighting for the South were killed in the war.
   - (C) Most Native Americans were soldiers.
   - (D) The Civil Rights Movement was started by black soldiers.

5. Select the THREE answer choices that express the most important ideas in the passage.
   - (A) The United States became unified for the first time.
   - (B) The army and navy of the northern states contained over 2 million men.
   - (C) The war cost the North billions of dollars, and the South lost much more.
   - (D) All revenues were stripped from the southern government, land was taken from white land owners, and businesses were destroyed.
   - (E) The war contained some of the most savage military fighting in the modern history.
   - (F) The highest price of the U.S. Civil War was hate.

パッセージについて

　今回のパッセージは **1** が年数に関連した設問である。パッセージでは，南北戦争が終わった年（1865）と，その戦争が何年続いたか（for four years）が述べられている。他にも，1776 という数字や in the decade that followed, a century after the Civil War という表現が出てくる。そこで，パッセージを読む際は，下記のように整理しながら読み進めよう。

<u>1861 年</u>	Civil War 勃発
<u>1865 年</u>	終戦
<u>in the decade that followed</u>	reconstruction period
	⇒ 黒人奴隷を解放
<u>a century after the Civil War</u>	Martin Luther King, Jr. らが公民権運動開始
	⇒ 黒人が true freedom and equality with whites を獲得した

Answers

1　**設問訳**　南北戦争はいつ始まったか。
　　ヒント　必ずしも年が記載されているわけではないので要注意。

解説　第1文に「南北戦争は4年間続いた」とあり，第2文に「1865年に終結した」とある。1865 − 4 = 1861 で **B** が正解。

2　**設問訳**　パッセージの savage と最も意味が近いのはどれか。
　　ヒント　文脈を考えよう。

解説　savage は the most savage battles という文脈で使われている。第7文に「両側の死者数は非常に多かった」と書かれているので，savage は「苛酷な」という意味と推測できる。従って，**A** brutal「残酷な」が正解。

3　**設問訳**　南北戦争の結果としてパッセージで述べられていないものはどれか。
　　ヒント　述べられているものを消去していこう。

解説　**A** は第7文 The death toll on both sides was enormous に，**B** は第9文 many land owners lost their holdings に，**D** も第9文 The government of the south was stripped of everything に述べられているが，**C**「南部の州で綿花はもはや主要作物ではなくなった」はどこにも述べられていない。従って，**C** が正解。

● ● STEP 9

4 設問訳 パッセージから推測できるものはどれか。
ヒント 推測できないものを消去していこう。

解説 ⓑ, ⓒ, ⓓ はそのように推測できる根拠となる文がパッセージ中にないので正解にできない。しかし ⓐ は，第11文 the Civil War was meant to free the slaves や第12文 northern attempts to free black slaves and punish southern whites「北部は黒人奴隷を解放して南部の白人を罰することを試みた」から推測できることである。従って，ⓐ「黒人の多くは北部を支持した」と推測できる。

5 設問訳 パッセージの中で表されている最も重要な考えを3つ選べ。
ヒント パッセージのキーポイントとなる記述はどれか。

解説 パッセージの主旨を表しているのは ⓐ, ⓔ, ⓕ である。ⓑ, ⓒ, ⓓ は詳説 (supporting details) で，主旨を支持 (support) するための情報である。

全訳

アメリカ南北戦争の悲惨な代償

アメリカの南北戦争は4年間，激しく続き，国を分裂させた。1865年にようやくこの戦争が終わったとき，アメリカ合衆国は1776年の建国以来，本当の意味で初めて統一された。その上アメリカ合衆国は世界の国々の中で名声と重要性を増しながら，工業大国となった。国の再建は大きな課題であった。その戦争では歴史上，最も苛酷な戦闘が何度か繰り広げられた。その戦争では，工業化が進んでいた北部州と主として農業化が進んでいた南部州が戦った。北部の軍隊は黒人，白人，ネイティブ・アメリカンの200万人以上の兵士で構成されていた。一方，南部の75万人の兵士のほとんどは白人だった。北部・南部の両側の死者数は非常に多かった。北部の3分の1近くの人が命を落とし，歴史家たちは，具体的な数字が究明されることはなかったが，南部でも同じような人数が亡くなったと推測している。経済的な損失は同じように大きかった。北部は何十億ドルもの損失を出し，南部はさらに多くの損失を出した。南部の政府は全ての物を没収され，多くの地主は土地も取り上げられた。さらに悪いことが，戦争による憎悪の代償だった。南北戦争は奴隷を解放するためのものであったが，南部の白人が以前奴隷だった人たちの地位を向上させるあらゆる試みに抵抗したので，戦争によって彼らに新たな問題が生じた。続く10年は戦後の復興期で，北部は黒人奴隷を解放して南部の白人を罰することを試みたが，このことが今度は南部白人の地元黒人に対するさらなる敵意につながった。マーチン・ルーサー・キング Jr. 牧師が率いた公民権運動によって，黒人が白人と同じ真の自由と平等を獲得するようになったのは，南北戦争が終結してから1世紀後のことだった。

◎ 正解 ◎

1 Ⓑ **2** Ⓐ **3** Ⓒ **4** Ⓐ **5** Ⓐ, Ⓔ, Ⓕ

Vocabulary

表現	意味／説明
the Civil War	（アメリカの）南北戦争（1861〜65年）
tear apart 〜	〜を引き裂く
únifỳ	動 〜を統合［統一］する
indústrial	形 産業の，工業の；産業の発達した
sávage	形 [sǽvɪdʒ] 苛酷な；激しい
pit	動 〜を対抗させる
àgricúltural	形 [æ̀grɪkʌ́ltʃərəl] 農業の　　名 agriculture　農業
force	名 軍隊
Native American	ネイティブ・アメリカン，アメリカ先住民
sóldier	名 （陸軍の）軍人；兵士
toll	名 （災害・戦争などによる）損失，犠牲 death toll　死者数
pérish	動 （複数の人・動物が）死ぬ
strip	動 〜をはぎ取る
hátred	名 [héɪtrɪd] 憎しみ，憎悪
rèconstrúction	名 再建，復興 the Reconstruction　再編（期）《南北戦争後の南部諸州の再統合。1865〜77年》
púnish	動 〜を罰する
hostílity	名 敵意
spéarhèad	動 （攻撃・運動など）の先頭に立つ
equálity	名 （権利・地位・処遇などでの）対等，平等

STEP 10 英文パラグラフの構成を知る

> **学習目標** 英文パラグラフの構成を把握し，main idea, topic sentence, supporting details/facts は何かをつかむ。

ポイント

英語の論説（事物の理非を論じたり，説明したりする文章）は，文章構造が直線的かつ論理的で，「主旨」(main idea：筆者の主張) が読み取りやすい。主旨は段落冒頭に書かれる場合が多く，「主題」(topic) が含まれることから「トピック・センテンス」(topic sentence) と呼ばれる。トピック・センテンスの後は，その根拠や具体例などが示されるが，これらは主旨をサポートする働きをするので，「詳説」(supporting details/facts) と呼ばれる。場合によっては，段落の最後に「結論」(concluding remarks) が書かれることもある。

1つの段落には1つの主旨しか入れないため，複数の主旨がある場合は，通常それだけの数の段落が存在することになる。また，複数の段落から成る文章では，最初の段落は「全体の導入部分」，最後の段落は「全体の結論部分」である場合が多い。

●●英文パラグラフの構成●●

Topic sentence	⇒ topic sentence「トピック・センテンス」(＝ main idea「主旨」)
Supporting details/facts 1) 2)	⇒ supporting details/facts「詳説」 　1) 根拠や具体例1 　2) 根拠や具体例2
Concluding remarks	⇒ concluding remarks「結論」

New Techniques for Dating Artifacts and Archaeological Sites

1   The lack of written documents or contemporary calendars in the American Southwest has meant that archaeologists have had to devise a variety of techniques for dating artifacts and archaeological sites. Wherever possible, archaeologists determine the age of an object or place by finding historical documents or objects of known age that confirm a date. The classical civilizations concentrated around the Mediterranean, for example, recorded dates and events in written documents, stone engravings and coins. However, in the Americas, writing appears not to have been so widespread. Archaeologists, therefore, developed new tools for establishing accurate chronologies of historical events, and determining when prehistoric sites were inhabited and abandoned.

2   An archaeologist named Nels Nelson revolutionized dating technology at the beginning of the 20th century when he developed a method called "stratigraphic observation." Nelson correctly assumed that older deposits tend to be found under newer ones, a principle he learned from geology. So, he began to catalog the artifacts he found based on the level he found them in, starting with an ancient mound of trash in New Mexico. He dug vertical holes into arbitrary sections of the heap and began extracting shards of pottery, the most common cultural debris found in such sites. He noticed that pottery from different layers were made in different styles. He could then use this information to date shards found in other sites all over the region. Other American archaeologists immediately recognized the utility of his method, and began using it for themselves.

3   A second major advance in the field also came from another discipline of science, this time astronomy. In the 1920s, an astronomer named Andrew Douglass developed a technique called "dendrochronology," which was inspired by the growth rings of trees. These rings, which grow annually, help botanists determine how much rainfall occurred in any given year. The widths of the rings are affected by rainfall; thin rings indicate drought years, while thick rings indicate a year of ample precipitation. Douglass was able to construct a record of tree-ring growth for the previous 450 years. Next, by sampling ancient wood beams from archaeological sites, he was able to extend that record almost 1,000 years into the past. Tree ring dating has since been used to determine the age of nearly 5,000 sites in the southwestern United States, and given archaeologists

more information about the climate of different eras in the past, including times of drought.

1 Which of the following is NOT a way archaeologists date sites in Europe?
- Ⓐ They find an object at the site that has a date written on it.
- Ⓑ They look for old currency.
- Ⓒ They observe markings on stone.
- Ⓓ They collect ancient tools and date them.

2 According to the passage, how did Nels Nelson dig into the trash heap?

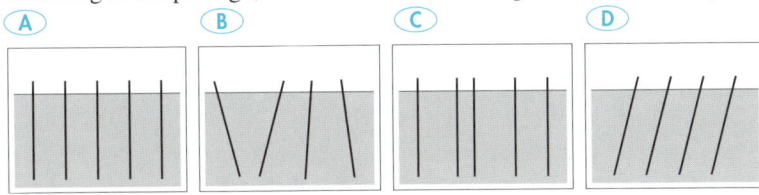

Ⓐ   Ⓑ   Ⓒ   Ⓓ

3 The word debris in the passage is closest in meaning to
- Ⓐ remains
- Ⓑ treasure
- Ⓒ equipment
- Ⓓ earth

4 Which statement best describes the organization of the passage?
- Ⓐ Reasons are given for phenomena, and exemplified.
- Ⓑ Discoveries are made, and the author details how they occurred.
- Ⓒ Solutions to overcome a problem are explained.
- Ⓓ The significance of new techniques is shown to be exaggerated.

5 If there were a paragraph following this passage, it would mostly be concerned with explaining
- Ⓐ a fourth dating technique
- Ⓑ a later dating technique
- Ⓒ the implications of climate changes
- Ⓓ the uses of tree-ring dating

パッセージについて

　第1段落第1文はトピック・センテンス（topic sentence）で，主旨（main idea）は「アメリカ大陸南西部には，文書や近代的な暦がないので，考古学者たちは遺物や考古学的な遺跡の年代を特定するために，様々な技術を考案しなければならなかった」である。古代文明では「文書，石，貨幣に年代や出来事を記録した」が，アメリカ大陸では「writing（書くこと）があまり普及していなかった」ことが詳説（supporting details / facts）で述べられている。そしてこの段落の最終文は，結論としてこの段落を締めくくっている。

Answers

1 設問訳 ヨーロッパの遺跡の日付を特定する方法として考古学者が使わない方法はどれか。
　　ヒント 使う方法を消去しよう。

解説 第1段落第2文に「考古学者は遺物や考古学的な遺跡の年代を特定するために historical documents or objects of known age that confirm a date を探す」とあり，その例として第3文に written documents, stone engravings and coins を挙げている。Ⓐ は第2文から，Ⓑ は第3文 coins から，Ⓒ も第3文 stone engravings から，考古学者が年代を特定する方法である。しかし，Ⓓ は書かれていない。

2 設問訳 パッセージによると，ネルス・ネルソンはどのようにごみの山を掘ったか。
　　ヒント Nels Nelson について書かれている部分を探そう。

解説 第2段落第4文に，He dug vertical holes into arbitrary sections とある。vertical は「垂直の」，arbitrary は「（規則的ではなく）任意の，恣意的な」の意味なので，それを表している Ⓒ が正解。

3 設問訳 パッセージの debris と最も意味が近いのはどれか。
　　ヒント pottery は発掘現場で発見したもの。

解説 第2段落第4文に shards of pottery, the most common cultural debris とあることから，pottery は debris であることが分かる。pottery は Nelson が発掘現場で発見したものなので，debris の同義語は Ⓐ「遺物」と推測できるだろう。

4 設問訳 パッセージの構成を最もよく表している記述はどれか。
　　ヒント それぞれの段落は何について書かれているか確認しよう。

解説 最初の段落には「アメリカ大陸では文書が残っていないので，遺物や考古学的な遺跡の年代を特定するのが難しい。そのため考古学者は新しい年代特定方法を開発した」とある。その方法として，第2段落には「Nels Nelson が開発した stratigraphic observation」について，最終段落には「Andrew Douglass が開発した dendrochronology」について書かれている。つまり，最初の段落で問題が提起され，後続の段落でその解決法が述べられていることが分かる。従って，正解は Ⓒ。

STEP 10

5 　設問訳　このパッセージの後に段落が続くとしたら，主に何に関連した説明となるか。
　ヒント　パッセージの構成を考えよう。

　解説　このパッセージは最初の段落で問題を提起し，その解決策として第2段落で「20世紀初頭に開発された方法」が，そして第3段落で「1920年代に開発された方法」が説明されている。よって，この後の段落では「これ以降に開発された方法」が述べられると考えられる。従って，Ⓑ が正解。

全訳

遺物および考古学的な遺跡の年代を特定する新しい技術

　アメリカ大陸南西部には文書や近代的な暦がないため，考古学者たちは遺物や考古学的な遺跡の年代を特定するために，様々な技術を考案しなければならなかった。考古学者たちはできる限り，ある対象物や場所の時代を特定する際に，年代が確認できる歴史文書や遺物を探す。例えば，地中海一帯に集中している古代文明では，文書や石に刻まれた文字や貨幣に，年代や出来事を記録した。しかしながら，アメリカ大陸では，どうやら書くことがあまり普及していなかったようだ。そのため，考古学者たちは，歴史的出来事の年代を正確に特定するための，そして有史以前の遺跡にいつ頃から人々が住み，そこを去ったかを突き止めるための新しい方法を開発した。

　ネルス・ネルソンという名の考古学者が，20世紀初頭に「層序観察」と呼ばれる方法を開発して，年代特定に大革命を起こした。ネルソンは古い堆積物はそれより新しい堆積物の下にある場合が多いということを正確に推測した。これは彼が地質学から学んだ考え方であった。そこで彼は，ニューメキシコ州にある古代のごみの山で見つけた遺物を見つけた層ごとに分類し始めた。彼はごみの山の恣意的な場所で垂直な穴を掘り，そのような場所で最も多く見つかる文化的な残骸である陶器の破片を採掘し始めた。異なる層から見つかった陶器は，様式が異なることに彼は気付いた。それからこの情報を利用することで，彼はその地域中の他の遺跡で見つかる破片も年代特定することができた。他のアメリカの考古学者たちは，直ちに彼の方法の有用性を認め，自分たちもそれを使い始めた。

　この分野における2つ目の主要な進展も，科学の別の分野，今度は天文学によってもたらされた。1920年代にアンドリュー・ダグラスという名の天文学者が，樹木に刻まれた年輪からヒントを得て「年輪年代学」という技術を開発した。毎年形成される年輪は，植物学者がある年にどれくらいの降水量があったかを突き止める手助けをする。年輪の幅は，降水量の影響を受ける。年輪の幅が狭いと干ばつの年であったことを表し，年輪の幅が広いと降水量が多かったことを表す。ダグラスは450年前の年輪の成長過程の記録を作成することができた。それから考古学的遺跡にある古代の木造梁を調査することで，彼は過去約1,000年前まで記録をさかのぼることができた。年輪年代学は，アメリカの南西部にある5,000近くの遺跡で年代特定に使われている。さらに，干ばつの時期などを含む過去の異なる時代の気候に関するより多くの情報を考古学者たちに与えている。

◎ 正解 ◎

| 1 | D | 2 | C | 3 | A | 4 | C | 5 | B |

Vocabulary

表現	意味／説明
ártifàct	名 人工遺物；工芸品，人工物
contémporàry	形 現代の；同時代の
àrchaeólogist	名 [à:rkiá(:)lədʒɪst] 考古学者
Mèditerránean	名 形 [mèdɪtəréɪniən] 地中海（の） the Mediterranean Sea　地中海
engráving	名 彫刻；版画
chronólogy	名 [krəná(:)lədʒi] 年表；年代学；年代順
inhábit	動 ～に住んでいる
rèvolútionìze	動 ～に革命を起こす
stràtigráphic	形 層序学の　　名 stratigraphy　層序学
geólogy	名 地質学
cátalòg	動 ～を分類する，～の目録を作成する
vértical	形 垂直の，縦の
árbitràry	形 [á:rbətrèri] 恣意的な，独断的な
extráct	動 ～を採掘する
shard	名 （陶器などの）破片
debrís	名 [dəbrí:]（破壊された後の）残骸，破片
dèndrochronólogy	名 年輪年代学《年輪を比較研究して過去の事象の年代を推定する》
drought	名 [draʊt] 干ばつ
ámple	形 豊富な，たくさんの
precìpitátion	名 降水（量），降雨（量）
trée-rìng	名 年輪　　類 annual ring　年輪
beam	名 梁

STEP 11 パッセージの展開を見る
(1)「過程・段階」を表すパッセージ

学習目標　「過程・段階」を表すパッセージは，順番を整理しながら読む。

ポイント

　英文の内容を素早く読み取るには，STEP 10 で説明したような段落の構成を頭に入れて読むことが大切であるが，同時に複数の段落が組み合わさってできたパッセージがどのように展開するかを予測して読むことも重要である。パッセージは書き手が主張する内容によって，展開の仕方が異なる。STEP 10 では「問題・解決」を表すパッセージを扱ったが，STEP 11 〜 14 では，「過程・段階」「原因・結果」「比較・対照」「分類」を表すパッセージを扱う。

　「過程・段階」を表すパッセージは，順番を整理しながら読むようにしたい。この形式のパッセージには，processes, steps, stages という語が含まれていたり，first, second, third など段階を表す表現が使われていたりする。また，次のような表現が用いられることが多いので，整理しながら，内容を理解するようにしたい。

●●「過程・段階」を表すパッセージの頻出表現●●

- to begin with「初めに」, in the beginning「初めに」
- next「次に」, then「その次に」, later on「後で」, subsequently「その後」, soon「すぐに」, meanwhile「同時に」
- in the end「結局」, finally「最後に」, lastly「最後に」, eventually「最終的に」

植物

Photosynthesis: How It Works

1   Photosynthesis is a food-making process that occurs in the leaves of green plants. The word photosynthesis means putting together with light. This is what green plants do: they use energy from light to combine carbon dioxide and water to make food. Light energy is changed into chemical energy and stored in the food made by green plants. Animals eat plants, and we eat plant-eating animals and the plants themselves. In one form or another, all our food comes from the light-converting activity of green plants.

2   During photosynthesis, light is absorbed by a green-colored substance called chlorophyll. When light strikes bodies of chlorophyll, its energy causes water drawn from the soil to split into atoms of hydrogen and oxygen. In a complex process, the hydrogen combines with carbon dioxide from the air, and the result is a simple sugar. Oxygen from the water is given off in the process. The sugar is then combined with nitrogen, sulfur, and phosphorus, which the plant gets from the soil, to make starch, fat, protein, vitamins, and other complex materials necessary for life. Photosynthesis provides the energy needed to make these products.

3   Green plants use photosynthesis to change carbon dioxide and water into food and oxygen. Plants and animals, in turn, burn the food by combining it with oxygen to release the energy needed to support life. This process, called respiration, is the opposite of photosynthesis. Oxygen is used up and carbon dioxide and water are given off. Plants then use the carbon dioxide and water to produce more food and oxygen.

1 Which of the following is the role of light in photosynthesis?
- (A) Light makes it possible to see the process of photosynthesis.
- (B) Light-converting activities are found in all higher plants and animals.
- (C) Light energy is converted into chemical energy by photosynthesis.
- (D) Light absorbs a green-colored substance called chlorophyll.

2 What products are created by photosynthesis?
- (A) Bodies of chlorophyll
- (B) Oxygen and a simple sugar
- (C) Starch, fat, protein, vitamins, and other complex materials
- (D) Carbon dioxide and water

3 What is the name of the process which uses up oxygen and makes carbon dioxide and water?
- (A) Plant-eating animals
- (B) Photosynthesis
- (C) A light-converting activity
- (D) Respiration

4 The word support in the passage is closest in meaning to
- (A) hold
- (B) fund
- (C) maintain
- (D) help

5 Which of the following best describes the main point of the passage?
- (A) Photosynthesis is important to people because all of our food depends upon it.
- (B) Photosynthesis makes the great cycles of light and darkness possible.
- (C) Photosynthesis balances the needs of the animal and plant kingdoms.
- (D) Photosynthesis is something every human being thinks about most seriously.

パッセージについて

　このパッセージでは「光合成の仕組み」，つまりその「過程」が述べられている。第1段落第1文から，主旨 (main idea) は「光合成とは food-making process である」ことが分かる。第1段落の残りは「光合成」の現象が説明されている。第2段落で詳しい光合成の仕組みが解説され，最終段落で「光合成と呼吸の関係」が述べられている。光合成の「過程」に関する詳細は，**2** にあるとおりである。

Answers

1　**設問訳**　光合成における光の役割はどれか。
　　ヒント　第1段落第3～4文に注目しよう。

解説　第1段落第3文に「緑色植物 (green plants) は光 (＝太陽) からのエネルギーを使って，二酸化炭素と水を合成し養分を作る」とある。さらに第4文に Light energy is changed into chemical energy「光のエネルギーは化学エネルギーに転化される」とある。従って，光の役割は **C**「光合成で光のエネルギーは化学エネルギーに変わる」が正解。

2　**設問訳**　光合成でどのような物質が生成されるか。
　　ヒント　第2段落を読んで光合成の過程を整理してみよう。

解説　光合成の過程をまとめると：光のエネルギー → 葉緑素 (chlorophyll) に取り込まれる → 光が葉緑素に当たると，土壌から吸い上げられた水分が水素原子 (atoms of hydrogen) と酸素原子 (atoms of oxygen) に分解される → 水素は空中の二酸化炭素と結合して，<u>単糖が生成される</u> → <u>水から酸素が発生する</u> → 土壌からの窒素，硫黄，リンが加わって，糖はでんぷんや脂肪，タンパク質やビタミンなどを作るのに使われる。**C** は光合成の過程で糖により作られる物質なので，解答としては不完全。光合成の過程で生成されるのは，酸素 (oxygen) と単糖 (a simple sugar) で，**B** が正解。

3　**設問訳**　酸素を使って二酸化炭素と水を作る過程を何と言うか。
　　ヒント　専門用語など特別な用語は，called「～と呼ばれる」などの表現を探す。

解説　第3段落第2文に「植物や動物は，酸素と結び付けることで養分を燃焼させ，生命維持に必要なエネルギーを放出する」とある。続く2文に，これは respiration (呼吸) と呼ばれ，「酸素が取り込まれ，二酸化炭素と水が発生する」とあるので，**D** が正解。

4　**設問訳**　パッセージの support と最も意味が近いのはどれか。
　　ヒント　文脈を考えよう。

解説　release the energy needed to support life「生命を support するために必要なエネルギーを放出する」の support は，**C**「～を維持する」の意味。

5 設問訳 パッセージの主旨を最もよく表しているものはどれか。
ヒント 筆者が光合成に関して述べていることは何かを考えよう。

解説 光合成が重要なのは，第1段落第5文にあるように「動物は植物を餌にし，我々は草食動物だけではなく植物そのものも食べている」から，つまり「我々は植物に依存している」（第6文）からである。従って，Ⓐ「光合成は我々の食物全てがそれに依存しているがゆえに重要である」が正解。

全訳

光合成：その仕組み

光合成とは，緑色植物の葉の中で起きる，養分生産の過程である。光合成という語は，光と結合することを意味し，緑色植物が行っていることである。すなわち，光のエネルギーを使って，二酸化炭素と水を合成して養分を作る。光のエネルギーは化学エネルギーに転化され，緑色植物が作り出した養分の中に蓄えられる。動物は植物を餌にし，そして我々（人間）は，草食動物を食べ，そして植物そのものも食べている。どのような形にせよ，我々の食物は全て，光を養分に転化する緑色植物の活動から得ているのである。

光合成の過程では，光は葉緑素という名の緑色をした物質に取り込まれる。葉緑素の細胞に光が当たると，そのエネルギーによって土壌から吸い上げられた水が水素原子と酸素原子に分解される。複雑な過程において，水素は空気中の二酸化炭素と結合し，その結果，単糖が作られる。この過程では水から酸素が発生する。さらにこの糖は，植物が土壌から得る窒素，硫黄，リンと結び付いて，生命に必要なでんぷんや脂肪，タンパク質，ビタミン，その他の複合物質が作られる。光合成は，これらの物質を作るために必要なエネルギーを供給しているのである。

緑色植物は，光合成を用いて二酸化炭素と水を養分と酸素に変換している。その結果，植物や動物は，酸素と結び付けることで養分を燃焼させ，生命維持に必要なエネルギーを放出する。この過程は呼吸と呼ばれ，光合成とは逆のものである。酸素が取り込まれ，二酸化炭素と水が発生する。すると植物はこの二酸化炭素と水を用いて，さらに養分と酸素を生産するのである。

◎正解◎

1	2	3	4	5
C	B	D	C	A

Vocabulary

表現	意味／説明
phòtosýnthesis	名　[fòutəsínθəsɪs] 光合成
carbon dioxide	[kàːrbən daɪá(ː)ksaɪd] 二酸化炭素
súbstance	名　物質
chlórophỳll	名　[klɔ́(ː)rəfɪl] 葉緑素，クロロフィル
soil	名　土，土壌　　rich [poor] soil　肥えた [やせた] 土
split	動　〜を分割する，〜を分ける
átom	名　原子
hýdrogen	名　[háɪdrədʒən] 水素（元素記号 H）
óxygen	名　[á(ː)ksɪdʒən] 酸素（元素記号 O）　oxygen mask　酸素マスク
give off 〜	（光・音・においなど）を発する
nítrogen	名　[náɪtrədʒən] 窒素（元素記号 N）
súlfur	名　[sʌ́lfər] 硫黄（元素記号 S）
phósphorus	名　[fá(ː)sfərəs] リン（元素記号 P）
starch	名　でんぷん
fat	名　脂肪　　put on fat　太る
prótein	名　タンパク質
vítamin	名　[váɪtəmɪn] ビタミン
in turn	その結果；順番に
reléase	動　（熱・ガスなど）を放出する；〜を解放する
rèspirátion	名　呼吸（作用）　artificial respiration　人工呼吸

STEP 12 パッセージの展開を見る
(2)「原因・結果」を表すパッセージ

学習目標　「原因・結果」を表すパッセージでは，原因に対する結果がいくつか述べられていることが多いので，整理しながら読む。

ポイント

「原因」(cause) や「結果」(effect) を表すパッセージの多くは，原因と結果が対になっている。例えば STEP 3 で読んだサハラ砂漠に関するパッセージは，井戸掘り（＝原因）が招いた現象（＝結果）を表したパッセージである。また，STEP 9 のアメリカ南北戦争に関するパッセージは，戦争（＝原因）の代償（＝結果）が述べられていた。このようなパッセージは，1 つの原因に対して結果が複数述べられていることが多いので，整理しながら読もう。

また，パッセージによっては，「原因・結果」にとどまらず，問題となる現象や代償という「結果」に対して，その後どのような「展開」が考えられるかが述べられているものもある。こうしたパッセージは「原因 ⇒ 結果 ⇒ その後の展開」という流れで内容をつかむようにしたい。

「原因・結果」を表すパッセージには，次のような論理的関係を示す表現が使われることが多いので，これらをヒントに原因・結果を整理することができる。

●●「原因・結果」を表すパッセージの頻出表現●●

○ so「そのため」, therefore「従って」, consequently「その結果」, as a consequence「結果として」, hence「だから」, thus「従って」, as a result「結果として」, this shows ...「…を表している」, this indicates ...「…を示している」, it follows ...「…という結果になる」, on this basis「これに基づいて」

○ X causes Y.「X は Y を引き起こす」, The causes of X are Y.「X の原因は Y である」, The effects of X are Y.「X の結果は Y である」

生物

Parasites and Their Effects on Their Hosts

1 A parasite is a plant or animal that feeds and lives on or in another plant or animal, which is called a host. In one sense, all animals are parasites because they rely on other living creatures for food. However, the term is usually restricted to relatively small organisms which feed on limited amounts of the host's tissue or food. Parasites can have varying effects on their hosts, and most parasites cause virtually no harm. For instance, one type of ameba lives in the human intestine with no ill effect. On the other hand, other parasites may cause deadly diseases, such as malaria, which is caused by a parasite in red blood cells. Most bacteria (one-celled organisms) and many one-celled animals (protozoans) are parasites. Larger parasites may seriously damage their hosts. Tapeworms absorb digested food in the intestine, thus depriving their host of necessary nourishment. Hookworms are harmful parasites that feed on the host's blood. Parasitic insects like ticks and mites attack the skin. Their bites can be very irritating, but the diseases they can spread are far more dangerous. Plants can be severely affected by parasites. Aphids and threadworms often kill their host plants. Plant parasites attack beans, potatoes, apples, and grapes, altogether destroying about $3 billion worth of crops each year in the United States alone.

1 The word they in the passage refers to
   (A) parasites
   (B) plants or animals
   (C) all animals
   (D) small organisms

2 Which of the following is the best definition of parasites?
   (A) Small creatures that feed and live on a larger plant or animal
   (B) All animals which rely on other living creatures for food
   (C) Organisms which eat only a small amount of tissue or food
   (D) Plants or animals which have no effect on their hosts

3 Which of the following is NOT an accurate statement about the effects of parasites?
   (A) Almost all parasites have serious bad effects on their hosts.
   (B) A parasitic ameba living in human intestines causes no bad effects.
   (C) Tapeworms can deprive their hosts of food.
   (D) Because they eat the host's blood, hookworms are dangerous.

4 The phrase depriving ... of in the passage is closest in meaning to
   (A) obtaining ... for
   (B) taking ... from
   (C) passing ... to
   (D) providing ... with

5 According to the passage, which of the following is a true statement?
   (A) Insects like ticks and mites are most harmful because they harm the host's skin.
   (B) Plant parasites damage important crops only in the United States.
   (C) Many important crops are harmed by parasites.
   (D) Diseases are often spread by aphids and threadworms.

> **パッセージについて**
>
> 第4文の Parasites can have varying <u>effects</u> on、また第6文の other parasites may <u>cause</u> から、「寄生生物（＝ cause：原因）が人間や植物に及ぼす影響（＝ effect：結果）」について書かれていることが分かる。具体的には、以下の影響が説明されている。① 致命的な病気を引き起こす（マラリアなど）　② 宿主に深刻な害を及ぼす（サナダムシ → 腸で消化された栄養分を奪い取る、十二指腸虫 → 宿主の血液を餌にする）　③ 皮膚を攻撃する（ダニの類 → かまれると不快に感じる、様々な病気を広める）　④ 宿主である植物を死滅させ、農産物に経済的被害を及ぼす

Answers

1　**設問訳**　パッセージの they が指すものはどれか。
　　　ヒント　they は 3 人称複数の名詞を受ける代名詞（主格）。

　解説　第2文 all animals are parasites because they rely on other living creatures for food の they は、前の節の all animals を受けている。従って、**C** が正解。

2　**設問訳**　寄生生物の定義で最も適切なものはどれか。
　　　ヒント　パッセージ冒頭で定義が解説されている。

　解説　第1文 A parasite is 以下から、「寄生生物とは、別の植物や動物（宿主）の体表や体内に住みつき、そこから餌を得て生きる植物または動物のこと」だと分かる。また第3文から、「宿主の組織や養分のごく一部をその餌として生きている small organisms に限定される」ことが分かる。従って、宿主は寄生生物よりも大きな植物あるいは動物である。**A** が正解。

3　**設問訳**　寄生生物が及ぼす影響として正しくない記述はどれか。
　　　ヒント　a parasitic ameba, tapeworms, hookworms は、第4文以降に着目。

　解説　第4文に「寄生生物は宿主にいろいろな影響を与えるが、ほとんどが実質的には無害である」とある。例えば、人間の腸内に生息するアメーバ（ameba）の一種は悪影響がない。しかし、致命的な病気を引き起こす寄生生物もいる。サナダムシ（tapeworms）は、腸で消化された栄養分を奪い取り、宿主に深刻な害を及ぼす。また十二指腸虫（hookworms）は、宿主の血液中に生息する寄生生物である。**B**、**C**、**D** はこれらの記述と一致するが、**A** は一致しないので、これが正解。

4　**設問訳**　パッセージの depriving ... of と最も意味が近いのはどれか。
　　　ヒント　文脈を利用して考えよう。

　解説　Tapeworms absorb digested food in the intestine, thus depriving their host of necessary nourishment. 「サナダムシは、腸の中の消化された食べ物を吸収するため、宿主から必要な栄養を deprive する」という文脈である。deprive A of B「A から B を奪い取る」は、take B from A と同じ。

STEP 12

5 設問訳 パッセージによると、以下のどれが正しい記述か。

ヒント ticks, mites, plant parasites, aphids, threadworms の記述を確認しよう。

解説 パッセージ後半に、ticks（ダニ）や mites（ダニ）は皮膚を攻撃し、aphids（アブラムシ）や threadworms（線虫）は宿主である植物を殺してしまうことが多く、plant parasites は農作物に被害を出す、とある。Ⓐ は、パッセージ中に most harmful とは書かれていない。また Ⓑ については、only in the United States とは書かれていない。Ⓓ「病気はしばしばアブラムシや線虫によって蔓延する」とも書かれていない。Ⓒ が正解。

全訳

寄生生物とそれが宿主に及ぼす影響

寄生生物とは、宿主と呼ばれる別の植物や動物の体表あるいは体内に住みつき、そこから餌を得て生きる植物または動物のことである。ある意味、全ての動物は、他の生物にその食物を依存していることから、寄生生物である。だが普通、この言葉は、宿主の組織や養分のごく一部をその餌として生きている比較的小さな生物に限定される。寄生生物は、宿主にいろいろな影響を与えるものの、ほとんどが実質的には無害である。例えば、ある種のアメーバは人間の腸内に生息しているが、全く悪い影響は及ぼさない。それに対して、命にかかわるような病気を引き起こすかもしれない寄生生物もいる。例えばマラリアは、赤血球に巣くう寄生生物によって引き起こされる。バクテリア（単細胞生物）と単細胞動物（原生動物）の大半は、寄生生物である。寄生生物が大きい場合は、宿主に深刻な害を及ぼすこともある。サナダムシは、腸の中の消化された食べ物を吸収するため、宿主が必要としている栄養を奪うことになる。十二指腸虫は、宿主の血液を餌にする有害な寄生生物である。寄生虫の中のダニの類は皮膚を攻撃する。こういった寄生虫にかまれるととても不快に感じるものだが、それよりもはるかに危険なのが、彼らが広める可能性のある様々な病気である。植物も寄生生物によって深刻な影響を受けることがある。アブラムシや線虫は、宿主の植物を死滅させてしまうことが多い。植物につく寄生生物は、豆やジャガイモ、リンゴ、ブドウを襲うため、アメリカ合衆国だけでも全体で年間約 30 億ドル分もの農産物の被害が出ている。

◎正解◎

1 Ⓒ　**2** Ⓐ　**3** Ⓐ　**4** Ⓑ　**5** Ⓒ

Vocabulary

表現	意味／説明
párasite	名　[pǽrəsàɪt] 寄生虫，寄生植物
host	名　（寄生動植物の）宿主；主人，開催者 [国]
rélatively	副　比較的に，相対的に
órganìsm	名　有機体，生物
tíssue	名　組織
vírtually	副　事実上，実質的に　　類　practically　事実上
améba	名　アメーバ（= amoeba）
intéstine	名　腸　　large [small] intestine　大［小］腸
déadly	形　致命的な　　類　fatal　致命的な；破滅的な
red blood cell	赤血球 white blood cell　白血球　　platelet　血小板
bactéria	名　バクテリア，細菌
pròtozóan	名　[pròutəzóuən] 原生動物
tápewòrm	名　サナダムシ，条虫
digést	動　[daɪdʒést] ～を消化する
deprive A of B	A から B を奪う，A に B を与えない
nóurishment	名　栄養，食物；養育
hóokwòrm	名　十二指腸虫，こう虫
tick	名　ダニ　　dog tick　犬ダニ
mite	名　ダニ
írritàting	形　腹立たしい，いらいらさせる
áphid	名　[éɪfɪd] アブラムシ
thréadwòrm	名　線虫，ギョウ虫

STEP 13 パッセージの展開を見る (3)「比較・対照」を表すパッセージ

> **学習目標** 「比較・対照」している事物を把握し，類似点・相違点を正確につかむ。

ポイント

　「比較・対照」を表すパッセージは，事物を比較（compare）して類似点や相違点を述べたり，事物を対照（contrast）させて相違点を明らかにしたりする。過去に出題されたパッセージの中には，chimpanzee, gorilla, orangutan, gibbon などの類人猿（ape）を人間（human）と比較してその類似点を扱ったものや，アメリカ独立戦争で活躍したアメリカ先住民の女性2人の功績が対照的に述べられたものなどがある。これまで学習してきたパッセージでは，STEP 2 で動物と人間のコミュニケーションが比較されており，STEP 5 では動物の権利に関して，動物実験を主張する科学者と動物の権利を主張する活動家たちの考えが対照的に述べられていた。

　「比較・対照」を表すパッセージでは，以下にある表現をヒントにしながら，比較・対照されているものは何で，それらの類似点・相違点は何かを正確に読み取ることが大切である。

●●「比較・対照」を表すパッセージの頻出表現 ●●

○ 類似
　like「〜のような」, resemble「〜と似ている」, similar to 〜「〜と似ている」, similarly「同様に」, (almost) the same as 〜「(ほぼ) 〜と同じである」, both A and B「A も B も」, A parallels B「A は B と似ている」

○ 相違
　different from 〜「〜とは異なる」, differ from 〜「〜とは異なる」, however「しかしながら」, although「〜だけれども」, unlike「〜とは違って」, on the other hand「一方」, in contrast to 〜「〜と対照的に」, whereas「〜であるのに対して」, while「〜ではあるものの」

環境

Warning! Three Quarters of Coral Reefs May Die within 50 Years!

1   One third of the world's living coral reefs are in danger from pollution, overfishing, and coastal development. At this rate, scientists warn, nearly three quarters could lie in ruins within 50 years. Saving the coral reef, however, is more complicated than simply educating the peoples who live close to the reefs.

2   We know it is in everybody's interest to preserve coral reefs, and the scientific reasons are clear. They are the most diverse ecosystems on the planet and host one in four of all known ocean species. Reef fish, mollusks and urchins make up about 10 percent of the global fish catch, providing enough protein to support 30 to 40 million people. The reefs are also extremely valuable because they buffer land from storm surges and daily erosion from waves. At the same time, the relatively calm back-reef areas foster enormously productive habitats that serve as nurseries for still more fish and shellfish. Finally, coral absorbs calcium, and in return secretes calcium carbonate on a scale massive enough to influence ocean chemistry and affect carbon dioxide levels in the atmosphere and, thus, the health of the planet as a whole.

3   In addition to considering the reef as an important heritage, we must also think of the needs of people living next to the reefs today. Philippine fishers with the earning power of a few dollars a day, for example, see the coral reef as their rightful source of income. One profitable way of providing for their families is to poison the reef. Cyanide is poured over coral colonies, allowing fishers to capture the stunned tropical fish for the aquarium trade. The aquarium industry annually sells 200 million dollars worth of live-caught marine stock worldwide. Ironically, its biggest market is the United States.

1 According to the passage, which of the following best illustrates the amount of damaged coral reefs at present and in 50 years?

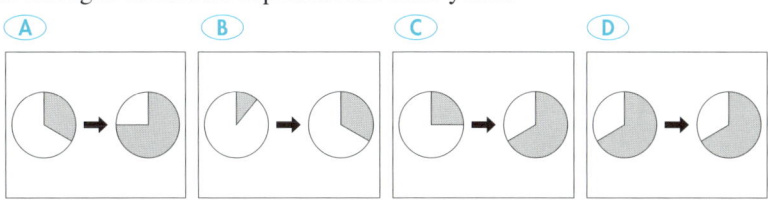

A   B   C   D

2 Which of the following is NOT given as a reason for the importance of reefs?
- A They protect the coastline from the sea.
- B They are places where fish can grow safely.
- C They consume excess calcium in the sea.
- D They provide valuable protein for the sea's fish population.

3 The word stunned in the passage is closest in meaning to
- A dead
- B scared
- C sick
- D unconscious

4 What is the author's attitude towards the coral reef?
- A concerned
- B uncaring
- C neutral
- D interested

5 Which statement best describes the author's organization of the passage?
- A It discusses the importance of reef conservation and the mistreatment of coral reefs.
- B It contrasts the relationship between marine life and its habitat in the Philippines.
- C It explains why coral reefs must be saved at all costs from ecological point of view.
- D It shows why people's lives are more important than preserving reefs.

パッセージについて

　第1段落で「地球上のサンゴ礁の3分の1が危険にさらされており，50年以内にサンゴ礁の4分の3が死んでしまう恐れがある」と，まず「サンゴ礁の死滅」が問題提起されている。第2段落では，サンゴ礁を保護する重要性（① 多様な生態系である　② 陸地を保護する　③ 生物にとって豊かな生息環境である　④ 地球全体へ好影響である）が述べられている。そして最後の段落では，そのようなサンゴ礁の存亡の危機や生態系での重要性があるにもかかわらず，「サンゴ礁周辺の住人が収入を得るため，サンゴに毒を流すことで魚を気絶させ，捕獲する漁を行っている」ことが述べられている。第1段落の問題提起の後の第3文 however などをヒントに，パッセージの展開を意識しながら読もう。

Answers

1　設問訳　パッセージによると，現在および50年後のサンゴ礁の被害の程度を最もよく表しているのはどれか。
　ヒント　数字に注意しよう。

　解説　パッセージの冒頭に One third of the world's living coral reefs are in danger とあり，第2文に nearly three quarters could lie in ruins within 50 years とある。1/3 から 3/4 を表しているイラストは Ⓐ。

2　設問訳　サンゴ礁が重要である理由として述べられていないのはどれか。
　ヒント　サンゴ礁の重要性が述べられている第2段落を注意して読もう。

　解説　Ⓐ「サンゴ礁は海から海岸線を守る」は第4文に，Ⓑ「サンゴ礁は魚が安全に育つ場所である」は第5文に，Ⓒ「サンゴ礁は海の余分なカルシウムを消費する」は第6文に，サンゴ礁が重要である理由として述べられている。しかし，Ⓓ「サンゴ礁は海の魚の貴重なタンパク源となっている」については，第3文にあるように，タンパク質を提供しているのは reef fish, mollusks, urchins。従って，正解は Ⓓ。

3　設問訳　パッセージの stunned と最も意味が近いのはどれか。
　ヒント　文脈をヒントに考えよう。

　解説　stunned という語は Cyanide is poured over coral colonies 以下に出てくる。このすぐ前の文から cyanide は一種の poison（毒）であることが分かる。毒を注ぐのは，魚が Ⓓ「無意識の」状態になり，漁師が魚を捕りやすくなるからと推測できるだろう。熱帯魚業界向けに販売する魚であるため，Ⓐ「死んだ」ものや，Ⓒ「病気の」魚ではいけない。

STEP 13

4 設問訳 サンゴ礁に対する筆者の態度はどのようなものか。
ヒント サンゴ礁の危機に関してどのような表現が使われているか確認しよう。

解説 第1段落冒頭の living coral reefs are in danger や，第2段落第1文 We know it is in everybody's interest to preserve coral reefs，第3段落最終文 Ironically という表現から，Ⓐ「心配している」が正解。

5 設問訳 筆者のこのパッセージの構成を最もよく表しているものはどれか。
ヒント それぞれの段落は何について書かれたものか考えよう。

解説 最初の段落で筆者は「サンゴ礁が危機に瀕していること」，第2段落では「サンゴ礁が生態系を保つ上で非常に重要であること」，そして最終段落で「漁のためにサンゴ礁が犠牲になっていること」を述べている。従って，Ⓐ「サンゴ礁の保護の重要性とサンゴ礁の手荒な扱いを考察している」が正解。

全訳

警告！サンゴ礁の4分の3が50年以内に死滅の危機！

地球上のサンゴ礁の3分の1は，公害や魚の乱獲，さらには沿岸開発によって危険にさらされている。この調子で進むと，50年以内にサンゴ礁の4分の3近くが荒廃してしまうと科学者たちは警告している。しかしながら，サンゴ礁を保護することは，ただ単にサンゴ礁の近くに住む人々を教育すれば済む，というよりももっと複雑である。

サンゴ礁を保護することが全ての人々のためになることは周知の事実であり，その科学的根拠も明らかである。サンゴ礁は地球上で最も多様な生態系であり，知られている海洋生物の4つに1つがサンゴ礁に生息している。サンゴ礁に生息する魚や軟体動物，そしてウニは，地球上で水揚げされる漁獲の約10パーセントにも及ぶ。そのタンパク質の量は，3,000～4,000万もの人々を養っていくことができるのに十分である。さらにサンゴ礁は，沿岸の土地に押し寄せる高潮や日々の波の浸食から土地を保護してくれるため，非常に貴重な存在でもある。それと同時に，サンゴ礁の内側の比較的穏やかな地帯が，生物にとって非常に豊かな生息環境となっており，さらに多くの魚類や甲殻類を育てる場所になっている。最後に，サンゴはカルシウムを吸収して引き換えに炭酸カルシウムを分泌する。その規模は，海の化学的性質を変えるほど，また大気中の二酸化炭素のレベルを左右するほど十分に大きく，その結果，地球全体の健康状態に影響を及ぼすほどである。

我々は，サンゴ礁を重要な遺産だと考えることに加えて，今日サンゴ礁のそばに住んでいる人々のニーズも考えなければならない。例えば，1日の収入がわずか数ドルしかないフィリピンの漁師たちは，サンゴ礁を自分たちの正当な収入源と見なしている。彼らが家族を養うための収益を上げる方法の1つに，サンゴ礁に毒を流す，という方法がある。シアン化物をサンゴ群体に注ぐことで，漁師たちは，熱帯魚業界との取引向けに気絶した熱帯魚を捕まえることができる。世界中の熱帯魚業界で取り引きされる生け捕られた熱帯魚の売り上げは，年間2億ドルにも及んでいる。皮肉なことに，その最大の市場がアメリカ合衆国なのである。

◎ 正解 ◎

1 Ⓐ **2** Ⓓ **3** Ⓓ **4** Ⓐ **5** Ⓐ

Vocabulary

表現	意味／説明
córal	名 サンゴ　　coral reef　サンゴ礁
divérse	形 [dəvə́ːrs] 多様な；非常に異なる
écosỳstem	名 生態系
host	動 ～を愛想よくもてなす；～を主催する
móllusk	名 [má(ː)ləsk] 軟体動物
úrchin	名 [ə́ːrtʃən] ウニ（= sea urchin）
búffer	動 ～の衝撃を和らげる
surge	名 うねり　　storm surge　高潮
fóster	動 ～を育成する，～の発達を促す
enórmously	副 大いに
núrsery	名 養殖［養魚］場；保育園
cálcium	名 [kǽlsiəm] カルシウム
in return	引き換えに，返礼に
secréte	動 [sɪkríːt] ～を分泌する
cárbonàte	名 炭酸塩［エステル］　　calcium carbonate　炭酸カルシウム
mássive	形 大量の；巨大な
héritage	名 遺産
ríghtful	形 正当な権利を持つ，合法的な
cýanìde	名 [sáɪənàɪd] シアン化物，青化物
stun	動 ～を気絶させる
aquárium	名 [əkwéəriəm] 水族館；水槽
irónically	副 [aɪərá(ː)nɪkəli] 皮肉なことに

STEP 14 パッセージの展開を見る
(4)「分類」を表すパッセージ

学習目標　「分類」を表すパッセージは，何が分類されていて，分類されたそれぞれの内容はどういうものか1つ1つ整理しながら読み取ろう。

ポイント

　「分類」を表すパッセージは，分類することでそれぞれの特徴を明らかにしようとするものである。the first type is …, the second phase is … のように，分類の区切りがはっきりしていることが多いので，パッセージ全体の構成もつかみやすい。パッセージが分類しようとしているものかが分かったら，次はそれぞれの特徴をとらえるようにしよう。

　「分類」を表すパッセージでは，factors, types, phases, categories, classes, kinds などの単語や数字が入っていることが多いので覚えておこう。

●●「分類」を表すパッセージの頻出表現●●

Five factors determine the weather of any land area.
There are three types of fraternal societies.
Economists usually break the cycle into four phases.
North America can be divided into five geographical regions.

> 地学

Natural Causes of Erosion

1   Erosion is the natural and chemical processes by which the soil and rocks on the earth's surface are broken down. There are several natural sources of erosion. In dry climates, the heat of the sun can make the top layer of rock expand and crack off from lower layers. Wind may be an erosive force, especially in softer rocks such as sandstone. The majestic spires and arches carved out of sandstone in Utah's Arches National Park are excellent examples of wind erosion. In damp climates, rainwater causes erosion because falling raindrops absorb carbon dioxide and form carbonic acid, a chemical that eats through many types of rocks. In cold climates, frost becomes a major cause. Water that seeps into cracks and holes in rock expands when it freezes, often splitting the surrounding rock into pieces. The roots of plants behave similarly. Roots reach into the cracks in rocks and expand as the plant grows. A very powerful source of erosion is running water in streams and rivers. Over time, deep valleys, such as the Grand Canyon, can be dug. Frozen rivers, or glaciers, are highly destructive to the soil and rock that they cover. The action of the ocean's waves and currents is the principal source of erosion on coastal cliffs and beaches. Of course, the huge forces of a hurricane can lead to immense amounts of erosion along hundreds of miles of coastline.

1 The word crack in the passage is closest in meaning to
- (A) open
- (B) solve
- (C) destroy
- (D) split

2 Plants can be a source of erosion
- (A) because they absorb carbonic acid, which can eat through rocks.
- (B) when roots inside rocks grow, creating pressure which can split rocks.
- (C) because roots seep into the natural cracks and holes in rocks.
- (D) as they produce fertile soil out of damp or frozen rocks.

3. Which of the following is NOT mentioned as a source of erosion in the passage?
   - (A) Waves and currents along ocean coasts
   - (B) The cracking off of a surface layer of rock by sandstone
   - (C) Acids carried in the raindrops which fall on rocks
   - (D) Ice as it moves across the surface of the earth

4. Which of the following can be inferred from the passage?
   - (A) Wind is mainly an erosive force in dry areas of the earth.
   - (B) Glaciers are mainly a source of erosion in the northern hemisphere.
   - (C) Chemical processes are the principle source of erosion in the modern era.
   - (D) Erosion is something which generally favors human development.

5. Select the appropriate sentences from the answer choices and match them to the typical climates to which erosion occurs. TWO of the answer choices will NOT be used.

Dry climates	Damp climates	Cold climates
·	·	·
·		·

Answer Choices

- (A) A major cause of erosion in this climate is frost.
- (B) The top layer of a rock expands and cracks off from lower layers because of the heat of the sun.
- (C) Falling raindrops absorb carbon dioxide and form carbonic acid and cause erosion.
- (D) Arches National Park in Utah is a good example of wind erosion that happens in this climate.
- (E) Frozen water in cracks and holes of a rock split the rock into pieces.
- (F) The action of the ocean's waves cause erosion on coastal cliffs.
- (G) The roots of plants reach into the cracks of rocks and cause erosion.

パッセージについて

　erosion（浸食）について書かれたもので，第 2 文に There are <u>several</u> natural sources of erosion. とあるように，浸食が起こる「原因」(sources)を<u>いくつかに</u>分類して述べている。具体的には，① 乾燥した地域　② 湿気の多い地域　③ 寒冷な地域，と気候別に分類されている。この分類に入らないものは，④ その他にまとめられている。

erosion の「原因」
① In dry climates : 1) heat　2) wind
② In damp climates : rainwater (carbonic acid)
③ In cold climates : frost
④ その他：a. the roots of plants 　　　　　b. running water in streams and rivers 　　　　　c. frozen rivers, or glaciers 　　　　　d. the ocean's waves and currents 　　　　　e. hurricane

Answers

1　設問訳　パッセージの crack と最も意味が近いのはどれか。
　　　ヒント　文脈を考えよう。

解説　crack という語は，「乾燥した気候では，太陽の熱が岩の表面を膨張させ，その下の層から crack off させることがある」という文脈に出てくる。従って，crack は「割れる」という意味が近いので，正解は Ⓓ split。

2　設問訳　植物が浸食の原因になるのはどのような理由［とき］か。
　　　ヒント　The roots of plants behave similarly. 以下に着目しよう。

解説　植物の根に関しては，パッセージ中盤に Roots reach into 以下に「根は岩の割れ目に入り込み，植物が成長するに従って大きくなる」とある。従って，Ⓑ「岩の中の根が成長して，岩を砕く圧力が生み出されるとき」が正解。

3　設問訳　浸食の原因としてパッセージで述べられていないのはどれか。
　　　ヒント　選択肢の中の waves, currents, surface layer of rock, acids, ice に関してパッセージをチェックしてみよう。

解説　Ⓐ は最後から 2 文目 The action of the ocean's waves and currents 以下に，Ⓒ は第 6 文 rainwater causes erosion 以下に，Ⓓ は最後から 3 文目 Frozen rivers, or glaciers 以下に述べられている。しかし Ⓑ「砂岩が岩の表面層を砕く」とは書かれていない。パッセージには，風が砂岩などを浸食するとある。

STEP 14

4 設問訳 パッセージから推測できることはどれか。

ヒント 推測できる根拠となる文がパッセージにない選択肢を消去する。

解説 Ⓑ, Ⓒ, Ⓓ は，そのように推測できる根拠となる文がパッセージ中にないので，正解にできない。Ⓐ の wind は，dry climates に関する記述の中に，Wind may be an erosive force と第4文にあるので，「地球上の乾燥した地域では風が浸食の主な力である」と推測できる。

5 設問訳 以下の中から浸食が起こる典型的な気候と一致する文を選択肢から選べ。選択肢のうち2つは使わない。

ヒント In dry climates, In damp climates, In cold climates と出てくる部分を整理して読もう。

解説 Dry climates で起こる浸食を表しているのは Ⓑ, Ⓓ, Damp climates で起こる浸食を表しているのは Ⓒ, Cold climates で起こる浸食を表しているのは Ⓐ, Ⓔ である。Ⓕ, Ⓖ はどの気候で典型的に見られる浸食か，述べられていない。

全訳

自然がもたらす浸食の原因

浸食とは地球の表面にある土壌や岩石が，自然の作用や化学的な作用によって分解されることである。浸食を引き起こす自然の原因はいくつかある。乾燥した気候では，岩の表面が，太陽の熱によって膨張し，その下の層から欠け落ちることがある。風もまた，特に砂岩などの軟らかい岩の浸食を引き起こす力となり得る。ユタ州にあるアーチズ国立公園で見られる雄大な尖塔状またはアーチ状に削られた砂岩は，風食のよい例である。多湿な気候では，雨による浸食が見られる。雨粒は落ちる間に，二酸化炭素を吸収して炭酸になるが，この化学物質にはいろいろな種類の岩を浸食する作用があるからである。寒冷な気候では，霜が主な原因になる。岩石の割れ目や穴にしみ込んだ水は，凍りつくと膨張するため，よくその周囲にある岩を小さく砕いてしまう。植物の根も同じような作用を及ぼす。岩の割れ目に入り込んだ根は，植物が成長するに従って大きくなる。非常に強力な浸食を引き起こす力が小川や川を流れる水である。長い歳月をかけて，グランドキャニオンのような深い谷を大地に刻むこともできる。凍てついた河，つまり氷河は，氷河が覆っている土壌や岩石を大きく破壊してしまう。沿岸の断崖や浜辺では，波や海流が浸食の主要な原因となる。もちろんハリケーンの強力な力によって，何百マイルにも及ぶ広範囲な海岸線が浸食されることもある。

◎正解◎

1 Ⓓ **2** Ⓑ **3** Ⓑ **4** Ⓐ

5 Dry climates : Ⓑ, Ⓓ　　Damp climates : Ⓒ　　Cold climates : Ⓐ, Ⓔ

Vocabulary

表現	意味／説明
erósion	名 [ɪróʊʒən] 浸食　　形 erosive　浸食性の　wind erosion　風食（作用）
crack	動 ひびが入る　　名 割れ目，ひび
sándstòne	名 砂岩
majéstic	形 雄大な；堂々とした　　類 grand　壮大な
spíre	名 先の細くとがったもの；（教会などの）尖塔
arch	名 アーチ；半円形（のもの）
ráinwàter	名 雨水，天水
ráindròp	名 雨滴，雨だれ
frost	名 霜
seep	動 （液体・気体が）しみ込む
split ～ into pieces	～を小さく砕く
dig	動 ～を掘る；～を発見する　　dig-dug-dug
glácier	名 [gléɪʃər] 氷河
destrúctive	形 破壊的な　　a destructive typhoon　破壊的な台風
cúrrent	名 （水・空気・熱などの）流れ，潮流　　形 現在の
príncipal	形 主要な
cliff	名 （特に海岸の）崖，絶壁
húrricàne	名 [hə́ːrəkèɪn] ハリケーン
imménse	形 巨大な，広大な
cóastlìne	名 海岸線

STEP 15 人物史に関するパッセージの読み方

学習目標 人物に関するパッセージは，誕生年，没年の他，その人物が残した業績や経歴を整理しながら読む。

ポイント

　TOEFL のリーディングでは，アメリカ史上で功績を残した著名な人物や，その人物に関連した歴史的背景を記述したパッセージがよく出題される。中でも美術・芸術・建築関係からの出題が多いように思われる。具体的には，Martha Graham / Isadora Duncan（舞踏家・振付師でモダンダンスの先駆者），Barbara Kasten（写真家），Edgar Allan Poe（怪奇小説の生みの親），Mark Twain（小説家），Edmonia Lewis（黒人の女性彫刻家）などである。これらのパッセージで問われる内容の大半は，その人物に関することである。そこで，人物に関するパッセージでは，次の点に注意して読むようにしたい。

1) どの分野の人物か。
2) 何をしたことで知られている人物か。
3) 経歴はどのようなものか。
4) 社会にどのような影響を与えたか。
5) 筆者はこの人物に対してどのような評価をしているか。

　また，人物史を扱ったパッセージでは，年代に関連する設問が出題されることが多いので，その人物の誕生年，没年を含め，その人物が残した業績や経歴を年代順に整理しながら読むようにする必要がある。さらに年代を計算させる設問もあるので，数字には注意したい。

伝記

Karl Henize: A Dream Achieved

1   Karl Henize, the American astronaut and astronomer, was born in Cincinnati, Ohio, in 1926. He studied mathematics and astronomy at the University of Virginia and graduated with an M.A. degree in 1948. His amazing career began at the University of Michigan, where he studied and worked for several years as an observer, receiving his doctoral degree in astronomy in 1954.

2   Henize's ambition was to study the stars from space. He worked toward this goal avidly, working on various space and observatory projects. He became professor of astronomy at Northwestern University in 1964, when he also began designing experiments for the National Aeronautics and Space Administration (NASA) for the Gemini program.

3   His dream of going to space seemed about to become real when NASA selected him in 1967 as a scientist-astronaut candidate for Apollo missions. **A** Unfortunately, cuts in NASA's budget forced cancellation of Apollo missions 18, 19, and 20, the assignments for which Henize had been recruited. **B** Instead, he served as part of the ground support crew for Apollo 15 and Skylab, and continued his work on NASA space experiments. **C** He hoped to journey to space aboard the second Skylab space station scheduled for 1975, but, tragically, budget cuts again canceled this launch. **D**

4   He was again selected for an astronomy mission aboard the space shuttle Challenger in 1985. This time, there were no setbacks until after the shuttle took off. During its ascent to space, Challenger suffered main-engine and computer problems that nearly forced an emergency landing in Spain. But the problems were overcome and in July of that year Henize finally achieved his dream. During this single shuttle mission, he spent more than 190 hours in space. Unfortunately, this remarkable achievement was offset by another of his passions — mountain climbing. Karl Henize died while attempting to scale Mount Everest in 1993, and was buried on the mountain.

● ● STEP 15

1 Which paragraph describes Henize's education?
- Ⓐ Paragraph 1
- Ⓑ Paragraph 2
- Ⓒ Paragraph 3
- Ⓓ Paragraph 4

2 Look at the four squares ■ that indicate where the following sentence could be added to the passage.

This time again, Henize had to be content with working on experiments using telescopes aboard the space shuttle.

Where would the sentence best fit?

3 How old was Henize when he went to space?
- Ⓐ 41
- Ⓑ 49
- Ⓒ 55
- Ⓓ 59

4 The word offset in the passage is closest in meaning to
- Ⓐ counterbalanced
- Ⓑ eclipsed
- Ⓒ heightened
- Ⓓ forgotten

5 According to the passage, which of the following is NOT true?
- Ⓐ Henize was selected as a scientist-astronaut candidate for Apollo mission in 1967, but his dream of going to space did not become real.
- Ⓑ He was selected for an astronomy mission in 1985, but because the space shuttle Challenger had engine and computer problems, it was forced to land in Spain.
- Ⓒ His second chance to go to space was canceled again.
- Ⓓ Aboard the space shuttle Challenger, he spent more than 190 hours in space.

パッセージについて

本 STEP ポイント の 1) から 5) に合わせて，内容を整理してみよう。

1) 宇宙飛行士であり，天文学者でもある　2) スペースシャトル「チャレンジャー」の宇宙飛行士　3) 1926年生まれ。バージニア大学で数学と天文学を学ぶ。1948年に修士号，1954年にミシガン大学で天文学の博士号を取得。1964年ノースウェスタン大学で天文学の教授に就任。NASAでは宇宙実験などの仕事に携わる。1985年，念願の宇宙飛行を遂げる。1993年死亡　4) ここでは該当しない　5) 筆者は，彼が念願の宇宙飛行をやっとの思いで遂げたのに，彼が情熱を傾けていたもう1つのこと，「登山」によって命を落としてしまったことを哀れに思っている。

Answers

1　設問訳　ヘナイズの教育について述べているのはどの段落か。
　　　ヒント　教育を表す表現に注目。

解説　第1段落には，教育関係を表す語，studied, University, M.A. degree, doctoral degree などが出てくる。従って，正解は Ⓐ。

2　設問訳　次の文の挿入箇所として，4つの■のうち最も適切なものはどれか。
「ヘナイズはスペースシャトルに積んだ望遠鏡を使って実験することで，今回もまた満足しなければならなかった」
　　　ヒント　なぜそれで満足しなければならなかったのか考えよう。

解説　第3段落には彼の宇宙飛行の夢が実現しなかったことが書かれている。1967年，1975年と2回機会があったが，共に NASA の予算の都合で，宇宙飛行計画は中止されてしまった。そこで，1回目は結局 Apollo 15 と Skylab の地上支援チームの一員となり，NASA での宇宙実験を続けた，と書かれているが，2回目に関しては，中止されてどうなったかが書かれていない。従って，Ⓓ に当該の文を挿入すると，2回目は結局どうすることになったか（つまり，今回も前回同様に地上で実験することになったこと）が述べられ，自然な文章の流れとなる。

3　設問訳　ヘナイズは何歳のときに宇宙に行ったか。
　　　ヒント　彼は何年に生まれ，何年に宇宙飛行に参加したかを確認しよう。

解説　第1段落第1文に，Karl Henize ... was born ... in 1926. とある。さらに，第4段落第1文に，He was again selected for an astronomy mission ... in 1985. とある。1985 − 1926 = 59 で，Ⓓ が正解。

4　設問訳　パッセージの offset と最も意味が近いのはどれか。
　　　ヒント　文脈を考えよう。

解説　文頭に Unfortunately とあることから，文の意味は否定的な内容である。「この目覚ましい業績（宇宙飛行）は，彼のまた別の情熱，登山ゆえに offset になった」という文脈から

● ● STEP 15

offset は「無になる」というような意味であることが推測できるだろう。offset は (A)「~を相殺する」の意味。

5 （設問訳） パッセージによると，以下の記述で正しくないものはどれか。
（ヒント） パッセージの記述と照らし合わせて，正しい記述を1つ1つ消去していこう。
（解説） (A) は第3段落第1～2文，(C) は同段落最終文，(D) は第4段落第5文に書かれている。しかし (B) は第4段落第3文と反する内容である。従ってこれが正解。

全訳

カール・ヘナイズ：夢実現す

　アメリカの宇宙飛行士であり天文学者のカール・ヘナイズは，1926年にオハイオ州シンシナティに生まれた。彼はバージニア大学で数学と天文学を学び，1948年に修士号を取得し，卒業した。彼の驚くべき経歴は，ミシガン大学から始まった。彼はそこで学んだだけでなく，（天体）観測者としても数年働き，1954年には天文学の博士号を取得した。

　ヘナイズの野望は，天体を宇宙から研究することであった。彼は，様々な宇宙計画や（天体）観測プロジェクトに参加するなど，この目標に向かって貪欲に邁進していった。1964年にノースウェスタン大学の天文学教授に就任し，NASA（米国航空宇宙局）のジェミニ計画のための様々な実験を立案し始めるようにもなった。

　宇宙へ行きたいという彼の夢は，1967年にNASAが彼をアポロ計画の科学者兼宇宙飛行士候補に選んだことで，現実味を帯びるようになっていった。残念なことに，NASAの予算がカットされたことで，彼が乗るはずであったアポロ計画の18号，19号，そして20号の打ち上げが中止されてしまった。彼はその代わりに，アポロ15号とスカイラブ計画の地上支援チームの一員として働いた他，NASAの様々な宇宙実験の仕事を続けた。彼の願いは，1975年に予定されていた2つ目のスカイラブ宇宙ステーションに搭乗することで宇宙へ旅することであったが，悲惨なことに，またしても予算カットによって打ち上げが中止されてしまった。ヘナイズはスペースシャトルに積んだ望遠鏡を使って実験することで，今回もまた満足しなければならなかった。

　彼は1985年に，再びスペースシャトルチャレンジャーの搭乗メンバーに天文学者として選ばれた。今回は，シャトルが発射するまでは何の支障もなかったが，宇宙へ向けて上昇中にメインエンジンとコンピュータにトラブルが発生し，もう少しでスペインに緊急着陸しなければならないところだった。しかし，問題は克服され，その年の7月に，ヘナイズはようやく彼の夢を実現させた。彼はこのとき1回だけのシャトル任務で190時間以上を宇宙で過ごした。残念なことに，この目覚ましい業績は，彼が熱中していたもう1つのこと，すなわち登山によって相殺されてしまった。カール・ヘナイズは，1993年にエベレスト登山を試みている最中に亡くなり，山に埋葬されたのである。

◎ 正解 ◎

1 (A)　**2** D　**3** (D)　**4** (A)　**5** (B)

Vocabulary

表現	意味／説明
ástronàut	名 [ǽstrənɔ̀ːt] 宇宙飛行士
astrónomer	名 天文学者　名 astronomy 天文学
dóctoral	形 博士（号）の
ávidly	副 熱烈に　形 avid 渇望している；熱烈な
obsérvatòry	名 観測所，気象台
àeronáutics	名 [èərənɔ́ːtɪks] 航空学
NÁSA	名 米国航空宇宙局
cándidàte	名 候補者
míssion	名 （宇宙船などの）任務飛行；使節（団）
cut	名 削減；切ること
búdget	名 予算；経費
assígnment	名 （仕事・任務などの）割り当て；（割り当てられた）仕事［任務］；宿題
recrúit	動 ～を（新会員を補充して）形成する；～を募集する
crew	名 （飛行機・列車などの）乗組員
jóurney	動 旅行する
trágically	副 悲劇的なことに，悲劇的に
launch	名 [lɔːntʃ] 発射　動 ～を発射する；～を開始する
sétbàck	名 （進歩の）妨げ，挫折
ascént	名 [əsént] 上昇　反 descent 下降
òvercóme	動 ～を克服する
òffsét	動 ～を相殺する，～を埋め合わせる
scale	動 ～をよじ登る

STEP 16 医学や生理学に関するパッセージの読み方

学習目標 医学や生理学に関するパッセージは，人体の仕組み，医療技術の効果，医療問題，人体への影響などについて読み取る。

ポイント

医学に関するパッセージは，次の4つのタイプが考えられる。
1) 体のある一部の組織や機能を述べたもの
2) ある医学技術を取り上げてその効果や効力を述べたもの
3) 医学技術の進歩に伴って生じる社会問題を取り上げたもの
4) ある物事が人体に与える影響を扱ったもの

1) に関しては，「筋肉」の解剖学的構造を記したものや，「ホルモン」がどこからどのように分泌され，どのような働きがあるか，人間の感情や行動にどのように関わっているか，またホルモンの分泌が体に及ぼす影響は年齢とどのような関係があるか，などについて述べたパッセージが過去に出題された。2) に関してはSTEP 8 の「免疫法」，3) と 4) は実戦練習のそれぞれ「遺伝子工学」，「宇宙での体の変化」に関するパッセージがこれにあたる。

医学に関するパッセージであることが分かったら，まず上記 1) 〜 4) のどのタイプに属するものかをつかみ，以下に焦点を当てながら読むようにしよう。

1) 体のどの部分についての記述で，それはどのような仕組みになっているか。
2) どのような技術が取り上げられているのか，またその効果は何か。
3) 問題となっている社会問題は何か。その原因は何か。それが社会に与える影響は何か。筆者の意見は何か。筆者は何か問題解決のための提案をしているか。
4) 何が人体にどのような影響を及ぼしているか。

医学

Does Acupuncture Really Work for Surgery?

1   One of the newest tools being developed in Western medical science is actually one of the oldest techniques in the world, the ancient Chinese medical practice known as acupuncture. Acupuncture is the use of needles to cure pain and illness in the human body. The needles are inserted into over 360 strategic points in the body, and moved around to cause a 'needling sensation' over the acupuncture point. Some practitioners have begun to run electrical currents through the needles to replicate this effect. It is most widely practiced in China, but it is commonly found in many other countries both inside and out of Asia as well, including Japan and the United States. Archaeologists have discovered Chinese acupuncture needles over 4,000 years old. Initially made of stone, these needles were later made of bronze, silver and gold. Modern needles are usually made of steel.

2   Acupuncture is primarily used to induce a state of analgesia in patients, where they are conscious but unable to feel pain. Chinese doctors claim that around 30% of patients in surgery receive adequate pain relief from acupuncture alone, though American doctors who have observed these techniques claim it is only effective for about 10% of patients. Scientific studies conducted on animals support the claim that the effects of acupuncture are real, and not just a matter of suggestion, as some critics have claimed. However, science does not yet understand how or why acupuncture is effective. Chinese proponents of the practice claim the needles improve the flow of energy in the body, but American scientists speculate that the needles trigger a natural response in the human body, prompting the central nervous system to release natural painkillers like enkephalin and endorphins.

3   Brain surgeons are especially excited about the potential uses of acupuncture, as the drugs commonly used to induce analgesia can disturb the patient's body and cause shock. Additionally, some American doctors have begun using acupuncture to provide short-term relief of chronic pain in patients' backs and stomachs, and have used it to treat headaches as well. Acupuncture has the potential to relieve pain without causing any undesirable side effects either. In all, the future of this ancient treatment is bright.

1. The word speculate in the passage is closest in meaning to
   - (A) eliminate
   - (B) theorize
   - (C) evaluate
   - (D) complain

2. Which of the following best describes the main point of the passage?
   - (A) Scientists have proven that acupuncture has no real effect.
   - (B) Acupuncture has the potential to become the most common form of pain relief.
   - (C) America is the number two market for acupuncture behind China.
   - (D) Acupuncture is gaining acceptance though science does not yet understand how it works.

3. What does the passage tell us about Chinese doctors and acupuncture?
   - (A) Chinese doctors believe acupuncture can help patients avoid surgery.
   - (B) Chinese doctors claim that the effects of acupuncture are a trick of the brain.
   - (C) Chinese doctors mainly use acupuncture for pain relief in their patients.
   - (D) Chinese doctors state all patients can benefit from acupuncture.

4. Which of the following can be inferred about acupuncture?
   - (A) American doctors believe that acupuncture is not effective at all.
   - (B) Chinese doctors are increasingly turning to Western medicine to help patients.
   - (C) Acupuncture techniques have changed by incorporating new technology.
   - (D) Ancient Chinese people developed acupuncture when they learned to make steel needles.

5. Based on information in the passage, which one of the following is NOT true?
   - (A) Acupuncture techniques have changed as technology developed.
   - (B) Acupuncture is not currently practiced in the United States.
   - (C) Acupuncture has been in use for at least the past 4,000 years.
   - (D) Acupuncture is growing in popularity both in and outside of Asia.

パッセージについて

　このパッセージは acupuncture（針治療）とはどういうもので，どのようなことに使われ，その効果はいかほどかについて書かれている。ポイントをまとめると，針治療は人体のツボに針を打ち，さらに針をひねって行うもの（現在はひねる代わりに電流を流す）で，アメリカの医学会が取り入れている最新の医療技術の1つである。中国では古くから手術の際の麻酔として使われている。針治療がどうして効くのかは分かっていないが，世界でも広く普及している。アメリカでは腰痛や腹部の痛みを短期的に和らげるため，また頭痛を治療するために使われている。

Answers

1　**設問訳**　パッセージの speculate と最も意味が近いのはどれか。
　　ヒント　2つの節（Chinese proponents … と but …）の関係を考えよう。

解説　「針治療の効果を支持する中国人は…と主張しているが，アメリカの科学者は…」という文脈なので，speculate は「～でないかと考える」といった意味であることが推測できる。選択肢では **B** theorize（= to think of a possible explanation for an event）が一番近い。

2　**設問訳**　このパッセージの主旨を最もよく表しているものはどれか。
　　ヒント　選択肢を1つ1つ読み，どれがパッセージの中心的内容か判断しよう。

解説　最初の段落は acupuncture「針治療」がどう使用され，中国のみならず日本やアメリカなどでも広く使われていることが述べられている。第2段落には，針の効果はあるが，第4文 science does not yet understand how or why acupuncture is effective とある。最終段落には，針治療がアメリカで鎮痛のために使用されていることが書かれている。これらを考慮すると「科学的にどのように効くのか分からないが，針治療は普及している」が主旨である。これを表しているのは，**D**。

3　**設問訳**　中国の医師と針治療についてパッセージから分かるものはどれか。
　　ヒント　中国の医師たちはなぜ針を使うのか。

解説　**C**「中国の医師たちは主に，患者の痛みを和らげるために針治療を使う」というのは，第2段落第1文と第2文前半にあるとおりで，これが正解。

4　**設問訳**　針治療について推測できることはどれか。
　　ヒント　パッセージから推測できるか1つ1つ確認しよう。

解説　**A**，**B**，**D** に関しては，パッセージで述べられていない。**C** に関しては第1段落第3～4文から推測できる。

5 設問訳 パッセージの情報によると，正しくないものはどれか。
ヒント 第1段落を参照しよう。

解説 Ⓐ は第1段落第4文，Ⓒ は最後から3文目，Ⓓ は第5文から正しい記述だと分かる。しかし，Ⓑ は正しくない記述なので，これが正解。

全訳

針治療は本当に手術に効果があるか

　西洋の医学で開発されている最新の医療技術の1つが，実は世界で最も古い技術の1つである，針治療として知られる古代中国の医療行為である。針治療では，体内の痛みや病気を治すために針を使う。針を人体の360以上もの重要なツボに打ち，ひねることでツボに「針による刺激」をもたらす。施術者の中には，この効果を再現するために針に電流を流し始めた者もいる。針治療は中国で最も広く普及しているが，日本やアメリカ合衆国を含む，アジア内外のその他の国々でもよく見られる。考古学者たちは，4,000年以上前の中国の針治療用の針を発見した。当初は石で作られていたが，その後，青銅や銀，金の針が作られた。現在の針はたいてい鋼鉄製である。

　針治療は主に患者に無痛覚状態を引き起こすために使われる。つまり意識がありながら痛みを感じない状態である。中国の専門医は，患者の約30％は手術の際，針治療だけで十分な鎮痛効果を得ることができると主張する。しかし，こうした技術を見学したアメリカの医師は，患者の10％程度にしか効果はないと主張する。動物に行われた科学的研究でも，針治療の効果は本物で，一部の批評家が主張したような，単なる暗示からくるものではないという主張が裏付けられている。しかし針治療がどのように，そしてなぜ効くのかは科学的にまだ分かっていない。針治療の効果を支持する中国人は，針が体の中のエネルギーの流れをよくすると主張しているが，アメリカの科学者は，針が，エンケファリンやエンドルフィンなど自然に備わっている痛み止めが放出されるように中枢神経系を刺激して，体の自然反応を誘発しているのではないかと推測している。

　脳外科医は針治療の潜在的利用法に関して特に興奮している。というのも，無痛覚状態を誘発するのに一般的に使われる薬物が患者の体に負担をかけ，ショックを引き起こす可能性があるからである。さらに，アメリカの一部の医師が，患者の慢性的な腰痛や腹部の痛みを短期的に和らげるために，そして頭痛を治療するために，針治療を使い始めた。針治療は，望ましくない副作用も引き起こさずに痛みを和らげる可能性がある。総じて，この古代の治療法の未来は明るい。

◎ 正解 ◎

1	2	3	4	5
Ⓑ	Ⓓ	Ⓒ	Ⓒ	Ⓑ

Vocabulary

表現	意味／説明
ácupùncture	名 [ǽkjupʌ̀ŋktʃər] 針療法，針治療
medical practice	医療業務［行為］
insért	動 〜を挿入する
practítioner	名 開業医；専門家　　general practitioner　一般診療医
electrical current	電流
réplicàte	動 〜複製する
indúce	動 〜を引き起こす，〜を誘発する
ànalgésia	名 [ænəldʒíːziə] 無痛覚（症），無痛法
cónscious	形 [ká(ː)nʃəs] 意識のある；〜に気づいて
ádequate	形 [ǽdɪkwət]（ちょうど）十分な；適切な
condúct	動 〜を実施する
suggéstion	名 （催眠術などによる）暗示
spéculàte	動 〜と推測する；（あれこれ）思索する
trígger	動 〜を引き起こす，〜を誘発する
enképhalin	名 [enkéfələn] エンケファリン
endórphin	名 [endɔ́ːrfɪn] エンドルフィン《鎮痛作用を持つホルモン》
distúrb	動 〜を邪魔する；〜の心を乱す
side effect	（薬などの）副作用

STEP 17 動物に関するパッセージの読み方

学習目標 動物に関するパッセージは，動物の生物学的特徴や生態など，その動物特有の性質をつかむ。

ポイント

　TOEFL のリーディングでは，動物に関するパッセージがよく出題される。過去に出題されたパッセージにはイソギンチャク(sea anemone)，渡り鳥(migratory birds)，クマなどについて書かれたものがあるが，そのほとんどは，それらの生態を扱ったものである。例えば，イソギンチャクについて書かれたパッセージには，イソギンチャクの形状，色，大きさ，生物学上の分類，特徴，生息地，主食，餌の捕獲方法，繁殖方法などが述べられている。渡り鳥に関するパッセージでは，渡り鳥はどうして渡るのか，渡りという習性を引き起こしているものは何かが生物学的に述べられている。クマに関するパッセージでは，何でも主食にするクマが，町まで降りてきて人間のごみやキャンプ場の残飯をあさるのはなぜか，それに伴うクマと人間双方にとっての危険は何か，またそれに対してどのような対策がなされているかなどが述べられている。

動物に関するパッセージであることが分かったら，その動物に関して
　1）形状，色，大きさ
　2）生息地
　3）主食は何か，餌の捕獲方法
　4）繁殖方法
　5）特記すべき特徴
などが説明されると予測できるので，これらを整理しながら読むようにしたい。設問ではその特記すべき特徴について問われることが多いため，よく知られた動物が記述されている場合は，特に5）に注意して読もう。

Alligators

1   The American alligator, a large, freshwater reptile, closely resembles its cousin, the crocodile, but differs slightly in appearance. Equally comfortable on land or in water, the alligator's snout is broader and lacks the notches that expose the lower teeth of the crocodile. Alligators can live up to 50 years, but many do not make it that far. They are prime targets for hunters, as their skin can be made into high-quality leather. In the past, they grew up to six meters long. These days however, 3.6 meters is considered big. This hunting prompted the government to declare them a protected species in the late 1960s. By 1987, their numbers increased to the point where they were no longer in danger of extinction, and the protection was removed.

2   Alligators generally live in lakes, swamps and slow moving rivers in the coastal regions of the southeastern United States, ranging from as far north as North Carolina and as far west as Texas. Their diet consists of a wide range of prey; young alligators survive on fish, insects and amphibians, while larger individuals eat fish, other reptiles like turtles, and even small mammals like dogs and pigs. Alligators do not generally attack human beings, though such attacks have been known to happen occasionally. Alligator mothers construct nests out of water plants for their eggs, which incubate for around two months. After hatching, the mother will carry her young in her mouth to the water. For their first year, the babies will remain by their mother's side, after which they strike out on their own.

1. According to the passage, which statement about alligators is true?
   - (A) Alligators are indistinguishable from crocodiles.
   - (B) Alligators' lower teeth are not exposed, unlike crocodiles.
   - (C) Alligators prefer cooler climates.
   - (D) Alligators are more closely related to mammals than crocodiles.

2. The word prime in the passage is closest in meaning to
   - (A) important
   - (B) aquatic
   - (C) qualified
   - (D) reluctant

3. The word individuals in the passage refers to
   - (A) alligators
   - (B) humans
   - (C) Americans
   - (D) amphibians

4. Which of the following statements about alligators' natural habitats is true?
   - (A) Alligators prefer to live near humans.
   - (B) Alligators live in nests made from plants.
   - (C) Alligators live in and around fresh water.
   - (D) Alligators prefer to live in warm places.

5. What can be inferred about alligators from the passage?
   - (A) Alligators are dangerous because they always eat humans.
   - (B) The population of alligators increased in the 1970s.
   - (C) Alligators attack humans when they are with their young.
   - (D) It is wrong to use alligator leather to make clothes and accessories.

パッセージについて

　alligators について，最初の段落に生物学的特徴（淡水に生息，は虫類，口吻が広いなど）が述べられている。注目すべき点は，crocodiles とは異なり，alligators は下の歯を露出させる切れ目が口にない，捕獲され絶滅の危機に瀕したことがある，などである。第２段落では生息地，主食，育児の特徴が述べられている。すなわち，アメリカ南東海岸地域の湖や沼地に生息し，成長段階によって食べるものが異なる。育児に関しては雌が巣を作り，約２カ月後に孵化したら口を使って子供を水まで運び，生後１年間一緒に暮らす，などである。

Answers

1 　**設問訳**　パッセージによると，アリゲーターに関して正しい記述はどれか。
　ヒント　パッセージに書かれていないことは消去しよう。アリゲーターの特徴について第１段落を参照しよう。

　解説　第１段落第１文にあるように，alligators と crocodiles はよく似ているが，Ⓐ「アリゲーターはクロコダイルと見分けがつかない」というわけではない。Ⓒ「アリゲーターは涼しい気候を好む」，Ⓓ「アリゲーターはクロコダイルよりもほ乳類との関連がずっと強い」とは書かれていない。正解は Ⓑ「クロコダイルとは異なり，アリゲーターの下の歯は露出していない」。

2 　**設問訳**　パッセージの prime と最も意味が近いのはどれか。
　ヒント　何ゆえにハンターの prime target となったのか。

　解説　prime を含む文を読んで考えよう。「アリゲーターの皮は高品質な革となるので，ハンターたちの prime target となっている」という流れである。すなわちアリゲーターはハンターたちにとって，Ⓐ important な target なのである。prime は「最も重要な」の意味。

3 　**設問訳**　パッセージの individuals は何を指しているか。
　ヒント　何についての記述かを考えよう。

　解説　第２段落第２文 Their は Alligtors' を指す。セミコロン（;）以下に young alligators と larger individuals の餌について書かれているので，Ⓐ が正解と分かる。

4 　**設問訳**　アリゲーターの自然の生息地に関する正しい記述はどれか。
　ヒント　第１段落第１～２文に注目しよう。

　解説　第１段落第１文の freshwater reptile と第２文の comfortable on land or in water から Ⓒ が正解。第２段落第４文から，水草でできた巣はアリゲーターの母親が卵を孵すために使うので Ⓑ は間違い。

●● STEP 17

5 　**設問訳**　アリゲーターに関してパッセージから推測できることは何か。
　　ヒント　推測できる根拠となる文がパッセージ中にない選択肢を消去していこう。

解説　Ⓐ，Ⓒ，Ⓓ はそのように推測できる根拠となる文がパッセージ中にない。一方 Ⓑ「1970 年代にアリゲーターの数が増えた」は，第 1 段落最後の 2 文から推測できる内容。

全訳

アリゲーター

　大型で淡水に生息するは虫類であるアメリカ・アリゲーターは，親戚のクロコダイルとよく似ているが，外見が少し異なる。どちらも陸上，水中に順応できるが，アリゲーターの口吻はクロコダイルよりも広く，クロコダイルに見られる下の歯を露出させる切れ目がない。アリゲーターは 50 年近く生きるが，多くはそこまで長く生きない。アリゲーターの皮は高品質な革となるので，ハンターたちの最大の標的となっている。昔は，アリゲーターは 6 メートルまで成長していた。しかし現在では 3.6 メートルにもなれば大きい方だと見なされている。こうした狩りは，1960 年代後半に政府がアリゲーターを保護動物だと宣言することのきっかけとなった。1987 年までに，その数は絶滅の危機を脱した程度にまで増え，保護から外された。

　アリゲーターは通常，北はノースカロライナ州から西はテキサス州までのアメリカ南東海岸地域の湖や沼地，流れのゆるやかな河川に生息している。彼らは様々な動物を餌にしている。若いアリゲーターは，魚，昆虫，両生類を食べるが，大きいものは，魚，カメのような他のは虫類，さらには犬やブタなどの小型のほ乳類まで餌にする。アリゲーターは通常，人間を襲うことはないが，そのような攻撃が時々起こることが知られている。アリゲーターの母親は，卵のために水草で巣を作り，約 2 か月間卵を抱く。孵化すると，母親は子供を口の中に入れて水まで運んでいく。子供たちは生後 1 年は母親のそばで暮らし，その後自立する。

◎ 正解 ◎

1 Ⓑ　　**2** Ⓐ　　**3** Ⓐ　　**4** Ⓒ　　**5** Ⓑ

Vocabulary

表現	意味／説明
álligàtor	名　[ǽlɪgèɪtər] アリゲーター《米国・中国に生息するワニ》
fréshwàter	形　淡水の
réptile	名　[réptəl] は虫類
crócodìle	名　[krɑ́(ː)kədàɪl] クロコダイル《熱帯に生息する大型ワニ》
snout	名　[snaʊt] 口吻；（豚などの）鼻づら
notch	名　切れ込み
expóse	動　～を露出する；～をさらす
prime	形　最も重要な，主要な
protected species	絶滅危惧種，保護種
extínction	名　絶滅
swamp	名　低湿地　　動　～を水浸しにする
prey	名　餌食
amphíbian	名　両生類
mámmal	名　[mǽməl] ほ乳動物
occásionally	副　時々
nest	名　巣　　build [make] a nest　巣を作る
íncubàte	動　[íŋkjubèɪt]（卵）を抱く；（計画など）を温める
young	名　（動物などの）子
strike out	自立する

CHAPTER 3 »

実戦練習

実戦練習① ⋯⋯ 138
実戦練習② ⋯⋯ 174

実戦練習 1

time: 60 minutes

Passage ●1

The Problems of the Human Body During Space Travel

1   Specialists in space medicine study the adverse effects of space flight on humans. Space medicine is the practice of medicine for astronauts in outer space. It deals with the effects of space flight on human beings. The main objective of the study is to discover how well people can adapt to the extreme conditions in space and how long they can survive in such an environment. It also examines how fast they can readapt to the Earth's environment after returning from their space flights. Most of the factors in space travel — such as acceleration and deceleration forces, the need for an artificial atmosphere, and noise and vibration — are potentially dangerous during flight and can be compensated for in ways similar to how airplanes handle them. Space medicine scientists, however, must consider two additional problems: the increased radiation outside the atmosphere, and "zero gravity."

2   Early tests showed that the radiation was not such a great danger after all. Short orbital flights produced exposures about equal to one medical X-ray. This is a negligible dose and poses no threat, as long as space flights are planned to avoid periods when solar flares are expected to occur, which can emit dangerous levels of gamma radiation. Regardless, the spacecraft has to provide protection from extraordinary solar activity as well as against background radiation.

3   The second concern — the effects of weightlessness — was not obvious at first. Few serious physiological problems were noted during the early years of space flight. The body functions that were monitored included heart rate, pulse, body temperature, blood pressure, respiration, speech and mental alertness, and brain waves. **A** Few changes occurred. **B** Changes in the levels of hormones and in the concentration of salt in the blood did take place, but these were not detrimental. **C** The problem of eating in weightlessness was overcome by packaging food in containers that could be squeezed directly into the mouth. **D**

4   However, as the length of space missions increased, scientists at NASA were surprised by the magnitude of physiological changes induced by extended periods

in a gravity-free environment. Astronauts returning from prolonged stays aboard space stations have clearly shown that the human body severely deconditions when exposed to microgravity conditions. Serious medical problems, especially the weakening of bone matter and muscle strength, were observed. When gravitation is taken away, bone calcium and phosphorus are excessively excreted in urine and feces. The loss of calcium in urine may produce urinary stones, and the decrease of bone density will lead to bone fracture. It is reported that after a 3-4 month trip into space, it takes about 2-3 years to regain lost bone density. Within the orbiting spacecraft, astronauts can move around as they wish just by softly pushing against its walls, but in a microgravity environment, muscles rapidly atrophy. In space, muscles in the legs, back, and spine, weaken and waste away because they no longer are used to overcome gravity. Moreover, atrophy of certain muscles, particularly those of the heart, was seen to be especially dangerous because of its effect on the functioning of the entire cardiovascular system.

5   Even blood itself was affected, with a measurable decrease in the number of oxygen-carrying cells. In space, astronauts may lose up to 22% of their blood volume. Because it has less blood to pump, the heart weakens. A weakened heart results in low blood pressure and can produce a problem with "orthostatic tolerance." The body loses ability to send enough oxygen to the brain, causing astronauts to faint or become dizzy.

6   Under the effects of the Earth's gravity, blood and other body fluids are pulled towards the lower part of the body. When gravity is reduced during space exploration, the distribution of body fluid alters, and the blood tends to collect in the upper body instead. This "fluid shift" results in facial edema, or puffy face, and other unwelcome side effects such as stuffy nose and headache. Despite the shift in the distribution of fluid, the cardiovascular system adapts to the microgravity environment if the astronaut continues to stay in space. Upon return to Earth, however, the blood shifts rapidly back to the lower body again, resulting in orthostatic hypotension, a fall in blood pressure.

1. According to paragraph 1, the following problems can be dealt with in the similar way atmospheric flights can handle when astronauts travel in space EXCEPT
   - Ⓐ the need for an artificial atmosphere
   - Ⓑ weightlessness
   - Ⓒ acceleration and deceleration forces
   - Ⓓ noise and vibration

2. The word negligible in the passage is closest in meaning to
   - Ⓐ worthwhile
   - Ⓑ significant
   - Ⓒ major
   - Ⓓ small

3. Which of the sentences below best expresses the essential information in the highlighted sentence in paragraph 2?
   - Ⓐ The spacecraft can protect extraordinary solar activity and background radiation.
   - Ⓑ If the exposure to the radiation is extraordinary, the spacecraft has to protect astronauts.
   - Ⓒ Strong solar flares and radiation can be avoided by the spacecraft.
   - Ⓓ Astronauts still need to be protected from radiation by the spacecraft.

4. Which of the following can be inferred from paragraph 3 about the early years of space flight?
   - Ⓐ Astronauts suffered from some serious problems, but they were overcome.
   - Ⓑ Changes in brain waves was one of the serious physiological problems.
   - Ⓒ The body functions had detrimental damage because of the effects of weightlessness.
   - Ⓓ Serious effects of zero gravity on astronauts' body were found sometime later.

● Passage 1

5 The word magnitude in the passage is closest in meaning to
   A weight
   B strength
   C lack
   D amount

6 According to paragraph 4, what can the weakening of bone matter cause in space travel?
   A Urinary stones
   B Weakening of muscles
   C Damage to the cardiovascular system
   D Low blood pressure

7 The phrase waste away in the passage is closest in meaning to
   A atrophy
   B take away
   C excrete
   D decrease

8 According to paragraph 5, the following are the effects of the reduction of gravity astronauts may experience in space EXCEPT
   A more than 20% loss of blood volume
   B the decrease of oxygen-carrying cells
   C a weakened heart that results in low blood pressure
   D oxygen deficiency resulting from fainting

9 According to paragraph 6, which of the following is the best depiction of pre-flight, in-flight, and post-flight change in the fluid distribution of blood in the body?

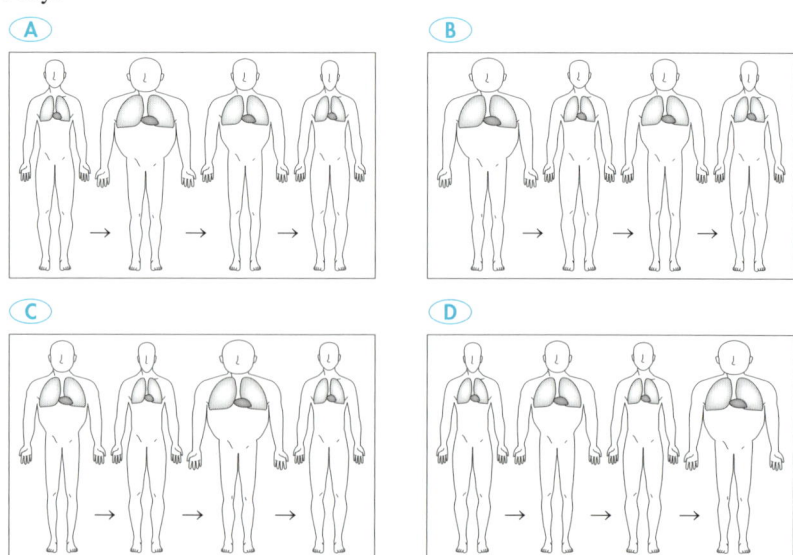

Ⓐ

Ⓑ

Ⓒ

Ⓓ

10 According to the passage, which of the following can be inferred about the space travel?

Ⓐ Specialists in space medicine study more about the astronaut's post-flight conditions than in-flight conditions.

Ⓑ Solar flares can be avoided if astronauts are flying in space only for a short period of time.

Ⓒ The longer you stay in a spacecraft, the longer it takes to regain lost bone density.

Ⓓ Physiological problems such as damage to speech are caused upon returning from space flight.

11 Which of the following is NOT described as an adverse effect of space flight?

Ⓐ Weakening of bone matter and muscle strength

Ⓑ Radiation poisoning

Ⓒ Increased heart rate and body temperature

Ⓓ Decrease of blood in the body

● Passage 1

12 What is the author's purpose in writing this passage?
- (A) To compare space flight with atmospheric flight
- (B) To summarize the main biological difficulties associated with space flight
- (C) To contrast the issues of increased radiation and weightlessness
- (D) To give a job description of space medicine scientists at NASA

13 Look at the four squares ■ that indicate where the following sentence could be added to the passage.

Special systems were designed for the collection of fluid and solid wastes.

Where would the sentence best fit?

14 Select the appropriate phrases from the answer choices and match them to the type of problems to which they relate. TWO of the answer choices will NOT be used.

Radiation	Weightlessness
•	•
•	•
	•

Answer Choices
- (A) The need for an artificial atmosphere
- (B) Weakening of bone matter and muscle strength
- (C) Solar flares
- (D) High levels of gamma radiation
- (E) Atrophy of heart muscles
- (F) Speech and mental alertness
- (G) Decrease in the number of oxygen-carrying cells

Passage ●1 ANSWERS

> **パッセージについて**
> このパッセージは，宇宙飛行中，および，宇宙から帰還後に宇宙飛行士に起こる様々な人体への影響——特に radiation と zero gravity の影響——について述べられている。無重力状態における人体への影響として，bone matter, muscle strength, blood, distribution of body fluid にどのような変化が起きるのかが取り上げられているので，それぞれ無重力状態ではどのような症状になるのか，整理しながら読むようにしたい。

1 正解 B

設問訳 第1段落によれば，宇宙飛行士が宇宙を飛行する際，大気飛行で起こる問題に対応する方法と同じように解決できないものはどれか。

ヒント 第1段落をよく読み，「解決できるもの」を消去していこう。

解説 宇宙飛行の害として，第1段落第6文 Most of the factors 以下に，acceleration and deceleration forces, the need for an artificial atmosphere, and noise and vibration などが潜在的に危険な要因（potentially dangerous）として挙げられているが，これらは「飛行機に乗る場合と同じような方法で補正できる」とある。しかし，「宇宙医学の専門家は increased radiation と "zero gravity" の問題に関しても考慮しなければならない」とあり，これらは前半のものとは別に述べられていることから，飛行機に乗る場合と同じようには解決できないと推測される。パッセージ中の "zero gravity"（無重力）は選択肢の中では weightlessness に，また airplanes は設問文では atmospheric flights と言い換えられている。

2 正解 D

設問訳 パッセージの negligible と最も意味が近いのはどれか。

ヒント 同じ文中の This の表すものは何か。

解説 This は前文の short orbital flights の場合に受ける放射能の量，つまり，equal to one medical X-ray（医療用エックス線を1回受けるのと同等）を指している。これが negligible dose であり，poses no threat とあるので，「無視できるほどの」量であることがわかる。従って，D が正解。また第2段落冒頭で the radiation was not such a great danger とあることからも意味を推測できる。

● Passage 1

3 正解 D
設問訳 第2段落の強調表示された文の本質的な情報を最もよく表しているものはどれか。
ヒント Regardless の表す意味は何か考えよう。

解説 Regardless はここでは「それでもなお」という意味。強調表示されている文は「それでもなお，宇宙船は背景放射に対する場合と同様，異常な太陽活動に対する保護策を講じる必要がある」という意味である。これは，「短い期間での宇宙飛行であれば放射能は微量なのでそれほどの危険はないが，そうは言っても」という意味を含んでいる。従って，D「そうは言っても（still），宇宙飛行士は宇宙船によって放射能から身を守られなければならない」が正解。

4 正解 D
設問訳 初期の宇宙飛行について第3段落から推測できることはどれか。
ヒント 第3段落の Few ... problems were noted, Few changes occurred. に注目しよう。

解説 第3段落第2文に，初期の飛行に関して Few serious physiological problems were noted とあり，続く文に，心拍数，脈拍，脳波などが測定された（monitored）とある。しかし第4文 Few changes occurred.「ほとんど変化はなかった」ということなので A，B，C は不正解。一方，段落冒頭に The second concern — the effects of weightlessness — was not obvious at first. とあるので，D「宇宙飛行士の体に与える無重力の重大な影響が後になって分かった」が正解。

5 正解 D
設問訳 パッセージの magnitude と最も意味が近いのはどれか。
ヒント 科学者が驚いたのはなぜか。

解説 パッセージには「NASA の科学者たちは，長期にわたる無重力環境が人間の体に与える生理学的な変化の magnitude に驚いた」とある。次の文にも，「長期にわたる宇宙ステーションの滞在から地球に戻った宇宙飛行士たちは，微小重力状態にさらされたときに人間の体力がひどく低下する（severely deconditions）ことを明らかに示した」とある。これらの文脈から，magnitude は greatness of amount の意味。D「大きさ」が正解。

6 正解 A
設問訳 第4段落によると，宇宙飛行によって骨が弱まるとどのようなことが引き起こされる可能性があるか。
ヒント 第4段落の bone matter という語が出てくる部分以降をよく読む。

解説 第4段落第4～5文に，「重力がなくなる」→「骨の中のカルシウムとリンが尿と糞便に過剰に排せつされる」→「尿の中のカルシウムが減ると urinary stones を引き起こす可能性がある」と説明されている。従って，正解は A。

7 正解 A

設問訳 パッセージの waste away と最も意味が近いのはどれか。

ヒント weaken and waste away から weaken と同義と考えられる。

解説 前文からの流れを確認しよう。まず前文に in a microgravity environment, muscles rapidly atrophy とある。そして問題となっている箇所を含む文には，legs, back, and spine の筋肉を使う必要がないので，weaken and waste away とある。ここから waste away は A atrophy「衰退する」を意味していると推測できる。C excrete は「～を排せつする」。

8 正解 D

設問訳 第5段落によれば，重力の減少の結果，宇宙飛行士が宇宙で経験する可能性がないものは，どれか。

ヒント 現象の因果関係に注目しよう。

解説 A 「20%以上もの血液量の損失」は第2文 astronauts may lose up to 22% of their blood volume，B 「酸素を運ぶ細胞の減少」は第1文 decrease in the number of oxygen-carrying cells，C 「弱った心臓とその結果起こる低血圧」は，押し出される血液量が減少し心臓が弱まる結果，A weakened heart results in low blood pressure と述べられている。最終文に「脳に十分な酸素を送れないので，気絶する」とはあるが，D 「気絶することによる酸欠」とは述べられていない。従って，D が正解。A results in B 「A は B という結果になる」，A results from B 「A は B が原因で起こる」を混同しないように。

9 正解 A

設問訳 第6段落によると，飛行前，飛行中，飛行後における体内の血液の流れの変化について最もよく描かれているのはどれか。

ヒント 第6段落に地球上→宇宙初期→宇宙滞在中→地球に帰還後の体内の血液の流れが説明されている。

解説 地球では重力があるので，blood and other body fluids are pulled towards the lower part of the body の状態である。⇒重力が減ると the blood tends to collect in the upper body となる。⇒しかし，宇宙に滞在していれば the cardiovascular system adapts to the microgravity environment ⇒そして，地球に戻ると再び the blood shifts rapidly back to the lower body again。これら一連の流れを表しているのは，A。

●Passage 1

10 正解 C

設問訳　パッセージによると，宇宙旅行に関して推測できることはどれか。

ヒント　パッセージから推測できる根拠となる文を探そう。

解説　まず，第3段落に，宇宙飛行の初期（during the early years of space flight）は，深刻な生理学的な問題はほとんどなかった（Few serious physiological problems were noted）とある。しかし，第4段落の as the length of space missions increased 以下に，宇宙での任務が長くなると，生理学的な変化が大きくなることに NASA の科学者たちが驚いたとあり，この後に bone matter と muscle strength の例が述べられている。この文脈から C 「宇宙船により長く滞在すると，失われた骨密度を回復するのにより時間がかかる」が正解。A，B，D に関してはそのように推測できる根拠となる文がパッセージ中にない。D の damage to speech は「発話への障害」という意味。

11 正解 C

設問訳　宇宙飛行における悪影響として述べられていないものはどれか。

ヒント　an adverse effect of space flight の意味は第1段落より推測する。

解説　A は第4段落に，B は第2段落に，そして D は第5段落に宇宙飛行の害として述べられている。しかし，C 「心拍数および体温の増加」に関しては第3段落第3文にあるように，心拍数と体温は測定（monitored）の対象となっている項目であるが，宇宙飛行の害として述べられているものではない。よってこれが正解。

12 正解 B

設問訳　筆者がこのパッセージを書いた目的は何か。

ヒント　段落ごとの主旨は何か。

解説　最初の段落から，このパッセージは宇宙飛行において放射能と無重力状態がもたらす人体への影響について述べられていることが分かる。次の第2段落では放射能について，そして第3段落では無重力が人体に与える影響と無重力での食事（および排せつ）について述べられている。そして第4段落以降で，長期にわたる無重力状態に直面した場合の人体への影響が述べられている。従って，B 「宇宙飛行に関連した主な生物学的問題をまとめるため」が正解。

13 正解 D

設問訳　次の文の挿入箇所として，4つの■のうち最も適切なものはどれか。
「液体や固体の排せつ物を集めるのに特別なシステムが考案された」

ヒント　段落前半部分は無重力における「人体」への影響が書かれていることをヒントに考えよう。

解説　C までは身体の機能の変化について述べられている。その後，無重力状態で食事をする問題が述べられているが，論理的展開から，この後に排せつに関して述べるのが妥当。従って，正解は D。

14 正解　Radiation：Ⓒ , Ⓓ　　　Weightlessness：Ⓑ , Ⓔ , Ⓖ

設問訳　以下のそれぞれの問題に関する記述と一致する表現を選択肢から選べ。選択肢のうち２つは使わない。

ヒント　第２段落に Radiation の問題，第３段落以降に Weightlessness の問題について述べられている。

解説　Radiation「放射能」に関しては，Ⓒ「太陽面爆発」，その際に放出される Ⓓ「高レベルのガンマ線」について述べられている。また Weightlessness「無重力」に関しては，Ⓑ「骨や筋肉の脆弱化」，Ⓔ「心臓の筋肉の萎縮」，Ⓖ「酸素を運ぶ細胞数の減少」が問題となっている。Ⓐ , Ⓕ は，いずれの問題でもない。

全訳

宇宙旅行中の人体の問題

　宇宙医学の専門家たちは，宇宙飛行が人間に及ぼす悪影響を研究している。宇宙医学は宇宙空間における宇宙飛行士のための医療活動である。宇宙医学は，宇宙飛行の人間への影響を扱う。研究の主な目的は，宇宙の極限の状態に人間がどれくらいうまく順応できるか，そうした環境の中でどのくらい長く生きられるかを発見することだ。さらに，宇宙飛行から帰還後，地球環境にどのくらい速く再適応できるかも調べている。宇宙旅行の要因のほとんど——例えば加速力と減速力，人工大気の必要性，騒音と振動など——は飛行中，危険を招く可能性があり，航空機がそれらの問題に対応するのと同じような方法で補正することができる。しかしながら，宇宙医学者らはさらに２つの問題を考慮に入れなければならない。すなわち，大気圏外に出ると増える放射能と，「無重力状態」である。

　初期の検査では，結局放射能はそれほど大きな危険ではないということが示された。短い軌道飛行の場合，医療用エックス線を１回受けるのと同じ量の放射能を浴びる程度である。これは，無視できるほどの量だし，ガンマ線が危険なほど放出される可能性がある太陽面爆発が起きると予想される時期の宇宙飛行を避けるよう計画されている限り危険はない。それでもなお，宇宙船は背景放射に対する場合と同様，異常な太陽活動に対する保護策を講じなければならない。

　第２の懸案事項である無重力の影響については，当初，明らかではなかった。宇宙飛行の初期は，深刻な生理学的な問題はほとんど認められなかった。測定されていた身体の機能には，心拍数，脈拍，体温，血圧，呼吸数，話し方，精神的な敏しょう性，脳波などが含まれた。これらについては，変化はほとんど起きなかった。ホルモンのレベルと血液中の塩分濃度については確かに変化が見られた

が，有害とまではいかなかった。無重力状態での食事の問題については，口の中に直接絞り出せるような容器に食べ物を詰めることで克服することができた。液体や固体の排せつ物を集めるのに特別なシステムが考案された。

　しかしながら，宇宙での任務が長くなると，無重力環境での滞在時間が増えることで引き起こされる生理学的な変化の大きさに，NASAの科学者らは驚いた。長期にわたる宇宙ステーションの滞在から帰還した宇宙飛行士たちは，微小重力状態にさらされたときに人間の体力がひどく低下することを明らかに示した。特に，骨の脆弱化や筋力の低下などの深刻な医学的問題が観察された。重力がなくなると，骨のカルシウムとリンは尿と糞便に過剰に排せつされる。尿の中のカルシウムがなくなると，尿路結石ができる可能性があるし，骨密度の低下は骨折につながる。3〜4か月の宇宙旅行の後，失われた骨密度を再び取り戻すには約2〜3年かかると報告されている。軌道を回る宇宙船内では，宇宙飛行士たちは壁をそっと押すだけで思いどおりに動き回れるが，微小重力環境では筋肉は急速に衰える。宇宙では，重力に打ち勝つために使われることがないので，脚や背中や背骨の筋肉は弱くなり，やせ細る。また，ある特定の筋肉の萎縮，特に心臓の筋肉の萎縮は，心臓血管系全体の機能に影響を及ぼすため，特に危険視された。

　血液そのものも影響を受けた。酸素を運ぶ細胞数の減少が，測定できるほど見られたのである。宇宙では，宇宙飛行士たちは血液量の最大22%を失うこともある。押し出される血液量が少ないので，心臓は弱る。弱った心臓のせいで血圧が低下し，「起立耐性」に問題が起こりかねない。体は脳に十分な酸素を送る能力を失い，宇宙飛行士は気絶したり目まいを起こしたりする。

　地球の重力の影響下では，血液やその他の体液は体の下の方に引っ張られる。その代わり，宇宙探査の間，重力が減っているときには，体液の流れが変化し，血液は体の上部に集まりがちになる。この「体液移動」の結果，顔面浮腫，すなわちむくんだ顔や，鼻づまり，頭痛といった不愉快な副作用が起こる。体液の流れが変化するにもかかわらず，宇宙に滞在し続けると，宇宙飛行士の心臓血管系は微小重力環境に順応する。しかし地球に戻ってくると，血液は再び体の下の方に急速に戻り，その結果，起立性低血圧，つまり，血圧の降下を引き起こす。

Passage • 2

Use of Technology in Education

1 In 2001, the World Wide Web underwent the "dot-com" bubble burst. Many online companies went bankrupt. Companies that survived were found to have websites that allowed users to interact and collaborate with one another. Websites that did not have functions allowing users to interact and create content were labeled as Web 1.0, while those that had tools for collaborative and cooperative purposes were labeled as Web 2.0. In universities, Web 2.0 concepts were later utilized in computer science education and received the name Web 2.0 Technologies. Web 1.0 courses focused mainly on providing individual students, seated separately in front of their computers, with a lot of repetitive drill exercises or video lectures. With Web 2.0, students were allowed to come together and construct knowledge collaboratively through the completion of tasks or projects. Teachers made use of this in the classroom, and created a more open, constructive atmosphere. Blogs, wikis and podcasts are some examples of Web 2.0 that are still currently being used in the classroom.

2 Weblogs, or blogs for short, began as online diaries. **A** Individuals who had opinions or ideas to share could post them on the Internet. However, the purpose has become more than just that. Blogs are now used for educational purposes. **B** Blogs are written primarily for peers, unlike diaries that are written primarily for the writers, so teachers can use blogs to assign students questions to answer. **C** After answering the questions, students would then have to read other students' blogs and comment. Students would gain an understanding of appropriate writing from others, as well as different points of view on particular topics. It is this aspect of writing for others that makes the blog an important tool for any teacher wanting to promote collaboration and interaction in the classroom. **D**

3 The wiki is another type of website a teacher can use for educational purposes. The word "wiki" is Hawaiian in origin and means "fast" or "quick." A wiki allows communities (in this case, classrooms) to produce documents, spreadsheets, or presentations simultaneously in real time, hence its name. Teachers can provide individualized tasks on a wiki and have students input their part or portion onto it. While students do their portion, they can also view everyone else's work. For

example, a teacher may assign students to research online schools and answer five questions about them. The students will input what they have found. In the end, the class will be able to have a small reference guide containing information about all the online schools researched. This collaboration is what makes wikis a great part of Web 2.0. The most famous example of a wiki is Wikipedia.

4   The word "podcast" is a portmanteau formed from the Apple iPod media device and broadcasting. A simple podcast is an audio file in compressed format. Students can create podcasts on any topic, which can be later heard on computers and media players. Students can include these recordings in their presentations or upload them online for sharing information with classmates. Podcasts can be linked to wikis or blogs. Nowadays, people can find podcasts on just about any subject.

5   As we move further into the 21st century, teachers are likely to continue to use more and more technology in the classroom. The technology chosen ensures that students interact and collaborate. Teachers find blogs to be one of the easiest ways to facilitate interactive discussions and the exchange of ideas and viewpoints online. Wikis allow students to work synchronously on projects. Podcasts make recording and listening to students' voices convenient and fast. Through these Web 2.0 technologies, students can work together to complete any task.

1 The author implies in paragraph 1 that post "dot-com" online companies
   (A) caused the bubble burst and many online companies to go bankrupt
   (B) are disinterested in users' interacting and creating content constructively
   (C) survived because they had tools for collaborative and cooperative purposes
   (D) are labeled as Web 1.0 because it does not have functions Web 2.0 has

2 The word utilized in the passage is closest in meaning to
   (A) analyzed
   (B) coded
   (C) forgotten
   (D) used

3 According to paragraph 1, the following is true of Web 1.0 technology in education EXCEPT :
   (A) It was used to build knowledge collaboratively.
   (B) It was used by the teacher for video lectures.
   (C) Students would do work individually in class.
   (D) It was used for the purpose of drill exercises.

4 The word aspect in the passage is closest in meaning to
   (A) sample
   (B) practice
   (C) characteristic
   (D) art

5 The word its in the passage refers to
   (A) wiki
   (B) document
   (C) spreadsheet
   (D) presentation

6 Which of the following can be inferred from paragraph 3?
- (A) Students write information on a wiki while the teacher gives feedback on their writing.
- (B) Wikipedia is an example originally created by students through collaboration.
- (C) Teachers favor wikis more than blogs because wikis allow students to collaborate more.
- (D) A wiki was created by people to produce documents quickly.

7 Which of the sentences below best expresses the essential information in the highlighted sentence in paragraph 3?
- (A) Ultimately, the students will collect all the data concerning online schools and make a small encyclopedia for later use.
- (B) Ultimately, the students will collect a small encyclopedia that comes from an online school.
- (C) Ultimately, the students will develop a small encyclopedia while they study in an online school.
- (D) Ultimately, the students will develop the online school and make a small encyclopedia for later use.

8 The author mentions Wikipedia in paragraph 3 in order to
- (A) establish the need for creating wikis for students
- (B) list the possible uses of wikis that could be used in education
- (C) compare wikis and podcasts to discuss which is more useful for education
- (D) provide an example of how people collaborated to make a wiki

9 The word portmanteau in the passage is closest in meaning to
- (A) backpack
- (B) blend
- (C) problem
- (D) case

10. According to paragraph 4, for what purpose can podcasts be used?
    - (A) For broadcasting using Apple iPods
    - (B) For compressing audio files
    - (C) For using in presentations
    - (D) For viewing wikis or blogs

11. The word synchronously in the passage is closest in meaning to
    - (A) conclusively
    - (B) concurrently
    - (C) commonly
    - (D) closely

12. What is the author's conclusion about technology in education?
    - (A) Teachers will use more technologies in the future that provide interaction and collaboration in education.
    - (B) Blogs, wikis, and podcasts are three major Web 2.0 technologies teachers can use in the classroom.
    - (C) There will be different kinds of technologies that can be used more effectively for education in the future.
    - (D) Completing tasks using Web 2.0 in classrooms is highly recommended as they provide interaction and collaboration.

13. Look at the four squares ■ that indicate where the following sentence could be added to the passage.

While diaries will be read and assessed only by the teacher if used in education, blogs can be read by the teacher and their classmates for constructive work.

Where would the sentence best fit?

14 An introductory sentence for a brief summary of the passage is provided below. Complete the summary by selecting the THREE answer choices that express the most important ideas in the passage. Some sentences do not belong in the summary because they express ideas that are not presented in the passage or are minor ideas in the passage.

Teachers make use of blogs, wikis and podcasts that allow students to work collaboratively to construct knowledge and complete tasks or projects.

Answer Choices

- (A) Blogs help students to learn from others appropriate writing and different points of view about certain topics.
- (B) Blogs are written for peers while diaries are written primarily for the writers.
- (C) A wiki is useful to produce documents, spreadsheets, or presentations simultaneously in real time.
- (D) A wiki can be used for students to input information they researched and create a reference guide for everyone to share.
- (E) Podcasts can be compressed as an audio file and linked to wikis or blogs.
- (F) Podcasts can be created on any topic, and students can hear the recordings online to share them with classmates.

Passage ● 2　ANSWERS

パッセージについて

Web 2.0 テクノロジーに関して，まず第 1 段落で Web 2.0 はこれまでの Web 1.0 とは異なり，共同で作業し何かを作り上げることができること，そしてこの共同学習（共同作業を通した知識の構築）の概念が教育においても使われているという全体の主旨が述べられている。その例として blogs，wikis，そして podcasts があるとあるが，次の第 2 段落では，blogs に関して，第 3 段落では wikis に関して，第 4 段落では podcasts に関して，どのような共同作業が可能かが例とともに説明されている。最後は全体の結論を述べた段落で，第 2，3，4 段落のまとめと，21 世紀にますます共同学習が行われる可能性について述べられている。

---

1 正解　C

設問訳　筆者が第 1 段落で，「ドットコム」後のネット企業に関して示唆していることは何か。

ヒント　第 1 段落第 3 文に着目しよう。

解説　第 1 段落第 1 文に「ワールド・ワイド・ウェブの"dot-com"のバブルがはじけた」とあり，続く第 2 文に「多くのネット企業が破綻した（went bankrupt）」とある。一方で第 3 文に「生き残った企業は，利用者たちが交流したり（interact），協力したり（collaborate）できる websites を持っていた」とある。ここから，interact したり collaborate したりできる websites を持っていなかったネット企業が破綻したことが分かる。従って，筆者は post "dot-com" company に関して C「協力したり，共同したりするためのツールを持っていたので生き残った」ことを示唆していると言える。post は，ここでは「〜の後の」という意味。

---

2 正解　D

設問訳　パッセージの utilized と最も意味が近いのはどれか。

ヒント　「Web 2.0 の概念は後に大学の情報科学教育に utilize されるようになった」という文脈を考えよう。

解説　第 1 段落冒頭では，利用者たちが互いに交流したり協力したりすることができるウェブサイトを持っていない企業がどんどん破綻してしまったこと，そして一方でそのような機能を持っている企業が生き残ったことが述べられている。「このような共同作業ができるツールは Web 2.0 に分類されているが，その概念（concepts）が後になって大学で情報科学教育に utilize されるようになった」という文脈から，D used が正解。

●Passage 2

3 正解 A
設問訳 第1段落によると，教育における Web 1.0 テクノロジーに関して正しくないものはどれか。

ヒント EXCEPT（正しくないもの）を探すときは正しいものを消去していこう。

解説 第1段落の中程にある文 Web 1.0 courses focused mainly on 以下から分かるように，B「ビデオによる講義をするために教師が使用した」，C「教室で生徒が個別に作業する」，D「ドリルの練習を目的として使われた」は，どれも Web 1.0 テクノロジーに関する記述である。しかし，A「知識を共同で構築するために使われた」というのは，Web 2.0 に関する記述で，Web 1.0 テクノロジーではないので，これが正解。

4 正解 C
設問訳 パッセージの aspect と最も意味が近いのはどれか。

ヒント It is this aspect の前の文からの流れを把握しよう。

解説 第2段落では Web 2.0 テクノロジーの例として，weblogs について書かれている。この特徴は，意見や考えを書いて他の生徒と共有し，コメントを書くことである。段落後半にある Students would gain an understanding of 以下から分かるように，「（日記のように自分だけが読むために書くのではなく）適切な書き方を学べて，また特定のトピックに関する異なる考え方を理解できる」という利点がある。続く文に It is this aspect of writing for others とあるので，aspect は C「特徴」と推測できる。

5 正解 A
設問訳 パッセージの its は何を指しているか。

ヒント 何の呼び名となったか。

解説 its が出てくる段落は，wiki について説明している。hence は「それゆえに」という意味だが，この語はしばしば後続部分の動詞が省略される。ここでは，hence its name was given「それゆえにこの名がついた」となる。ここから正解は A と分かる。

6 正解 D
設問訳 第3段落から推測できることはどれか。

ヒント パッセージに推測できる根拠となる文がない場合は正解にできない。

解説 A「生徒がウィキに情報を書き，教師は生徒が書いたものにフィードバックを与える」や，B「ウィキペディアはもともと生徒たちが共同作業をして創作したものの例である」，C「教師は，生徒がもっと協力し合えるので，ブログよりもウィキの方を好む」はパッセージ中にそのような説明がないので正解にならない。一方，D「ウィキは書類を素早く作り上げるために人々によって作られた」というのは，wiki という語がもともとハワイの言葉で fast や quick を意味し，共同体がリアルタイムで同時に書類などを作成することを可能にするという第3段落第2〜3文から推測できることである。従って，D が正解。

7 正解 Ⓐ

設問訳 第3段落の強調表示された文の本質的な情報を最もよく表しているものはどれか。

ヒント In the end「結果として」から,どのようなものができ上がるのか考えよう。

解説 問題となっている箇所の少し前から読んで,流れを把握しよう。「教師が生徒にオンラインスクールに関して調査し,5つの質問に答える課題を出す」→「生徒は調査したことを書き込む」→「その結果(In the end),オンラインスクールに関して調査し得た情報が載っている reference guide(レファレンスガイド)を作ることができる」という流れである。従って,正解は Ⓐ 。Ⓑ「百科事典を集める」,Ⓒ「百科事典を発展させる」,Ⓓ「オンラインスクールを発展させる」では,意味が全く異なる。

8 正解 Ⓓ

設問訳 筆者は第3段落で何のために Wikipedia に言及しているか。

ヒント 第3段落最終文を参照しよう。

解説 第3段落は,Web 2.0 テクノロジーの2つ目の例として wiki が取り上げられており,wiki がどのように教育で使われうるかが説明されている。すなわち,教師が生徒それぞれに wiki に課題を載せ,生徒はそれに関して調べたことを書き込んでいくことが述べられている。「このように共同でできた wiki の最も有名な例が Wikipedia である」とあるので,筆者は Wikipedia を,人々が協力して作り上げたものの例として挙げていることが分かる。従って,Ⓓ が正解。

9 正解 Ⓑ

設問訳 パッセージの portmanteau と最も意味が近いのはどれか。

ヒント 該当文中の and は,2つを結ぶもの。

解説 portmanteau を含む The word "podcast" is a portmanteau formed from the Apple iPod media device and broadcasting. という文の意味から考えよう。the Apple iPod media device と broadcasting から作られた portmanteau とあるので,「2つの語が合わさってできた語」というような意味だと推測できる。portmanteau とは「2つの異なる単語を合わせ,意味を複合させる新しい言葉」で,「混成語」や「かばん語」と訳される。portmanteau の語源はフランス語で,mantle carrier「コートを運ぶもの」=「かばん」の意。発音は [pɔːrtmǽntoʊ]。

●Passage 2

10 正解 C
設問訳 第4段落によると，ポッドキャストは何の目的で使うことができるか。
ヒント Students can include 以下の文に注目しよう。

解説 第4段落第2〜3文から，podcast は「コンピュータやメディアプレーヤーで聞ける音声ファイル」であることが分かる。続く第4文で Students can include these recordings in their presentations とあるが，この these recordings は前文の podcasts を指すので， C が正解。

11 正解 B
設問訳 パッセージの synchronously と最も意味が近いのはどれか。
ヒント wiki が可能にすることは何か，第3段落第3文を確認しよう。

解説 第3段落にあるように，wiki は教室で文書や集計表やプレゼンテーションを in real time（リアルタイムで），そして simultaneously（同時に）作ることができる。synchronously を含む文は「ウィキは生徒たちがプロジェクトに synchronously に取り組むことを可能にする」の意味なので，simultaneously と同義と推測できる。従って， B 「同時に」が正解。

12 正解 A
設問訳 筆者が教育における技術に関して結論として述べていることは何か。
ヒント 最後の段落をよく読もう。

解説 筆者は，Web 2.0 テクノロジーである blogs, wikis, podcasts は全て，生徒たちが互いに交流しながら共同で作業することを可能にするものであると述べている。そして最後の段落では，21世紀に入ったら教師は教育にさらに多くの技術を導入し，それらによって生徒たちが交流や共同作業ができるようになると述べていることから，結論として， A 「教師は将来，教育において交流や共同作業を可能にする技術をますます使うようになるだろう」が正解。

13 正解 D
設問訳 次の文の挿入箇所として，4つの■のうち最も適切なものはどれか。
「日記は，教育に使われる場合，教師だけが読み，評価をすることになるが，ブログは建設的な課題を行うために教師とクラスメートが読むことができる」
ヒント ■の前後のつながりを考える。つながりがよい場合はそこには入らない。

解説 まず A の前後は，「online diaries として始まった weblogs では，意見や考えを書き込む」とつながりがよい。次に B の前後も，「blogs は教育的目的に使われるようになり，教師が生徒に課題に回答させるために blogs を使える」とつながりがよい。さらに C も「課題に回答した後，他の生徒の blogs を読んでコメントしなければいけない」と前の文とつながっており，上記の文を挿入すると不自然になる。一方， D の前の「他者のために文章を書くことは，共同学習を推し進めたいと願う教師にとって，重要なツールとなっている」に引き続き上記の文を挿入すると，ブログの役割をまとめる文として自然な流れとなる。

14 正解 Ⓐ , Ⓓ , Ⓕ

設問訳 以下はパッセージの要約の冒頭文である。パッセージの最も重要な考えを表している選択肢を3つ選んで要約を完成させなさい。選択肢の中には，パッセージに書かれていないものや，パッセージ中では詳細な事柄に関するため要約には入らないものがある。
「教師は，生徒たちが知識を構築するために共同学習し，課題やプロジェクトを完成させることを可能にするために blog, wiki, podcast を活用する」

ヒント blogs, wikis, podcasts に関して重要なポイントは何か。

解説 冒頭文で言及されているポイントは「blog, wiki, podcast は，生徒が協力して作業ができる」ということなので，それらが述べられている選択肢でなければ正解にできない。選択肢を見ると Ⓐ , Ⓓ , Ⓕ にはそれらが述べられているが，Ⓑ , Ⓒ , Ⓔ にはそれらは述べられていないので，冒頭文の主旨から外れている。従って，正解は Ⓐ , Ⓓ , Ⓕ 。

全訳

教育におけるテクノロジーの利用

　2001年，ワールド・ワイド・ウェブは「ドットコム」バブルの崩壊を経験した。多くのネット企業が破綻した。生き残った企業は，利用者たちがお互いに交流し合ったり協力し合ったりできるウェブサイトを持っていることが判明した。利用者たちが交流したりコンテンツを作ったりできる機能を持たないウェブサイトは Web 1.0 に分類され，協調・共同目的のツールを持つものは Web 2.0 に分類された。大学においては Web 2.0 の概念は後に情報科学教育に利用され，Web 2.0 テクノロジーと名づけられた。Web 1.0 コースは主に，コンピュータの前に別々に座っている個々の生徒たちに，数多くの反復ドリルやビデオ講義を提供することに重点を置いた。Web 2.0 では，生徒たちは協力して課題やプロジェクトを完成させることを通して共に知識を構築できた。教師たちはこれを教室で活用し，よりオープンで建設的な環境を作った。現在でも教室で使われている Web 2.0 の例として，ブログやウィキやポッドキャストがある。

　ウェブログ，略してブログは，オンライン日記として始まった。共有したい意見や考えがある個人は，それらをインターネット上に投稿することができた。しかしながら，目的はそれだけではなくなった。ブログは今や教育目的に使われている。ブログは，主として書き手のために書かれた日記と異なり，主として仲間のために書かれている。だから，教師はブログを使って生徒に質問の解答をさせることができる。質問に答えた後，生徒は他の生徒たちのブログを読んでコメントしなければならない。生徒は他の生徒から，特定のトピックに関する異なる考え方を学ぶと同時に，適切な書き方を学ぶ。他者のために文章を書くというこの

側面によって，ブログは教室における共同作業や交流を推し進めたいと願う教師にとって，重要なツールになっている。日記は，教育に使われる場合，教師だけが読み，評価をすることになるが，ブログは建設的な課題を行うために教師とクラスメートが読むことができる。

　ウィキは，教師が教育目的に使えるもう1つの種類のウェブサイトである。「ウィキ」という言葉はもともとハワイ語で，「速い」とか「迅速な」という意味だ。ウィキを使えば，共同体（この場合，教室）はリアルタイムで同時に文書や集計表やプレゼンテーションを作成できる。それでこのような名前がついているのだ。教師たちは個人に合わせたタスクをウィキに載せ，生徒たちにそれぞれのパートや割り当て部分を入力させることができる。生徒たちは自分の割り当てをこなしつつ，他の全員の作業を見ることも可能だ。例えば，教師が生徒たちにオンラインスクールについて調査し，それについて5つの質問に答えるよう課すとしよう。生徒は自分が見つけたことを入力する。最後には，調べ上げた全てのオンラインスクールに関する情報の入った，ちょっとしたレファレンスガイドをクラスで持つことができる。この共同作業のおかげで，ウィキはWeb 2.0の大きな部分を占めるようになった。ウィキの最も有名な例がウィキペディアである。

　「ポッドキャスト」という言葉はアップル社のiPodメディアデバイスと放送から作られた混成語である。簡単なポッドキャストは圧縮された形式の音声ファイルである。生徒たちはどんなトピックに関してもポッドキャストを作成することができ，それを後でコンピュータやメディアプレーヤーで聞くことができる。生徒たちはそれらの録音をプレゼンテーションに含めたり，クラスメートと情報を共有するためにインターネット上にアップロードしたりすることも可能だ。ポッドキャストはウィキやブログにリンクすることもできる。今日では，どんな話題に関してもポッドキャストが見つかる。

　21世紀も先に進むにつれ，教師たちはさらに多くの技術を教室で使い続けるだろう。選ばれた技術は生徒たちが互いに交流したり，協力したりできるようにする。ブログは双方向のディスカッションを進め，インターネット上で考えや意見の交換を促す最も簡単な方法の1つだと教師たちは考えている。ウィキは生徒たちがプロジェクトに同期的に取り組むことを可能にする。ポッドキャストは生徒たちの声を簡単に素早く録音し聞くことができる。こうしたWeb 2.0テクノロジーを通じて，生徒たちはどのような課題も共同作業し，完成させることができるのだ。

Passage 3

Gun Control: What Proponents Say and What Opponents Say

1 "Gun control" is the term used to describe the attempt to reduce violence caused by the use of firearms by regulating their ownership and use. Gun control efforts in the United States generally focus on passing legislation — by local, state, or national government — to restrict legal ownership of certain firearms. However, the extent to which these laws should apply is controversial, as they aim to reduce the criminal use of guns as much as possible without putting undue burdens on legitimate gun users.

2 According to Bureau of Alcohol, Tobacco, Firearms and Explosives (ATF), under federal law, the Gun Control Act (GCA) makes it unlawful and punishable by up to 10 years in prison for the receipt, possession or transportation of any firearm or ammunition by the following type of person: a person convicted of or under indictment for a felony punishable by more than one year in prison, a person convicted of a misdemeanor punishable by more than two years in prison, a fugitive from justice, an unlawful user or addict of any controlled substance, a person adjudicated as mentally disabled or committed to any mental institution, an illegal alien, a person dishonorably discharged from the military, a person who has renounced his or her U.S. citizenship, and a person subject to certain restraining orders or convicted of a misdemeanor in domestic violence.

3 Proponents of strict gun control laws argue that reducing the number of crimes committed with guns would save lives. **A** They cite high rates of gun mortality and injury as a primary impetus for gun control. Each year in the United States, more than 35,000 people are killed by guns. **B** Compared to other industrialized countries, the gun homicide rate in the U.S. is more than four times the rate in Italy, six times that of Canada and about 30 times the gun homicide rate in Great Britain or France. An attack involving a gun is five times more likely to result in a death than an attack made with a knife. **C** According to survey data from the U.S. Department of Justice, 16,272 murders were committed in the U.S. during 2008, and of these, 10,886 or 67% were committed with firearms. **D** Proponents attribute the tragedy of people being killed to the easy availability of guns. According to a 2012 Gallup poll, about half of all U.S. families own at least one

gun. There are 307 million people in the United States as of 2009 and according to production data from firearm manufacturers, there are roughly 300 million firearms owned by civilians in the United States as of 2010. No other country has as many guns as the U.S. The U.S. comprises 5 percent of the world's population, but it has about 40 percent of the world's civilian firearms.

4   Opponents of gun control laws, including organizations such as the National Rifle Association (NRA), object to these laws because of the inconvenience they may cause to law-abiding gun buyers or owners. The most frequently stated reasons for owning guns according to a 2005 nationwide Gallup poll of 1,012 adults were: protecting the home against crime (67%), target shooting (66%), and hunting (58%). Another objection to gun control laws concerns the Second Amendment to the Constitution of the United States, which reads: "A well-regulated militia being necessary to the security of a free state, the right of the people to keep and bear arms shall not be infringed." Those who oppose restrictions on gun ownership find support in the language of the Second Amendment and believe that it should be interpreted to guarantee citizens free access to firearms.

5   Although proponents seem to have a strong case on the surface, the country's history, values, and leisure activities, embodied in the support of organizations such as the NRA, reveal that Americans are not yet ready for gun control. At its core, the deep-rooted American right to protect one's self and family with arms, if necessary, is unshaken. Many opponents of gun control consider self-defense to be a fundamental and unalienable human right. Even though the study shows that there is a vicious cycle that involves the availability of firearms and higher homicide levels, it is also questionable whether the crime rate in the U.S. will be lower if there are fewer guns available.

1 According to paragraph 1, which of the following is true about Gun control?
   A. It aims to put burdens on legitimate gun users.
   B. It attempts to lower violence that involves the use of guns and knives.
   C. It attempts to control who can own and use guns.
   D. It tries to pass legislation to ban certain types of firearms.

2 According to paragraph 2, the Gun Control Act makes it unlawful and punishable by up to 10 years in prison for the receipt, possession or transportation of any firearm or ammunition EXCEPT for which of the following people?
   A. Unlawful users of controlled drugs
   B. Mentally disabled people
   C. Illegal residents
   D. People who have left the military

3 The word mortality in the passage is closest in meaning to
   A. victim
   B. death
   C. homicide
   D. wound

4 Which of the following is NOT true about the statistical data in paragraph 3?
   A. The gun homicide rate in Italy is higher than that in Great Britain.
   B. The U.S. has about 5 % of the world's firearms.
   C. More than half of murders were committed in the U.S. with firearms in 2008.
   D. About 50% of families had at least one gun in the U.S. in 2012.

5 What is the meaning of law-abiding in the passage?
   A. enforcing laws
   B. obeying laws
   C. making laws
   D. passing laws

● Passage 3

6 The word infringed in the passage is closest in meaning to
- Ⓐ contravened
- Ⓑ obeyed
- Ⓒ predicted
- Ⓓ proven

7 According to paragraph 4, the following are the most common reasons opponents state against gun control EXCEPT
- Ⓐ protecting the home against crime
- Ⓑ guarding against terrorists
- Ⓒ hunting
- Ⓓ target shooting

8 Which of the following best describes the content of the last paragraph?
- Ⓐ A summary of the author's opinion
- Ⓑ A summary of gun control laws at present
- Ⓒ A longer argument in favor of gun control
- Ⓓ An account of gun control laws in other countries

9 What right does the phrase unalienable human right in the passage refer to?
- Ⓐ To fight for legitimate citizenship
- Ⓑ To protect one's self and family with arms
- Ⓒ To have guns for leisure activities
- Ⓓ To live in a violence-free nation

10 Which of the following best represents the author's point of view?
- Ⓐ Citizens have the right to protect themselves with guns.
- Ⓑ The NRA should be dissolved.
- Ⓒ The author is ambivalent toward gun control.
- Ⓓ Despite American values, gun control should be enforced.

11 Which of the following CANNOT be inferred from the passage?
- (A) Gun control is a controversial issue.
- (B) Most Americans believe that fewer guns would equal fewer murders.
- (C) The NRA supports responsible citizens owning guns.
- (D) The Second Amendment reads that a militia is essential to a state's security.

12 Select the appropriate sentences from the answer choices and match them to the assertions of people to which they relate about gun control. For each of the assertion, choose three sentences. TWO of the answer choices will NOT be used.

Proponents	Opponents
•	•
•	•
•	•

Answer Choices
- (A) There are high rates of gun mortality and injury.
- (B) We have to protect our homes against crimes as much as possible.
- (C) The NRA is especially concerned about the death rates of law-abiding gun buyers.
- (D) The gun homicide rate in the U.S. is higher than that of other nations.
- (E) Nationwide Gallup polls may not always be accurate.
- (F) Law-abiding gun owners will be inconvenienced.
- (G) If a gun is involved in an attack, it will likely result in a death.
- (H) The Second Amendment to the Constitution of the United States guarantees owning guns.

● Passage 3

13 Look at the four squares ■ that indicate where the following sentence could be added to the passage.

This is a death rate much higher than that of any other industrialized nation.

Where would the sentence best fit?

14 An introductory sentence for a brief summary of the passage is provided below. Complete the summary by selecting the THREE answer choices that express the most important ideas in the passage. Some sentences do not belong in the summary because they express ideas that are not presented in the passage or are minor ideas in the passage.

Gun control laws focus on restricting legal ownership of certain firearms, but the extent to which these laws should apply is controversial.

Answer Choices

- (A) Opponents of gun control laws argue that they need to protect themselves and home, and the Second Amendment to the Constitution of the United States guarantees citizens free access to firearms.
- (B) The National Rifle Association objects to gun control laws because they may cause inconvenience to law-abiding gun buyers or owners.
- (C) The Gun Control Act makes it unlawful and punishable by up to 10 years in prison for the receipt, possession or transportation of any firearm or ammunition by certain types of person.
- (D) Proponents of gun control laws argue that gun control will reduce the number of crimes committed with guns.
- (E) The study shows that the easy availability of guns increases the homicide rate.
- (F) Although proponents seem to have good evidence, Americans are not yet ready for gun control as they strongly believe that they have the right to protect themselves.

Passage ●3 ANSWERS

パッセージについて

第1段落第1文（topic sentence）から，主題（topic）は gun control で，主旨（main idea）は「銃規制は銃によって引き起こされる暴力を減少させるために，銃砲類の所有と使用を規制することである」ことが分かる。第2段落は the Gun Control Act（銃砲規制法）が具体的にどのような規制をしているか，さらに第3段落は proponents（銃規制を支持する人々）の主張，第4段落は opponents（銃規制に反対する人々）の主張が述べられている。このような対立的な主張が展開されている場合，どちらがどのような主張をしているかが問われることが多く，また筆者がどちらを支持しているかを問う設問がよく出題されるので，読みながら内容を整理する必要がある。また，このようなパッセージでは，筆者の主張は大抵，最後の段落にまとめられているので，よく読むようにしよう。

1 正解 C

設問訳 第1段落によると，銃規制に関して正しいものはどれか。

ヒント 第1段落を参照。表現の言い換えに注意。

解説 第1段落には銃規制の概要とその目的が述べられている。A は最終文の aim to reduce the criminal use of guns ... without putting undue burdens on legitimate gun users に反する。B は knives とあるが，第1文に reduce violence caused by the use of firearms とあるように，銃規制に knives の使用は含まれていない。D は「銃の種類を規制する」のが目的ではないので誤り。一方，C は第1文の by regulating their ownership and use や第2文の restrict legal ownership より正しい記述。従って，C が正解。

2 正解 D

設問訳 第2段落によると，銃砲規制法は，銃器および弾薬の受け取り，所持，運搬に関して，以下のどの人物を除いて違法，および最高10年の禁固刑に処すとしているか。

ヒント 第2段落に書かれているが，表現が言い換えられているので注意。

解説 A は an unlawful user or addict of any controlled substance から，B は a person adjudicated as mentally disabled から，そして C は an illegal alien から The Gun Control Act（銃砲規制法）に触れる人物。一方 D に関しては，パッセージには，a person dishonorably discharged from the military（不名誉除隊になった者）とあり，単に軍隊を去った者は該当しない。従って，D が正解。

● Passage 3

3 正解 B
設問訳 パッセージの mortality と最も意味が近いのはどれか。
ヒント 第3段落は主に何について書かれているか。

解説 問題となっている箇所の次の文「アメリカ合衆国では年間3万5,000人以上が銃で命を失う」から，mortality は B「死亡」を意味することが分かる。またこれ以降には，homicide rate（殺人率）や，銃が犯罪に使われる場合の死亡率などが述べられていることからも意味を推測できるだろう。 A「犠牲者」， C「殺人」， D「傷」。

4 正解 B
設問訳 第3段落中の統計データについて正しくないものはどれか。
ヒント 文字が数字に，また数字が文字に置き換えられている場合が多いので注意しよう。

解説 A は第3段落第4文に国際比較が出ており，アメリカの銃による殺人率はイタリアの4倍，カナダの6倍，英国およびフランスの約30倍とあることから，「イタリアの銃による殺人率は英国の殺人率より高い」は正しい。 C は段落中頃に，67% were committed with firearms と， D は about half of all U.S. families own at least one gun とあるので，正しい。 B は最後の文に「世界の約40%の銃を所持している」とあることから誤り。The U.S. comprises 5 percent of the world's population（アメリカの人口は世界の人口の5%）と混同しないこと。

5 正解 B
設問訳 パッセージの law-abiding とはどのような意味か。
ヒント law-abiding gun buyers or owners にとって inconvenience を招くこととはどういうことかを考えよう。

解説 第4段落には，銃規制に反対する人の意見が述べられているが，その中の1つとして，銃規制されると law-abiding gun buyers or owners にとって不便になると書かれている。つまり彼らは銃を買ったり所持したりすることが合法的にできるのに，銃規制ができるといろいろと不便が生じるというのである。law-abiding は「法に従う」という意味の形容詞で， B が正解。abide by ～は「(規則，法令など)を守る」という意味で，abide by the law で「法を守る」。

6 正解 A
設問訳 パッセージの infringed と最も意味が近いのはどれか。
ヒント これは銃規制反対者が主張を押し通すためによく引き合いに出す語。

解説 この語が出てくる文は「自由な国家の安全保障のためには，規律のある民兵が必要であるため，国民が兵器を保有し所持する権利は infringe されてはならない」という意味である。この文脈から infringe は「(権利など)を侵害する」といった意味であると推測できる。従って，正解は A「(法律など)に違反する」。

7 正解 Ⓑ

設問訳 第4段落によると，銃規制の反対派が挙げている最も一般的な理由でないものはどれか。

ヒント reasons が出てくる第2文に着目しよう。

解説 銃規制に反対する人たちの理由は第2文に述べられている。The most frequently stated reasons for owning guns ... were: protecting the home against crime (67%), target shooting (66%), and hunting (58%). とあることから，Ⓐ，Ⓒ，Ⓓ は銃規制に反対の理由。一方，Ⓑ「テロリストから身を守る」とは書かれていないので，これが正解。

8 正解 Ⓐ

設問訳 最終段落の内容を最もよく表しているものはどれか。

ヒント 最終段落はまとめであることが多い。

解説 最終段落第1文で「proponents に分があるようだが，アメリカ人はまだ銃規制の準備ができていない」という筆者の考えが述べられている。また筆者は，銃が入手しにくくなったら犯罪率が低くなるということに関しても疑わしいと言っている。従って，Ⓐ「筆者の意見のまとめ」が正解。パッセージの本論（body）にあたる部分は，データや調査などを参照にした内容が述べられているが，パッセージの最後（conclusion）は筆者の見解がまとめて述べられるケースが多い。ちなみに，最終段落第1文の have a strong case は「強い主張［論拠］がある」という意味。

9 正解 Ⓑ

設問訳 パッセージの unalienable human right はどんな権利を指しているか。

ヒント opponents が主張していることは何かを考えよう。

解説 Many opponents of gun control 以下に「反対派の多くは，self-defense は基本的で unalienable human right と考えている」とある。self-defense というのは前文にあるように，「必要であれば，自分自身と家族の身を武器で守ること」なので，Ⓑ が正解。legitimate「合法的な」，citizenship「市民権」，violence-free「暴力のない」。

10 正解 Ⓐ

設問訳 筆者の考えを最もよく表しているものはどれか。

ヒント 筆者の「意見」が述べられている表現に注目。

解説 まず第1～2段落では gun control とはどういうものか，そして第3段落では gun control に賛成の人の意見が，第4段落では反対の人の意見が述べられている。ここまでは，筆者の個人的な意見は述べられていない。しかし最終段落で筆者ははっきり「アメリカはまだ銃規制をする準備ができていない」と主張している。これは銃規制反対を表す主張なので，正解は Ⓐ「市民は銃を使って身を守る権利がある」。

● Passage 3

11 正解 B

設問訳 パッセージから推測できないものはどれか。

ヒント 推測できる選択肢を消去していこう。

解説 A は第1段落第3文から，C は第4段落第1文から，D は修正条項について書かれた第4段落から推測できる。しかし，B 「ほとんどのアメリカ人は銃が少なくなればそれだけ殺人も少なくなると信じている」と推測できる記述はパッセージ中にない。これは銃規制賛成派の意見であって，ほとんどのアメリカ人の意見ではない。従って，これがパッセージから推測できないものとして正解。

12 正解　Proponents：A ，D ，G　　Opponents：B ，F ，H

設問訳 以下のそれぞれの人たちの銃規制に関する主張と一致する文を選択肢から選べ。それぞれの主張に対して3つ文を選ぶこと。選択肢のうち2つは使わない。

ヒント Proponents の主張は第3段落，Opponents の主張は第4段落を確認。

解説 A ，D ，G が Proponents（銃規制を支持する人々）の考えである。A は第3段落第2文に，D は第4文 Compared to other industrialized countries 以下に，G は第5文 An attack involving a gun 以下に述べられている。一方，B ，F ，H が Opponents（銃規制に反対する人々）の意見である。B は第4段落第2文に，F は第1文に，H は第3文 Another objection to gun control 以下に述べられている。しかし，C 「NRA は特に法律を厳守している銃の購入者の死亡率を心配している」と E 「全国的なギャラップ世論調査は常に正確とは言えない」はどちらの意見としても述べられていない。

13 正解 D

設問訳 次の文の挿入箇所として，4つの■のうち最も適切なものはどれか。
「これは工業化した他のどの国よりもはるかに高い死亡率である」

ヒント This は死亡率を指している。死亡率について触れている部分はどこか。

解説 A では，その前の文が死亡率について書かれていないので，また B では，その前の文が銃による年間の死亡率ではなく死亡者数についてなので，さらに C では，その前の文が銃はナイフなどと比べると殺傷率が高いという内容なので，死亡率に関する当該の文を挿入することはできない。しかし D であれば，その前の文が「アメリカにおいて，1万6,272件の殺人事件のうち 67% were committed with firearms」と，死亡率について言及しており，「これは工業化した他のどの国よりもはるかに高い死亡率である」という当該の文とつなげると自然な文の流れとなる。従って，正解は D 。

14 正解 A ，D ，F

設問訳 以下はパッセージの要約の冒頭文である。パッセージの最も重要な考えを表している選択肢を3つ選んで要約を完成させなさい。選択肢の中には，パッセージに書かれていないものや，パッセージ中では詳細な事柄に関するため要約には入らないものがある。
「銃規制法はある特定の銃砲類の合法的所持に制限を加えることに焦点を当てているが，この法律をどこまで適応するかが論争の的になっている」

ヒント 賛成派および反対派の中心的な主張は何かを考えよう。

解説 (A), (D), (F) はパッセージの中心的な内容。一方 (B)「全米ライフル協会は法律を遵守している銃の購入者や所有者に不便をもたらす可能性があるため、銃規制法に反対している」は銃規制反対派が挙げている反対の理由の1つ、(C)「銃砲規制法では、ある種の人々はいかなる銃器または弾薬を受け取り、所持あるいは運搬しても違法であり、最高10年の禁固刑に処せられる」は銃砲規制法に関する詳細説明、(E)「研究によると、簡単に銃を入手できることが殺人率を高めることが示されている」は銃規制賛成派が銃規制をする理由として挙げていることで、どれも冒頭文に続く中心的な内容ではないので、正解にできない。

全訳

銃規制:賛成派の意見,反対派の意見

　銃規制という言葉は、銃砲類の所有と使用を規制することで、銃によって引き起こされる暴力を減少させようとする試みを説明するために用いられる。アメリカ合衆国における銃規制の動きは、大抵、自治体、州、さらには連邦政府のレベルで、ある特定の銃砲類の合法的な所有を規制する法令を通すことに焦点を当てている。しかしながら、こういった法律をどこまで適応するか、という点については論争の的になっている。というのも、合法的に銃砲を所持している人々に必要以上の負担を負わせることなく、犯罪における銃の使用をできる限り減らしたい、というのがこの法律の目的だからである。

　アルコールたばこ火器爆発物取締局(ATF)によれば、連邦法のもと、銃砲規制法(GCA)では、次の種類の人々はいかなる銃器または弾薬を受け取り、所持あるいは運搬しても違法であり、最高10年の禁固刑を科せられることになっている。その人々とは、1年以上の禁固刑に処せられる重犯罪で起訴されているか有罪判決を受けた者、2年以上の禁固刑に処せられる軽犯罪で有罪判決を受けた者、逃亡犯、規制薬物の不法使用者または中毒者、精神障害の判決を受けた者または精神病院に入院させられた者、不法滞在の外国人、軍隊を不名誉除隊になった者、米国市民権を放棄した者、何らかの禁止命令を受けている者、あるいは家庭内暴力における軽犯罪で有罪判決を受けた者である。

　厳しい銃規制法を支持する人々は、銃を使って引き起こされる犯罪の数を減らせば、人命を救うことになると主張している。彼らは、銃規制の主な推進力として、銃による死亡率と負傷率の高さを挙げる。アメリカ合衆国では年間3万5,000人以上が銃によってその命を落としている。他の先進工業国に比べて、アメリカ合衆国の銃による殺人率は、イタリアの4倍、カナダの6倍、英国やフランスの銃による殺人率の約30倍である。銃を使った襲撃は、ナイフによる襲撃よりも、

死を招く率が5倍高い。アメリカ合衆国司法省の調査データによれば，2008年には1万6,272件の殺人事件がアメリカで起き，そのうち1万886件，つまり67％が銃器によるものだった。これは工業化した他のどの国よりもはるかに高い死亡率である。銃規制の支持者たちは，殺された人々の悲劇は，銃が容易に入手できるせいだとしている。2012年のギャラップ世論調査によると，アメリカ合衆国の全家庭のおよそ半分が少なくとも1丁の銃を所有している。2009年現在のアメリカ合衆国の人口は3億700万人であり，火器製造業者の製造データによれば，2010年現在の合衆国においては，およそ3億丁の銃を市民が所有していることになる。アメリカ合衆国ほど多くの銃を持っている国は他にない。アメリカ合衆国は世界の人口の5％を成しているが，世界中の民間人の銃の約40％がアメリカにあるのだ。

　例えば全米ライフル協会（NRA）のような組織を含む銃規制法反対派は，法律を遵守している銃の購入者や所有者たちに不便が生じるという理由で，これらの法律に反対している。1,012人の成人に対して行った2005年の全国的なギャラップ世論調査によれば，銃を所有する理由として最も多く挙げられたのは，犯罪から家庭を守る（67％），射撃練習（66％），狩猟（58％）であった。銃規制法に反対するもう1つの理由は米国憲法修正第2条に関連する。修正第2条には次のように記されている。すなわち，「自由な国家の安全保障のためには，規律のある民兵が必要であるため，国民が兵器を保有し所持する権利はこれを侵すことはできない」とある。銃の所有に制限を課すことに反対する人々は，この修正第2条を反対する理由のよりどころにしており，さらには国民が自由に銃砲類を入手する権利を保証すると解釈すべきであると考えている。

　表面的には銃規制賛成派の方に分があるように見えるが，NRAなどの組織の支持の中に示されているように，この国の歴史や価値観，さらにはレジャーのあり方を見ると，アメリカ人はまだ銃規制の準備ができていないことは明らかである。その核心にあるのは，必要とあれば自ら銃を取り，自分の身と家族を守っていくという，アメリカ人の心に深く根ざしたゆるぎない権利意識の存在である。銃規制の反対派の多くは，自衛は基本的で不可侵な，人間の権利だと考えている。研究によると，銃砲類の入手のしやすさと殺人率の高さには悪循環があると示されているが，手に入る銃の数が減ることによってアメリカ合衆国の犯罪率が低くなるかどうかも，疑わしい。

実戦練習 2

time: 80 minutes

Passage 1

The Ideal and Reality of Laissez-faire

1   Laissez-faire was influential in the development of economic systems of the past 300 years. It grew into our current free-market economy with the freedom of individuals and businesses to allocate economic resources according to their needs and wants. This is in contrast to the command economy, which usually has a central authority.

2   Laissez-faire was coined after the French phrase meaning "to let things alone." The concept of laissez-faire arose in the 18th century as part of a belief that a natural economic order was the best system to produce the maximum well-being for all. The policy maintains that businesses and private commercial ventures should not be regulated or even taxed. Free trade and natural economic competition will lead to a fair distribution of wealth among a country's people.

3   This idea was promoted by the physiocrats and strongly supported by Adam Smith, the father of modern economics, who greatly influenced the growth of American capitalism. Adam Smith described laissez-faire economics in his book, *The Wealth of Nations* (1776) in terms of an "invisible hand" that would provide for the maximum good of all. Smith insisted that human beings are naturally motivated by self-interest and that individuals who pursue their own desires contribute most successfully to society as a whole. As long as markets were free and competitive, he said, the actions of private individuals, motivated by self-interest, would work together for the greater good of society. Smith, thus, opposed government intervention such as trade restrictions, minimum wage laws, and product regulations, which he claimed, were detrimental to a nation's economic health.

4   Laissez-faire and free trade were the main policies of America and other Western countries during the Industrial Revolution in the 19th century. The growth of industry in England in the early 19th century and the American industrial growth of the late 19th century occurred in a laissez-faire capitalist environment. The policy was very popular with big business owners because

it left them free to make money without regulations or taxation. However, it soon led to a great disparity in the distribution of wealth, the harsh treatment of workers, a disregard for consumer safety, and the spread of monopolies because governments, whether at the national, state, or local level, took little responsibility or initiative in protecting workers, women, children, the sick, or the elderly. Notably, there were terrible working conditions, especially reflected in the use of child labor. In the U.S., for example, even as late as in 1908, only 30 states had laws prohibiting the employment of children under 18 in factories, and only 8 forbade night work for children under 18. As for women, only 15 set a maximum limit of 10-hour days. None required medical examinations as a condition for employment. While laissez-faire was in ascendancy, the U.S. government was not overly concerned with the health and safety of the labor force. In the end, in the fierce competition, smaller companies were gradually combined into larger enterprises until finally single companies monopolized a market. These monopolies controlled production and prices for the owner's benefit. They eliminated competition, which was the basic principle of the laissez-faire system.

5   Opposition to laissez-faire economics first began in the mid-19th century. Some industries turned to the government for help on numerous occasions. For example, companies facing strong competition from abroad appealed for protection through trade policies. American agriculture, almost totally in private hands, benefited from government assistance. **A** Around the turn of the century, governments in all industrialized countries were forced to abandon laissez-faire and establish at least some degree of control over businesses on behalf of workers and the general population. **B** The laissez-faire period ended by the beginning of the 20th century, when large monopolies in the U.S. were broken up. Government regulation of businesses became the norm. **C** From the 1970s, however, the pendulum swung back to laissez-faire, now renamed "free enterprise," and brought the deregulation of businesses to the U.S., and a progressive removal of trade barriers. **D**

1 It can be inferred from paragraph 1 that
- (A) the current free-market economy bases its ideas on laissez-faire
- (B) the command economy is beneficial for individuals when the central government has authority
- (C) the freedom of individuals and business depends on the development of laissez-faire
- (D) individuals' needs and wants are equally allocated under the system of laissez-faire

2 According to paragraph 2, what is the purpose of adopting the laissez-faire policy?
- (A) To free businesses of government regulation
- (B) To make it possible for businesses to compete naturally
- (C) To produce the greatest possible well-being for all people
- (D) To leave things alone, like the French did

3 The word maintains in the passage is closest in meaning to
- (A) continues
- (B) defends
- (C) bears
- (D) declares

4 Which of the following is NOT true about Adam Smith and his ideas in paragraph 3?
- (A) He influenced the growth of American capitalism.
- (B) His idea of free economy is described in his book, *The Wealth of Nations*.
- (C) He insisted that government intervention is needed to protect small businesses.
- (D) A free and competitive market will motivate individuals to work.

5 The word detrimental in the passage is closest in meaning to
- Ⓐ conflicting
- Ⓑ contrary
- Ⓒ harmful
- Ⓓ pressing

6 Which of the following can be inferred from paragraph 4 about child labor in the 19th century?
- Ⓐ There were children under 18 who suffered severe working conditions.
- Ⓑ Most children under 18 had to work at night.
- Ⓒ The U.S. government prohibited the employment of children under 18.
- Ⓓ The national, state, and local governments were concerned about the health of young children.

7 The following are described in paragraph 4 as problems resulting from the laissez-faire policy EXCEPT :
- Ⓐ It led to bad working conditions for many workers.
- Ⓑ There was little concern for consumer safety.
- Ⓒ Owners were able to make money without government control or taxes.
- Ⓓ Monopolies were run to increase the owner's profits.

8 The phrase in ascendancy in the passage is closest in meaning to
- Ⓐ superfluous
- Ⓑ dominating
- Ⓒ overwhelming
- Ⓓ extravagant

9 According to the last paragraph, what happened when opposition to laissez-faire economics began in the mid-19th century?
- (A) American agriculture became a private enterprise.
- (B) Competitive companies were protected by the government's trade policies.
- (C) Some businesses were forced to abandon laissez-faire.
- (D) Some businesses asked the government for help.

10 According to the passage, when did the concept of laissez-faire originate?
- (A) In the 18th century
- (B) In the early 19th century
- (C) During the Industrial Revolution
- (D) In the mid-19th century

11 The idea of laissez-faire
- (A) spread in France when the word was coined after a French word
- (B) originated in the 18th century and was promoted by the physiocrats
- (C) was supported by the command economy
- (D) led the maximum well-being for all in the U.S.

12 Which of the following can be implied from the passage?
- (A) Without a good government, the country will not thrive.
- (B) Laissez-faire economy leads to a fair distribution of wealth among a country's people.
- (C) Some degree of government's intervention is necessary even in free market economy.
- (D) Laissez-faire policy works best when the economy is in the hands of big business.

● Passage 1

13 Look at the four squares ■ that indicate where the following sentence could be added to the passage.

Factory laws and consumer protection laws were enacted and growth of monopolies was checked.

Where would the sentence best fit?

14 An introductory sentence for a brief summary of the passage is provided below. Complete the summary by selecting the THREE answer choices that express the most important ideas in the passage. Some sentences do not belong in the summary because they express ideas that are not presented in the passage or are minor ideas in the passage.

Laissez-faire is a belief that a natural economic order is the best system to produce the maximum well-being for all.

Answer Choices

- (A) Laissez-faire influenced the development of economic systems of the past 300 years.
- (B) Laissez-faire was the main policy of America and other Western countries during the Industrial Revolution in the 19th century.
- (C) The command economy is in contrast to the idea of laissez-faire.
- (D) Adam Smith wrote a book about laissez-faire and insisted that human beings are naturally motivated by self-interest.
- (E) The working conditions for children were so bad that only 30 states prohibited the employment of children under 18 in factories.
- (F) The policy was popular with big business owners, but it led to a great disparity in the distribution of wealth and the spread of monopolies.
- (G) From the 1970s, laissez-faire was renamed "free enterprise."

CHAPTER 3

Passage ● 1　ANSWERS

パッセージについて

laissez-faire（レッセフェール, 自由放任主義）に関して, この言葉の由来, 歴史的背景, そしてその概念, および laissez-faire がもたらした問題が述べられている。14 に, 最初に与えられた文に続いて, パッセージ中の最も重要な考えを選ぶ設問が出ている。これは要約として適した文を選ぶ設問なので, パッセージ全体の主旨が把握できていないと解答できない。このような設問に対応できるように, パッセージを読むときは常に, 主題（topic）と主旨（main idea）を意識して読むようにしたい。

1　正解　Ⓐ

設問訳　第1段落から推測できるものはどれか。
ヒント　第1段落から推測できる根拠となる文を探そう。

解説　第1段落第2文を見ると, It grew into our current free-market economy とある。It は前文の Laissez-faire を指すので, この文は「laissez-faire は, 現在の自由市場経済に発展した」という意味である。従って, Ⓐ「現在の自由市場経済は, laissez-faire の概念に基づいている」と推測できる。Ⓑ「計画経済は, 中央政府が権力を持っているときに個人に有益だ」, Ⓒ「個人や企業の自由は laissez-faire の発展による」, Ⓓ「laissez-faire の組織下では個人のニーズや要望は均等に分配される」と推測できる文はパッセージ中にない。

2　正解　Ⓒ

設問訳　第2段落によると, レッセフェールの政策を採用することの目的は何か。
ヒント　18世紀にどのような考えを背景に誕生したかを確認しよう。

解説　第2段落第2文に as part of a belief that a natural economic order was the best system to produce the maximum well-being for all とある。つまり, Ⓒ「全ての人々に最大限の幸福をもたらすため」が正解。パッセージ中の the maximum well-being は the greatest possible well-being, また for all は for all people と同義である。Ⓐ, Ⓑ は目的ではなく, 全ての人々が幸福になるための手段である。

3　正解　Ⓓ

設問訳　パッセージの maintains と最も意味が近いのはどれか。
ヒント　The policy maintains 以下の内容を考える。

解説　maintains を含む The policy maintains that businesses and private commercial ventures should not be regulated or even taxed. という文の意味を考えよう。that 以下に主張が書かれていることからも推測できるように, maintain には「~を主張する」という意味がある。従って, Ⓓ が正解。Ⓑ は「~を擁護する, ~を弁護する」の意味。

● Passage 1

4 正解 Ⓒ

設問訳 第3段落でアダム・スミスおよび彼の考えに関して正しくないものはどれか。
ヒント 第3段落を読んで，正しいものを消去していこう。

解説 第3段落を読むと，Ⓐ「アメリカの資本主義の発展に影響を与えた」，Ⓑ「彼の自由経済の考え方は彼の著書，The Wealth of Nations の中で説明されている」は正しいと分かる。また，アダム・スミスは「人間とは本来，私利によってやる気を起こすものであり，自分の欲望を追求する個人が，概して社会に最も貢献することに成功する」と考えているので，Ⓓ も正しい。Ⓒ「中小企業を保護するために政府の介入が必要だと主張した」は正しくない。

5 正解 Ⓒ

設問訳 パッセージの detrimental と最も意味が近いのはどれか。
ヒント アダム・スミスはなぜ政府の介入に反対したのか。

解説 第3段落から，スミスが「自由で競争力のある市場である限り，自己の利益を得ることに動機づけられた各個人の行動が，the greater good of society のために一体となって働く」と述べたことが分かる。ところが，そこに政府が介入すると，detrimental to a nation's economic health だと言うのだから，ここでは Ⓒ「有害な」が正解。Ⓐ「対立する」，Ⓑ「反対の」，Ⓓ「緊急の」。

6 正解 Ⓐ

設問訳 19世紀の児童就労に関して第4段落から推測できることはどれか。
ヒント 第4段落 Notably から始まる文とそれに続く例を確認しよう。

解説 第4段落 Notably 以下に，特に child labor に関して there were terrible working conditions とある。そして，In the U.S., for example, 以下に「18歳以下の子供が工場で働くことを禁じたのはたった30州」，「夜間就労を禁じたのは8州だけ」とあることから，Ⓐ「ひどい労働条件に苦しむ18歳以下の子供たちがいた」と推測できる。Ⓑ「18歳以下の子供たちのほとんどが夜間就労をしなければならなかった」と推測できる文はパッセージ中にない。Ⓒ「合衆国政府は18歳以下の子供の雇用を禁じた」は誤り。また Ⓓ はパッセージの the U.S. government was not overly concerned 以下に「労働力の健康と安全に関してあまり気にかけていなかった」とあることから誤り。

7 正解 C

設問訳 レッセフェールの政策に起因する問題として第4段落で述べられていないものはどれか。

ヒント 第4段落第4文 However, it soon led 以下を読み直す。

解説 However, it (= the policy) soon led 以下を読むと、レッセフェールを採用したことでもたらされた数々の問題が述べられている。それらを挙げると、1) a great disparity in the distribution of wealth、2) the harsh treatment of workers、3) a disregard for consumer safety、4) the spread of monopolies などである。選択肢の A は 2) と、B は 3) と、D は 4) とそれぞれ対応している。しかし、C は第4段落第3文に The policy was very popular with big business owners because it left them free to make money without regulations or taxation. とあるように、「この政策がもたらした問題」ではない。従って、C が正解。

8 正解 B

設問訳 パッセージの in ascendancy と最も意味が近いのはどれか。

ヒント 第4段落第1文を読んでみよう。

解説 第4段落第1文を見ると、「19世紀、laissez-faire がアメリカの主要政策であった」とある。この後、laissez-faire が広まった一方、a great disparity in the distribution of wealth, the harsh treatment of workers, a disregard for consumer safety などの問題をもたらしたことが述べられている。これをまとめて述べているのが、in ascendancy を含む文で「laissez-faire は in ascendancy であったにもかかわらず、合衆国政府は労働力の健康と安全に関してあまり気にかけていなかった」というわけである。この文脈から、正解は、B「優勢な」。A「余分な、過剰の」、C「圧倒的な」、D「ぜいたくな、浪費する」。

9 正解 D

設問訳 最終段落によると、レッセフェール経済に反対する動きが出てきた19世紀半ばに何が起こったか。

ヒント 最終段落には企業が求めたことが述べられている。

解説 最終段落の Some industries 以下に、1)「様々な場面で政府の援助を求めた産業があった」こと、2)「外国との競争に直面した企業は trade policies を通じて保護を求めた」こと、3)「アメリカの農業が政府の援助の恩恵を受けた」ことが書かれている。D が 1) に相当するので、これが正解。A「アメリカの農業が民営となった」、B「競争力のある会社が政府の貿易政策で保護された」、C「laissez-faire を放棄するよう強要された企業があった」は誤り。

10 正解 A

設問訳 パッセージによれば、レッセフェールの概念はいつできたか。

ヒント 選択肢の内容をパッセージからスキャンして正解を探そう。

● Passage 1

解説 第2段落第2文 The concept of laissez-faire arose in the 18th century から **A** が正解。arose は arise「生じる，起こる」の過去形で originate と同義。

11 正解 **B**

設問訳 レッセフェールの考え方は…。

ヒント 選択肢1つ1つをパッセージと照らし合わせてみよう。

解説 laissez-faire に関して，選択肢 **A** に「フランスで広まった」とあるが，パッセージにそのようには書かれていない。**C** に「計画経済に支持された」とあるが，第1段落最終文に This is in contrast to the command economy とあるので，誤り。**D** はパッセージ中に laissez-faire がもたらした様々な問題が述べられていることから誤り。一方 **B** は，第2段落第2文 The concept of laissez-faire arose in the 18th century，また第3段落第1文 This idea was promoted by the physiocrats から正解だと分かる。

12 正解 **C**

設問訳 パッセージから示唆できることはどれか。

ヒント laissez-faire 政策は結果的にどのような問題をもたらしたか。

解説 laissez-faire 政策は，第2段落にあるように「企業そして個人の経済活動は制限を設けるべきでなく，税金も課してはならない」「自由貿易と自然に生まれる経済競争によって，富はその国民に公正に行きわたるようになる」という考えである。しかし第4段落にあるように，この政策を導入したことで様々な問題が起きて，結局，最終段落第5文 governments in all industrialized countries 以下にあるように，at least some degree of control を設けることが必要になったことが述べられている。これら一連の流れから，**C**「自由市場経済においてもある程度の政府の介入が必要である」が正解。**A**「良い政府でないと，国が栄えることはない」，**B**「laissez-faire 経済は，富を人々に公平に分配することにつながる」，**D**「laissez-faire 政策は，経済が大企業の手中にあるときに最もうまくいく」ということはパッセージの内容から示唆できることではない。

13 正解 **B**

設問訳 次の文の挿入箇所として，4つの■のうち最も適切なものはどれか。
「工場法や消費者保護法が制定され，独占企業の拡大は抑えられた」

ヒント laissez-faire が終焉を迎えるまでの一連の経緯を整理しながら読もう。

解説 laissez-faire の終焉までの経緯をまとめると，次のとおり。「(**A** より前) mid-19th century に，laissez-faire economics 反対の動きが出てきた。**A** Around the turn of the century (世紀の変わり目) に，政府は laissez-faire を放棄し，企業に対してある程度規制を設けるようになった。**B** by the beginning of the 20th century に，laissez-faire period が終わった。**C** 1970年代から再び政府の規制緩和が始まり，free enterprise という形で laissez-faire が再び始まった。**B** に政府が，企業に対して規制を設けるようになった例として該当の文を挿入すると，流れがよいので，**B** が正解。該当文の中の check は「~を食い止める」の意味。

14 正解 Ⓐ , Ⓑ , Ⓕ

設問訳 以下はパッセージの要約の冒頭文である。パッセージの最も重要な考えを表している選択肢を3つ選んで要約を完成させなさい。選択肢の中には，パッセージに書かれていないものや，パッセージ中では詳細な事柄に関するため要約には入らないものがある。
「レッセフェールは自然な経済秩序こそ全ての国民に最大の幸福を生み出す最善のシステムである，という信念である」

ヒント 各段落の主旨に当たる内容を選ぶこと。

解説 パッセージの中の最も重要な考えは，Ⓐ「laissez-faire は過去300年にわたって経済システムの発展に影響した」，Ⓑ「19世紀に産業革命が起こった際，laissez-faire はアメリカや西洋諸国の中心的な政策だった」，Ⓕ「大手企業主に人気がある政策だったが，富の分配に大きな格差をもたらし，独占企業が広まった」である。Ⓒ，Ⓓ，Ⓔ，Ⓖ はパッセージの中心的な考えではないので正解にできない。

全訳

自由放任主義の理想と現実

　レッセフェール（自由放任主義）は過去300年間，経済システムの発展に大きな影響を及ぼしていた。レッセフェールは，個人や企業がニーズや要望に応じて自由に経済資源を配分する現在の自由市場経済へと発展した。これは，通常，中央権力を持つ計画経済と対照を成す。

　レッセフェールは「放任する」という意味のフランス語から作られた言葉である。レッセフェールの概念は，自然な経済秩序こそ全ての国民に最大の幸福を生み出す最善のシステムである，という信念の一環として18世紀に生じたものである。この方針は，企業そして個人の経済活動は制限を設けるべきでなく，税金も課してはならない，と主張する。自由貿易と自然に生まれる経済競争によって，富はその国民に公正に行き渡るようになる，とする。

　この考え方は，重農主義者によって推進され，近代経済学の父，アダム・スミスの強い支持を得た。スミスはアメリカの資本主義の発展に大きな影響を与えた人である。アダム・スミスは著書『国富論』（1776年）の中で，全体の最大限の利益を供給する「見えざる手」という観点からレッセフェール経済を説明した。人間とは本来，私利によってやる気を起こすものであり，自分の欲望を追求する個人が，概して社会に最も貢献することに成功するとスミスは主張した。自由で競争力のある市場である限り，自己の利益を得ることに動機づけられた各個人の行動が，社会のより大きな利益のために一体となって働くだろうとスミスは述べた。スミスはそれゆえ，貿易制限や最低賃金法，製品規制などの政府の干渉は国

家の経済の健全性にとって有害だと主張し，反対した。

　19世紀の産業革命において，レッセフェールと自由貿易は，アメリカやその他の西洋諸国の主要政策であった。19世紀初頭のイギリスの産業の発展および19世紀後半のアメリカの産業の発展はレッセフェール資本主義的環境の中で起こった。この政策は，何の規制も受けることなく好きなようにもうけを出すことができ，さらに税金も払わずに済んだので，大企業主には，非常に人気があった。しかしながら，それはまもなく，富の配分の激しい不均衡や労働者に対する厳しい処遇，消費者の安全の軽視，独占の蔓延などにつながった。なぜなら国家，州，地方レベルにかかわらず，政府は労働者や女性，子供，病人，高齢者を保護する責任も主導権もほとんど取らなかったからだ。とりわけ，特に子供の労働の使用に反映される，ひどい労働条件が見られた。例えばアメリカ合衆国では，1908年という近年まで，18歳以下の子供の工場における雇用を禁じる法律があったのはたったの30州であり，18歳以下の夜間就労を禁じる州は8州しかなかった。女性に関しては，1日10時間という最大限度を設ける州は15州だけだった。雇用条件に健康診断を義務付けている州はなかった。レッセフェールが優位を占めていながら，合衆国政府は労働力の健康と安全に関してあまり気にかけていなかった。結局，し烈な競争の中で小さな企業は次第に大企業に吸収されていき，最後には1つの企業が市場を独占した。これらの独占企業は，商品の生産量や価格の設定を，経営者の利益だけを考えて行うようになった。彼らは，レッセフェールシステムの基本原理である競争を排除したのである。

　レッセフェール経済への反発が最初に始まったのは19世紀半ばだった。何度となく政府に助けを求めて頼る産業も現れた。例えば，海外からの強い競争に直面した企業は，貿易政策を通じての保護を求めて訴えた。ほとんど全て民間企業だったアメリカの農業は，政府援助の恩恵を受けた。世紀の変わり目に，工業化したすべての国々の政府はレッセフェール政策を放棄し，やがて労働者や一般住民のために企業に対するある程度の規制を設けざるを得なくなった。工場法や消費者保護法が制定され，独占企業の拡大は抑えられた。20世紀初頭までに，アメリカの巨大独占企業が崩壊し，レッセフェール時代は終わりを迎えた。政府が企業を規制することが普通になった。しかしながら，1970年代からは振り子がレッセフェールへと揺れ戻り，今では「自由企業（体制）」と名前を変え，アメリカにビジネスの規制撤廃と，貿易障壁の段階的除去をもたらした。

Passage 2

Natural Selection

1   Natural selection describes the biological process in which the differences of individuals within a population influence their abilities to survive and reproduce in an environment. The differences in individuals are a result of genetic inheritance from their parents. Sometimes, individuals inherit from their parents new characteristics that are advantageous for survival and reproduction in their environments. New characteristics tend to increase in frequency in the population, while those that are disadvantageous decrease in frequency. In a population, any characteristic which blocks reproduction success tends to decrease generation by generation. In time, the ill-adapted die out. On the other hand, the individuals who do survive and reproduce will tend to produce offspring which are better adapted to the environment.

2   Whether or not an individual survives and reproduces is directly related to the ways its inherited traits function in the context of its local environment. Natural selection tends to favor adaptations that will increase the organism's ability to survive in an environment. Natural selection can serve to stabilize a population if the new traits, called mutations, are eliminated when they appear because they are not as well-adapted to the environment. The opposite effect is obtained when a new trait is introduced which allows individuals to adapt better. Over time, the species will change as this mutation becomes more widespread in the population. The survival and reproductive success depends on whether it has genes that produce traits that are well-adapted to its environment.

3   Changes in the overall genetic makeup of a population are normal when there are environmental changes, especially severe environmental disruptions. **A** One example was seen in the changes in the population of a species of finches. **B** When a large drought affected the islands of Galapagos, finches with the largest, toughest beaks survived because they were able to eat larger seeds which were not part of their diet before the drought. However, finches with smaller beaks were not able to crack the tough seeds, and many did not survive. **C** That is, those in a population that were well-adapted to the environmental conditions had an advantage in survival and reproduction over those who were not so

well-adapted. **D**

4   In other cases, the drastic changes in the environment caused by human activity lead populations to evolve through natural selection. The population of dark moths in the 19th century in England is an example of such case. Before the Industrial Revolution took place in London, the peppered moth (Biston betularia) was typically whitish in color with black spots. When the Industrial Revolution reached its peak, however, dark moths started appearing and lighter moths became scarce. These whitish colored moths used to camouflage themselves to avoid being eaten by birds by using white trees and buildings, but because of the Industrial Revolution, the air became full of soot, and the once white trees and buildings became blackened. The birds therefore began to eat those easy-to-spot lighter-colored moths. The appearance of the dark moths was the direct cause of human activity; that is, a species was forced to make changes to adapt to the environment humans created. Those that survived produced more offspring and passed their advantageous characteristics to the next generation.

5   The human has evolved over the history of time. In human beings, increased brain size helped individuals to adapt better, and so brain size increased gradually in the species. Some scientists believe that humans evolved alongside the environment, and due to the size and function of the brain, humans were able to survive these environmental changes. Species that had larger brains were able to function better and were able to take in and understand new situations, which became invaluable to the survival of Homo sapiens. The human's capacity to learn language also had genetic components that were subject to natural selection.

6   Specialized adaptations to specific environments can lead, over time, to the development of subpopulations of individuals, ones who are better adapted to particular soil conditions, food sources and so on. Given enough time, these subpopulations may develop into separate species, such as with zebras and horses, living in distinct environments and not interbreeding.

1 According to paragraph 1, individuals in a population differ from one another because
  - **A** they have different successes generation by generation
  - **B** they are ill-adapted and eventually die out
  - **C** they have differences in their gene inheritance
  - **D** they want to survive and reproduce successfully

2 The word population in the passage is closest in meaning to
  - **A** species
  - **B** people
  - **C** inhabitant
  - **D** set

3 Which of the following is the synonym of offspring in the passage?
  - **A** descendant
  - **B** ancestor
  - **C** ascendant
  - **D** antecedent

4 According to paragraph 3, which of the following is true about finches in the islands of Galapagos?
  - **A** Small finches used to eat large seeds as part of their diet before the droughts.
  - **B** Finches with the largest, toughest beaks survived through the droughts.
  - **C** Finches with small and tough beaks were well-adapted in the droughts.
  - **D** Large finches were able to survive because they were tougher than small finches.

5 According to paragraph 4, which of the following is NOT true about dark moths in the 19th century in England?
- (A) There were more dark moths than whitish moths before the Industrial Revolution in London.
- (B) Soot in the air is responsible for the population change of the peppered moth.
- (C) Whitish moths became the target of food for birds because they were easily detected.
- (D) Whitish colored moths used to hide under white trees and buildings so that birds would not prey on them.

6 The word invaluable in the passage is closest in meaning to
- (A) susceptible
- (B) affordable
- (C) precious
- (D) inconceivable

7 Which of the following can be inferred from paragraph 5 about human brain size?
- (A) The human brain size increased as the environment changed.
- (B) The language helped to increase the human brain size.
- (C) Some scientists believe the human brain will even grow bigger in the future.
- (D) The human brain developed alongside the development of body size over time.

8 Which of the following is described in the passage as an example of natural selection due to human activity?
- (A) The development of subpopulations such as zebras
- (B) The increased brain size of human beings
- (C) The appearance of the dark moths in London
- (D) The changes in the population of a species of finches

9 Which of the following is NOT true about natural selection?
- (A) Natural selection favors adaptations that help a species to survive.
- (B) Natural selection eliminates new traits that are ill-adapted to the environment.
- (C) Natural selection allows helpful new traits to spread through a population.
- (D) Natural selection occurs only in periods of severe environmental disturbances.

10 On the basis of the passage, it would be most reasonable to infer that
- (A) the ancestors of horses and zebras were once members of the same species
- (B) the greatest biological change occurs in stable environments
- (C) individuals mutate when they need to adapt to a new environment
- (D) we can control population size by adapting new traits

11 What does the passage mainly discuss?
- (A) Why natural selection leads to population increase over generations
- (B) How natural selection maintains and changes the makeup of a population
- (C) Why natural selection created the large brain size in human beings
- (D) How natural selection promotes individuals who care for their offspring

12 Look at the four squares ■ that indicate where the following sentence could be added to the passage.

After droughts, natural selection worked favorably for the finch population that had stronger beaks.

Where would the sentence best fit?

13 An introductory sentence for a brief summary of the passage is provided below. Complete the summary by selecting the THREE answer choices that express the most important ideas in the passage. Some sentences do not belong in the summary because they express ideas that are not presented in the passage or are minor ideas in the passage.

In natural selection, those that are well-adapted to the environment will survive and reproduce, but those that are ill-adapted will in time die out.

Answer Choices

- (A) The size of the beaks was the reason why finches with small beaks were not able to survive in the Galapagos Islands.
- (B) During a large drought in the Galapagos Islands, finches with the largest beaks survived because they could crack large seeds while those with smaller beaks did not survive.
- (C) The dark moths in the 19th century England survived while whitish moths became scarce because they were spotted easily and eaten by birds.
- (D) Species with larger brains can understand new situations because they have the ability to understand language.
- (E) Subpopulations may develop into separate species, such as with zebras and horses, to adapt to particular environmental conditions.
- (F) The brain size in human beings helped individuals to survive environmental changes.

Passage 2 ANSWERS

パッセージについて

自然選択について，まず，自然選択の仕組みについて，そしてその例として，厳しい環境の変化で起こったガラパゴス諸島のフィンチ，人間の活動が原因で起こったロンドンの蛾，環境の変化とともに徐々に大きくなった人間の脳に関して，そして特別な土壌や食料源が原因で別の種へと発生していったシマウマと馬の例が述べられている。このようなパッセージではまず，自然選択の仕組みをしっかり把握することが大切である。そうすればその例に関する詳細な設問も解答できる。

1 正解 C

設問訳 第1段落によると，ある個体群の中で個々が異なるのはどうしてか。
ヒント 違いは何の結果によるものかを考えよう。

解説 第1段落第2文を見ると，The differences in individuals are a result of genetic inheritance from their parents.「個体差は，それぞれの個体がその両親から受け継いだ遺伝の結果によるものである」とある。つまり，それぞれの個体が両親から受け継いだ異なる遺伝子を持っている，ということから C が正解。

2 正解 A

設問訳 パッセージの population と最も意味が近いのはどれか。
ヒント population という語は，ここ以外にも出てくるのでヒントにしよう。

解説 population は「人口，住民」などの意味が一般的であるが，生物関係の用語としては「（一定の地域の）個体群，集団」を意味する語として使われる。ここでは，A species「種」と同義。

3 正解 A

設問訳 パッセージの offspring と同義なのはどれか。
ヒント produce offspring という文脈を考えよう。

解説 第1段落第3文に「個体はその両親から，survival and reproduction（生き残り繁殖）するために有利な new characteristics（新しい特性）を受け継ぐ」とある。offspring が出てくる文「survive and reproduce する個体は，その環境にさらに適応した offspring を残す傾向にある」の文脈から，親から子へ遺伝子が受け継がれる仕組みが分かる。従って，offspring の意味は「子孫」と推測できる。正解は A 。B は「祖先」，C は「優位」，D は「先例」の意。C ，D は難しい語かもしれないが，ascend は「上る」，ante- は「〜より以前の」を意味することを知っておきたい。

● Passage 2

4 正解 **B**

設問訳 第3段落によると，ガラパゴス諸島のフィンチに関して正しいものはどれか。
ヒント 第3段落にフィンチの beaks（くちばし）の大きさと種の関係が書かれている。

解説 第3文 finches with the largest, toughest beaks 以下を読むと，「干ばつ (drought) の前には餌にしていなかった大きな種（larger seeds）を食べることができたので生き延びた」とある。一方，小さくちばしを持ったフィンチは固い種を割る（crack the tough seeds）ことができなかったのである。ここから，**B** が正解。またフィンチそのものの体のサイズに関してはパッセージには書かれていないので **D** は不正解。

5 正解 **A**

設問訳 第4段落によると，19世紀イギリスにおける色の濃い蛾に関して正しくないものはどれか。
ヒント 正しい記述を消去しよう。

解説 第4段落第4文「産業革命がピークに達すると dark moths が現れ始め，lighter moths が少なくなった」ことが分かる。続く第5文以降から「大気中にはすすが満ち，かつて白かった木々や建物は黒ずんでしまい，白っぽい蛾は背景が白のものに身を隠すことができなくなってしまった結果，色の濃い蛾が出現した」と推測できるので，**B** は正しい記述。**C** は第6文の The birds therefore began to eat those easy-to-spot lighter-colored moths. から，**D** は第5文 These whitish colored moths used to camouflage 以下から正しい記述と分かる。一方，**A** は第3文に「産業革命以前は the peppered moth は白っぽい色に（whitish in color）黒い斑点があった」とあるので誤り。従って，これが正解。なお **D** の prey on 〜は「〜を餌とする」という意味。

6 正解 **C**

設問訳 パッセージの invaluable と最も意味が近いのはどれか。
ヒント 何が invaluable なのか文脈を考えよう。

解説 Species that had larger brains の文脈を考えよう。「脳が大きな種はより機能し，新しい状況を把握し，理解することができた。そしてそれは Homo sapiens の生存にとって invaluable なものとなった」という流れなので，invaluable は「非常に貴重な」という意味だと分かる。従って，**C**「貴重な」と同義。**A**「影響を受けやすい，感染しやすい」，**B**「手頃な」，**D**「考えられない，想像できない」。

7 正解 A

設問訳 人間の脳の大きさに関して第5段落から推測できるものはどれか。

ヒント 人間の脳のサイズは何が理由で大きくなったか。

解説 B「言語のおかげで人間の脳のサイズが大きくなった」や，C「人間の脳は将来もっと大きくなると信じる科学者がいる」，D「人間の脳は体の大きさとともに徐々に発達した」は，そのように推測できる文がパッセージ中にないので正解にできない。一方，第5段落第3文 Some scientists believe that humans evolved alongside the environment 以下から，A「環境が変化することで人間の脳のサイズも大きくなった」と推測できる。

8 正解 C

設問訳 人間の活動が原因で自然選択を導くことになった例としてパッセージで述べられているものはどれか。

ヒント 第4段落の whitish colored moths と dark moths の関係を考えよう。

解説 第4段落第1文に「human activity によって環境に極端な変化が起こった結果，自然選択を通じて進化した個体群もある」とあり，その後，The population of dark moths ... is an example of such case. とある。また同段落の最後から2文目にも The appearance of the dark moths was the direct cause of human activity とあるので，C が正解。また第4段落に19世紀にロンドンで産業革命 (Industrial Revolution) が起こり，町中がすすで覆われ，白っぽい moths が身を隠すことができなくなり，鳥から狙われるようになったため数が減ってしまい，その代わりに色の濃い moths が現れるようになったとあることからも C が正解であることが分かる。

9 正解 D

設問訳 自然選択に関して正しくないものはどれか。

ヒント パッセージに書いてあることを消去していこう。

解説 A は第2段落第2文，B は同段落第3文と一致する。また第4文「個体がより適応できるような新しい特性が出てきたら反対のことが起こる」の「反対のこと」というのは，eliminate「～を取り除く」と反対のこと，つまりそれを「取り入れる」という意味なので C は正しい。一方，D「自然選択はひどい環境破壊が起きるときのみ起こる」というのは誤り。第5段落の increased brain size の例や，最後の段落の zebras や horses の例からも分かるように，ひどい環境破壊が起きたときにだけ起こるわけではない。

● Passage 2

10 正解 A

設問訳 パッセージを基に推測できることは何か。

ヒント パッセージに推測できる根拠となる文がない場合は正解にできない。

解説 B，C，D は，それらを推測できる根拠となる文がパッセージ中にないので正解にできない。しかし A に関しては，パッセージの最後の文に Given enough time, these subpopulations may develop into separate species, such as with zebras and horses, とあり，ある種がその環境に適応するために zebras と horses のように，別の種を作り出すことが分かる。ということは，A 「ウマとシマウマの先祖はかつて同じ種であった」と推測できる。従って，A が正解。

11 正解 B

設問訳 このパッセージは主に何を議論しているか。

ヒント 主題に関する問題が出たらまずパッセージの第 1 文をチェック。そして次に段落ごとのトピックを考えよう。

解説 まずパッセージ第 1 文から，natural selection について書かれたものであると分かるが，パッセージ全体にも着目して，トピックを考える。最初の段落では自然選択とは「環境に適応できない個体は減少し，生存競争に生き残り，繁殖することができる個体は子孫を残すこと」が述べられている。第 2 段落では，自然選択は「環境に合わない特性を取り除いたり，環境に合う特性を取り入れたりして個体群を安定させる働きがあること」そして，第 3, 4, 5, 6 段落は自然選択の例がそれぞれ書かれている。従って，このパッセージは B 「自然選択はどのようにして個体群の構成を維持したり変えたりするか」について書かれていると分かる。

12 正解 C

設問訳 次の文の挿入箇所として，4 つの■のうち最も適切なものはどれか。
「干ばつ後，自然選択は強いくちばしを持つフィンチの個体群に好意的に働いた」

ヒント 該当箇所に 1 つ 1 つ挿入して，流れが自然かどうか考えてみよう。

解説 One example 以下は，第 1 文の例として紹介されているので，上記の文を A の後に挿入するのはおかしい。B の後は，When a large drought affected the islands of とあり，初めて干ばつの話が出てくる。従って，ここに上記の文を挿入するのもおかしい。また結論を述べている That is の文の次 D に挿入するのも論理的な文の流れにならない。一方，「例としてフィンチが挙げられる ⇒ 干ばつが起きたとき，くちばしの大きなフィンチは生き残った ⇒ しかし，くちばしが小さいものは死んでしまった」の後の C に挿入すると自然な流れとなる。従って，C が一番適切。

13 正解 Ⓑ , Ⓒ , Ⓕ

設問訳 以下はパッセージの要約の冒頭文である。パッセージの最も重要な考えを表している選択肢を3つ選んで要約を完成させなさい。選択肢の中には，パッセージに書かれていないものや，パッセージ中では詳細な事柄に関するため要約には入らないものがある。
「自然選択では，環境に適応したものは生き延び繁殖するが，適応できないものはいずれ死滅する」

ヒント 冒頭文に続く具体的な例となるものは何か。

解説 Ⓑ finches の例，Ⓒ moths の例，Ⓕ human brain size の例は冒頭文の「環境に適応したものは生き延び繁殖するが，適応できないものはいずれ死滅する」ことを支持する事例である。しかし，Ⓐ では説明が足りない。Ⓔ は自然選択されて生き延びた種や死滅したものの例ではなく，さらに Ⓓ はパッセージの内容と異なるので要約には入れられない。

全訳

自然選択

　自然選択とは，ある1つの個体群に属する個々の差異が，ある環境下で生き延び，そして繁殖する能力に影響を及ぼすという生物学的プロセスをいう。個体差とは，それぞれの個体がその両親から受け継いだ遺伝の結果によるものである。時に，個体はその両親から，その環境の中で生き残り繁殖するのに有利な新しい特性を受け継ぐことがある。新しい特性は，個体群の中で頻度が増す傾向にあるが，一方で不利な特性は頻度が減っていく。個体群の中では，生殖を妨げるような特性は，世代を重ねるたびに減少していく傾向がある。環境に適応できないものは，やがて死滅する。それに対して，生存競争に生き残り，繁殖できた個体は，その環境にさらに適応した子孫を残す傾向にある。

　ある個体が生き残り繁殖するかどうかは，その局所環境という状況において受け継いだ特性が機能する方法と直接関わってくる。自然選択はある環境下で生き延びる生物の能力を高めるような適応を好む傾向がある。突然変異と呼ばれる新しい特性が発生した場合でも，環境にうまく適応できないと自然選択によってそれを取り除くことで，生物はその個体群を安定させることができる。個体が環境によりよく適応できるような新しい特性がもたらされれば，その反対のことが起きる。時間とともにこの突然変異が個体群全体に広がっていくうちに，その種自体が変化するのである。生存と生殖の成功は，環境にうまく適応する特性を作り出す遺伝子を持っているかどうかによる。

　環境の変化，特にひどい環境破壊が起きた場合に，このような個体群全体に及ぶ遺伝子構造の変化が見られるのは普通のことである。フィンチという（鳥の）

種の個体群の変化に，その一例が見られる。ガラパゴス諸島が大干ばつの影響を受けたとき，最も大きくたくましいくちばしを持っていたフィンチが生き残った。干ばつの前には餌にしていなかった大きな種を食べることができたからだ。しかし，小さなくちばしのフィンチたちは，固い種を割ることができず，多くが生き残れなかった。干ばつ後，自然選択は強いくちばしを持つフィンチの個体群に好意的に働いた。すなわち，環境状況にうまく適応した個体群は，あまりうまく適応しなかった個体群よりも，生存と繁殖において優位だったということだ。

　他のケースでは，人間の活動によって起きた環境の極端な変化が，自然選択を通じて個体群を進化へと導く。19世紀の英国における色の濃い蛾の個体群はこのようなケースの例だ。ロンドンで産業革命が起こる前は，オオシモフリエダシャク（ビストンベチュラリア）の典型は白っぽい色に黒い斑点のあるものだった。しかし産業革命が頂点に達すると，色の濃い蛾が現れ始め，より明るい色の蛾は少なくなった。これらの白っぽい色の蛾は，鳥に食べられるのを避けるために白い木や建物を使って偽装していたが，産業革命のせいで，大気中にはすすが満ち，かつて白かった木々や建物は黒ずんできた。そのため鳥たちはそうした見つけやすい明るい色の蛾を食べるようになった。色の濃い蛾の出現は，人間の活動が直接的な原因だ。つまり，ある種が，人間が作り出した環境に適応するために，変化することを余儀なくされたのだ。生き残った種はより多くの子孫を作り，有利な特性を次の世代に伝えた。

　人間は長い時間をかけて進化してきた。人間の場合には，脳のサイズが大きくなった個体の方が環境によりよく適応できたために，種全体の脳が徐々に大きくなっていった。人間は環境と並行して進化したと考える科学者もいる。脳の大きさと機能のために，人間はこうした環境の変化を生き抜くことができたというのだ。より大きな脳を持つ種はよりよく機能し，新しい状況を把握し，理解することができた。それは人類の生存にとってすこぶる有益なことになった。言葉を覚えるという人間の知的能力にも，自然選択の影響を受ける遺伝要素があった。

　特定の環境に対して特殊な適応法が生まれると，やがてその個体群の下にもう1つの個体群，ある特定の土壌条件や食料源などに優れた適応性を示すもう1つの個体群が発生する場合がある。これらの亜個体群は十分な時間が与えられると全く別の種を作り上げることもある。シマウマと馬がその例で，この2つの種は異なった環境下に生息し，異種交配することはない。

Passage • 3

Contributions of Genetic Engineering

1   The term "genetic engineering" may conjure images of scientists in lab coats tinkering with DNA, but it is a practice humans have been using for thousands of years, beginning with selective breeding of plants and animals, a technique still in use. In selective breeding, humans breed other animals and plants for particular traits to improve the efficiency of production in agriculture and farming. **A** Only those plants or animals with desirable characteristics are chosen for further breeding. The practice of animal breeding dates back to the Neolithic period (approximately 7000 BC) when people attempted to domesticate wild species such as caribou, goats, hogs and dogs. Cattle and pigs were first domesticated about 8,000 years ago, and through selective breeding, have become main sources of meat for humans. **B** Plant breeding initially started when early farmers selected varieties of plants with particular desirable characteristics and used these as seed sources for subsequent generations. This resulted in an accumulation of characteristics over time. **C** For instance, selective breeding of corn for more nutrition began around 7,000 years ago, resulting in healthier ears of corn that yielded more and bigger kernels. More recently, the selective breeding of wheat and corn has led to higher yields, enabling farmers to feed more and more people. **D**

2   Another form of genetic engineering is hybridization, where members of two different species are bred in an effort to produce a new creature with the most desirable characteristics of both. A good example of this is the mule, a hybrid of two different varieties, a mare and a jack. For at least 3,000 years, female horses have been bred with male donkeys to produce mules for use as work animals. The mule has the stamina and surefootedness of a donkey, and the strength of a horse. Mules are also said to be more patient and long-lived than horses, and less obstinate and faster than donkeys. Hybrid species of plants are a lot more common than animals. For several thousand years, farmers have been altering the genetic makeup of the crops they grow for faster growth, larger seeds, and sweeter fruits.

3   In the past few decades, a new technique known as recombinant DNA has

revolutionized the field of genetic engineering. This technique, also known as gene splicing, involves the direct alteration of DNA. In gene splicing, genes from one organism are introduced to a second, which incorporates the DNA into its own genetic material. The recombined DNA has characteristics of both organisms. This new DNA can provide benefits for the organism. This technique has transformed modern food production, and has been effective in combating damage done by harmful viruses. When a plant or animal is threatened by a particular virus, DNA from another creature that is unaffected by that virus can be spliced into the threatened creature's DNA. Genetically engineered crops are also created to be resistant to harsh environmental conditions such as unseasonably cold or dry weather that can completely destroy unmodified crops. They are also resistant to the damage that insects and other pests could do to crops. For example, scientists have engineered certain crops such as potatoes and strawberries to be resistant to cold and frost, and modified other crops to repel insects that would otherwise devour them. Similar work has been done with animals as well. For example, a gene from a trout has been injected into the DNA of carp eggs, resulting in a creature that produce growth hormones of both types of fish and grow to be significantly larger than non-modified fish. This was developed to increase the speed of development and reduce fishing pressure on wild stock. Goats have been genetically engineered to produce milk with strong silk proteins in their milk. In 2011, dairy cows were genetically engineered with the genes of human beings for producing milk that would be the same as human breast milk.

4   There are controversies around genetically modified organisms (GMOs) in several areas. These include whether making GMOs is ethical, and whether food produced with them is safe. The controversy comes from the potential side effects that the technology can inflict upon human beings who use genetically modified products or upon the environment. However, the technology is recognized as one that improves the quality, quantity, and availability of food in the world. The leaders of the research teams who originated the technology were awarded with the World Food Prize on June 19, 2013 for their contributions.

1 According to paragraph 1, which of the following is NOT the reason for selective breeding?
- (A) To make the production in agriculture and farming more efficient
- (B) To use wild species such as caribou, goats, hogs, and dogs for hunting
- (C) To use seed sources with desirable characteristics for subsequent generations
- (D) To make more nutritional and bigger plants

2 The word yields in the passage is closest in meaning to
- (A) assets
- (B) inputs
- (C) harvests
- (D) expenditures

3 In paragraph 2, what is the author's purpose in mentioning mules?
- (A) To illustrate how hybridization originated
- (B) To explain the characteristics of hybrid species
- (C) To show which animal was created through hybridization
- (D) To discuss why donkeys and horses can be combined to produce a hybrid

4 According to paragraph 2, the following are characteristics of donkeys EXCEPT
- (A) having stamina
- (B) being surefooted
- (C) being obstinate
- (D) being fast

5 The word incorporates in the passage is closest in meaning to
- (A) combines
- (B) conceals
- (C) corrupts
- (D) convenes

6 According to paragraph 3, which of the following is NOT mentioned about recombinant DNA?
- (A) Frost-resistant strawberries
- (B) Crops that are resistant to viruses
- (C) Crops that can survive extreme weather
- (D) Animals resistant to insect attacks

7 The word transformed in the passage is closest in meaning to
- (A) exceeded
- (B) constructed
- (C) revolutionized
- (D) mutated

8 What is the main idea of paragraph 4?
- (A) Genetic engineering will have side effects on people who eat genetically modified food.
- (B) Genetic engineering have saved people by making food more available in the world.
- (C) There remain controversies about the ethics and safety of genetically modified organisms.
- (D) The World Food Prize was awarded to a group of researchers who developed the technology.

9 According to paragraph 4, which of the following is NOT true about genetic engineering?
- (A) People are concerned if making GMOs is ethical.
- (B) Food produced with GMOs is now proved to be safe.
- (C) GMOs may have side effects on human beings.
- (D) The technology may inflict some damage on the environment.

10 Why does the author mention the World Food Prize in paragraph 4?
- Ⓐ To show that the author is for the genetic engineering research
- Ⓑ To support the author's statement that genetic engineering is widely recognized
- Ⓒ To persuade readers that genetic engineering does not damage the environment
- Ⓓ To explain there are more supporters of genetic engineering technology

11 Why does the author divide the passage into four paragraphs?
- Ⓐ To compare the benefits of four different kinds of genetic engineering
- Ⓑ To show why one genetic engineering technique is better than others
- Ⓒ To list three techniques, and explain the issues of the third
- Ⓓ Because each paragraph narrates a portion of genetic engineering history

12 Which of the following can be inferred about genetic engineering?
- Ⓐ The old genetic engineering technique is no longer used today.
- Ⓑ Ancient people were also concerned about improving the efficiency of food production.
- Ⓒ Plant breeding started by chance when early farmers were planting varieties of plants.
- Ⓓ Cattle and pigs were main sources of meat for humans when farmers first started domesticating them.

13 Look at the four squares ■ that indicate where the following sentence could be added to the passage.

Similarly, dogs and horses have been selectively bred for thousands of years for work and recreational purposes.

Where would the sentence best fit?

14 Which of the following is NOT a description of recombinant DNA?

- (A) Genes of an organism are introduced to a second organism.
- (B) It transforms plant and animal food production by combining two different varieties.
- (C) When one plant becomes resistant to a particular virus, its gene can be taken to be transferred to another plant.
- (D) It is a technique that can directly make alterations to genes.

Passage ● 3　ANSWERS

パッセージについて

今回のパッセージは遺伝子工学に関して書かれたものである。人類は農業や牧畜の生産性を高めるために長い歴史を通して，選択育種（selective breeding）や交配（hybridization）を行ってきたこと，そして今日，組み換え DNA（recombinant DNA）という技術を使って，ウイルスに強い作物や，悪天候という環境でも生き延びられる作物の開発を行い，品質，量とともに生産性を高めているが，一方で，この方法は倫理や安全性，環境への配慮などの点で論争の的になっていることが書かれている。パッセージは 4 段落構成になっていて，それぞれ歴史を追って遺伝子工学の技術を解説しているので，それぞれの技術がどういうもので，その技術からどのような新品種が開発されたかを整理しながら読むようにしたい。

1　正解　Ⓑ

設問訳　第 1 段落によると，選択育種をする理由ではないものはどれか。
ヒント　selective breeding をするようになった理由を考えよう。

解説　Ⓐ に関しては第 2 文に to improve the efficiency of production in agriculture and farming，Ⓒ に関しては，段落後半 Plant breeding initially started 以下，Ⓓ に関しては最後から 2 文目 For instance, selective breeding of corn 以下に書かれている。しかし，Ⓑ 「カリブー，ヤギ，豚，犬などの野生動物を狩りに使うため」というのは selective breeding をする理由ではない。従って，Ⓑ が正解。

2　正解　Ⓒ

設問訳　パッセージの yields と最も意味が近いのはどれか。
ヒント　「小麦とトウモロコシの選択育種が higher yields をもたらした」という文脈を考えよう。

解説　yields という語は，the selective breeding of wheat and corn has led to higher yields, enabling farmers to feed more and more people という文に出てくる。higher yields がますます多くの人々を養うことを可能にしているのだから，Ⓒ 「収穫」が正解。Ⓐ 「資産」，Ⓑ 「入力，投入」，Ⓓ 「消費，支出額」。

● Passage 3

3 正解 C

設問訳　第2段落で筆者がラバについて述べている目的は何か。
ヒント　A good example とあるが，何の good example か考えよう。

解説　ラバは，第2段落第1文にあるように，members of two different species（2つの異なった種＝ここでは雌馬と雄ロバ）が the most desirable characteristics of both（両方の最も好ましい特性）を掛け合わせてできた動物の例として挙げられている。それを示しているのは C 「どの動物が交配を通して作られたかを示すため」で，これが正解。A 「交配がどのように始まったかを説明するため」や，B 「交配種の特性を説明するため」，D 「どうしてロバと馬が交配種として掛け合わせることができるか議論するため」ではない。

4 正解 D

設問訳　第2段落によると，ロバの特性でないものはどれか。
ヒント　第2段落第4文 The mule 以下を読んで，ロバの特性を整理しよう。

解説　第2段落第4文の The mule has 以下から A と B はロバの特性だと分かる。また，第5文に Mules are ... less obstinate and faster than donkeys とあるので，ここからロバは obstinate（頑固な）で slow であることが分かる。D 「速いこと」はこの記述と一致しないのでこれが正解。surefooted は「足元のしっかりした」。

5 正解 A

設問訳　パッセージの incorporates と最も意味が近いのはどれか。
ヒント　直前の introduced の意味を考えよう。

解説　incorporates A into B という表現と，直前の「ある生物の遺伝子が，別の生物に introduce される」という文脈から，incorporate は combine の意味であることが推測できる。従って，正解は A 。

6 正解 D

設問訳　第3段落によると，組み換え DNA として述べられていないものはどれか。
ヒント　組み換え DNA の例をチェックして，選択肢から消去していこう。

解説　A は第3段落半ばの For example, scientists have engineered 以下に，B は第6文 This technique has transformed と第7文に，C は第8文の Genetically engineered crops are also created 以下に，recombinant DNA の例として挙げられている。しかし insect attacks に耐性のある動物に関しては言及されていない。従って D が正解。

7 正解 Ⓒ

設問訳 パッセージの transformed と最も意味が近いのはどれか。

ヒント This technique has transformed の This の表していることは何か。

解説 This technique とは recombinant DNA, すなわち,「genes from one organism are introduced to a second の結果, この second organism がその DNA を自分の遺伝物質に組み込むこと」である。これが現代の食料生産を様変わりさせ, 有害なウイルスによる被害を防ぐのに効果があるのだから, transform は「~を大きく変える」というような意味になると推測できる。最も意味の近い語は Ⓒ revolutionize「~に改革を起こす」。Ⓐ exceed「~を超える」, Ⓑ construct「~を建設する」, Ⓓ mutate「~を突然変異させる」。

8 正解 Ⓒ

設問訳 第4段落の主旨は何か。

ヒント 第1文を丁寧に読もう。

解説 段落の主旨 (main idea) は第1文に書かれることが多い。第4段落第1文に「遺伝子組み換え生物に関しては (倫理の問題と安全性において) 議論が起きている」とある。従って, 正解は Ⓒ。Ⓐ「遺伝子工学は, 遺伝子組み換え食品を食べた人に副作用をもたらす」というのは, この主旨を支持する1つの可能性として述べられている事例。Ⓑ「遺伝子工学は, 食物を世界でより入手しやすくすることで人々を救った」とは書かれていない。また, Ⓓ「この技術を発展させた研究者のグループに世界食糧賞が授与された」は段落の中心的な主張ではない。

9 正解 Ⓑ

設問訳 第4段落によると, 遺伝子工学について正しくないものはどれか。

ヒント 遺伝子工学に関する問題を1つ1つ確認しよう。

解説 Ⓐ は第2文, Ⓒ と Ⓓ は第3文に述べられているので正しい記述。しかし, Ⓑ「GMO により生産された食品は安全であると証明された」は第2文と反するので正しくない。

10 正解 Ⓑ

設問訳 筆者が第4段落で世界食料賞について言及しているのはなぜか。

ヒント World Food Prize については第4段落最終文にある。1つ前の文に着目しよう。

解説 筆者は最後から2文目で, However, the technology is recognized as one that improves the quality, quantity, and availability of food in the world. と遺伝子工学の技術が世界で認められていることを述べている。最後の文は, その主張を裏付ける証拠 (supporting fact) として述べられている。従って, Ⓑ が正解。

● Passage 3

11 正解 C

設問訳 筆者がパッセージを4つの段落に分けているのはなぜか。

ヒント それぞれの段落は何について述べられているか確認しよう。

解説 第1段落ではまず導入として，人類は何千年にもわたって遺伝子操作を行ってきたことが述べられている。そして現在も使われている最初の技術として，「selective breeding（植物や動物などを選択的に栽培・飼育すること）について」説明している。第2段落では，遺伝子工学の別の例として「hybridization（植物や動物の掛け合わせ：交配）について」，第3段落では「recombinant DNA，別名 gene splicing について」，この方法が食料生産を大きく変え，有害なウイルスによる被害を防ぐのに役立っていることが述べられている。最後の第4段落では，遺伝子組み換えの生物（GMO）に関しては，倫理の問題や安全性の問題，環境への影響など，賛否両論であることが述べられている。従って，筆者はこのパッセージで，C「（遺伝子工学の）3つの技術を述べ，3つ目の問題について述べるため」に段落を4つに分けている。従って，C が正解。

12 正解 B

設問訳 遺伝子工学に関して推測できることはどれか。

ヒント 推測できると判断できる文がパッセージにあるか確認しよう。

解説 A「古い遺伝子工学の技術は現在ではもはや使われていない」，C「植物の育種は，初期の農家の人たちが様々な植物を植えていたとき，偶然に始まった」，D「牛や豚は初めて家畜化されてから人間の主な食肉だった」と推測できる文はパッセージ中にない。一方，B「古代の人々も食物の生産効率を高めることに関心があった」というのは，第1段落前半に新石器時代の人々は動物を家畜化して選択育種したこと，また第1段落後半 For instance 以下に，トウモロコシの栄養価を高め，実を大きくし，量を増やすことを 7,000 年前に行っていたという記述があることから，推測できることである。

13 正解 B

設問訳 次の文の挿入箇所として，4つの■のうち最も適切なものはどれか。
「同様に，犬や馬は労働や娯楽の目的で何千年もの間，選択的に飼育されてきた」

ヒント Similarly 以下と同じ内容を表している部分をパッセージ中から探そう。

解説 「同様に，犬や馬は…」とあるので，犬や馬と同様の動物について書かれている部分を探すと，Cattle and pigs were 以下に「牛や豚は，選択育種によって人間にとって最大の食用肉となっている」とある。この後であれば「同様に，犬や馬は…」という文とつながるので，ここに入れるのが一番ふさわしい。従って，B が正解。

14 正解 Ⓑ

設問訳 組み換え DNA の説明でないものはどれか。

ヒント recombinant DNA の説明はどれか，1つずつチェックしよう。

解説 recombinant DNA については第 3 段落に書いてある。Ⓐ は第 3 文，Ⓒ は第 7 文，Ⓓ は第 2 文にあるとおり。Ⓑ は by combining two different varieties とあるが，これは hybridization の技術で遺伝子組み換えではない。従って，Ⓑ が正解。

全訳

遺伝子工学の貢献

「遺伝子工学」という言葉は，白衣を着た科学者たちが DNA を操作している姿を連想させるかもしれないが，それは人間が何千年もの間，実践してきたものである。遺伝子工学は，植物や動物の選択育種から始まったが，これは現在でも使われている技術である。選択育種では，人間は他の動物や植物の特定の形質を品種改良して，農業や飼育における生産効率を改善する。人間にとって好ましい特性を持った植物や動物だけが，さらなる育種の対象となるのである。動物の飼育は人間がカリブー，ヤギ，豚，犬などの野生種を飼いならそうと試みた新石器時代（およそ紀元前 7000 年）にさかのぼる。牛や豚は，およそ 8,000 年前に初めて家畜化され，選択育種を通して，人間にとって最大の食用肉となっている。同様に，犬や馬は労働や娯楽の目的で何千年もの間，選択的に飼育されてきた。植物の栽培は，初期の農家の人たちが特定の好ましい特性を持った様々な植物を選び，これらを次の世代のための種子源として使ったのが始まりだった。これが，長年のうちに特性を蓄積するという結果をもたらした。例えば，より栄養価の高いトウモロコシの選択育種は約 7,000 年前に始まった。その結果，穀粒の多いものと大きいものを産出する健康的なトウモロコシになった。もう少し最近では，小麦とトウモロコシの選択育種がより多くの収穫をもたらし，農家の人たちがますます多くの人を養うことを可能にしている。

遺伝子工学のもう 1 つの形が，交配である。これは，2 つの異なった種を交配させて，両方の最も好ましい特性を持った新しい生物を作り出そうというものである。このよい例が，異なる 2 つの種，雌馬と雄ロバの交配種，ラバである。人は，少なくとも 3,000 年前から，雌馬と雄ロバを交配させることで，使役動物としてのラバを作り出してきた。ラバはロバのスタミナと確かな足取り，そして馬の強さを持つ。ラバはまた，馬よりも辛抱強く長命で，ロバよりも頑固ではなく脚が速いと言われている。植物の交配種は，動物よりもずっと一般的だ。数千年の間に，

農家の人たちはより早い成長，より大きな種，より甘い果実を求めて，育てる作物の遺伝子構造を変えてきた。

　過去数十年間，組み換えDNAとして知られる新しい技術が，遺伝子工学の分野に大革命をもたらしている。遺伝子組み換えとしても知られるこの技術では，DNAに直接手を加える。遺伝子組み換えでは，ある生物の遺伝子を別の生物に導入し，その生物がそのDNAを自らの遺伝物質に組み込む。組み換えDNAでは両方の生物の特性を併せ持つ。この新しいDNAは生物にメリットをもたらすことがある。この技術のおかげで，現代の食料生産は様変わりしており，有害なウイルスによる被害を防ぐのに効果がある。ある植物や動物が特定のウイルスによって脅かされている場合，そのウイルスに影響されない別の生物のDNAを脅かされている生物のDNAに挿入することができる。遺伝子操作された作物はまた，操作していない作物を完全にだめにしかねない途方もない寒さや乾燥した気候といった厳しい環境条件に耐えるように作られている。そうした作物は，昆虫やその他の害虫が作物に与えかねない被害にも耐性がある。例えば，科学者たちはジャガイモやイチゴなど特定の作物を操作して，寒さや霜に耐性を持たせてきた。また，作物を死滅させかねない昆虫を寄せ付けないようにその他の作物を改良してきた。同様のことが動物でも行われてきた。例えば，マスの遺伝子をコイの卵のDNAに注入した結果，両方の種類の魚の成長ホルモンを生産できるようになり，改良されていない魚に比べてかなり大きく成長する生物が作り出された。これは発育速度を増し，野生の種が捕獲されることへのプレッシャーを減らすことへと発展した。ヤギは乳の中に強い絹タンパク質を含むミルクを出すように遺伝子操作されている。2011年には，乳牛が人間の母乳と同じ成分の乳を出すために人間の遺伝子で遺伝子操作された。

　いつくかの分野の遺伝子組み換え生物（GMO）に関しては，様々なところで論議が起きている。その中には，遺伝子組み換え生物を作り出すことが倫理にかなっているかどうか，遺伝子組み換え生物で作り出された食品が安全かどうかも含まれる。その技術が，遺伝子操作された製品を使う人間や環境に，副作用を負わせることになるかもしれないというところから，議論は起こっている。しかし，遺伝子操作技術は，世界中の食品の質，量，入手のしやすさを改良するものとして認められている。遺伝子操作技術を始めた調査チームの指導者たちは，その功績に対して，2013年6月19日，世界食料賞を贈られた。

Passage 4

The Development and Influence of Behaviorism

1   Behaviorism is a movement in psychology that calls for the use of careful experimental scientific techniques to study behavior (or responses) in relation to the environment (or stimulus). Behaviorism was first developed in the 20th century by American psychologist John Watson. Watson said that people's inner experiences and feelings are not observable and so cannot be scientifically studied. To make psychology scientific, Watson developed the Stimulus-Response Theory, which said that all behavior, including our emotions and habits, are made up of simple muscular and glandular elements, both of which can be observed and measured. According to behaviorism, behavior can be studied systematically without regard to internal mental states such as cognitions and emotions, which are very subjective.

2   Watson believed that behaviors could also be trained, and therefore, changed. Watson, thus, writes in his now classic book, *Behaviorism* (1930), "Give me a dozen healthy infants, well-formed, and my own specified world to bring them up in and I'll guarantee to take any one at random and train him to become any type of specialist I might select — doctor, lawyer, artist, merchant-chief and, yes, even beggar-man and thief, regardless of his talents, penchants, tendencies, abilities, vocations, and race of his ancestors."

3   Behaviorism claims that all behaviors are acquired through conditioning. Conditioning occurs through interaction with the environment, and our behaviors are shaped by how we respond to the environment. There are two major types of conditioning. One is classical conditioning, which was first described by Ivan Pavlov, a Russian physiologist. This is a technique used in behavioral training. In his famous experiment, Ivan Pavlov noticed a dog began to salivate in response to a tone after the sound had been repeatedly paired with the presentation of food. Pavlov realized that this was a learned response. Many dog trainers, for example, use classical conditioning techniques to help people train their pets. The other is operant conditioning. This is a method of learning that occurs through rewards and punishments for behavior. In an example of dog training, a trainer may give a dog rewards such as food if it successfully chases and fetches a ball. However,

if the animal fails to retrieve the ball, the trainer withholds the praise. In a classroom setting, a teacher may use operant conditioning by giving stickers as rewards for answering questions correctly.

4   Watson's theory inspired a tremendous increase in research on how humans and animals learn from their infancy to early childhood. Research, particularly between 1920 and mid-century, greatly improved our understanding of how various kinds of behavior are developed and maintained. After 1950, this knowledge was used extensively in behavior modification programs. One important application was in behavior therapy, which treats troubled adults and children with behavior disorders. It is a type of psychotherapy that focuses on changing unwanted behavior based on the principles of classical and operant conditioning. Behavior therapy developed behavior management techniques for autistic children, and people with phobias or anxiety problems.

5   Another application was in improving teaching and training methods in schools, the military, business and industry. This has come to be used very widely today. For example, positive reinforcement is used in organizational training to change behaviors of employees to be more efficient in job performance. **A** Teachers also use behavior change techniques to discipline students. **B** Teachers give positive reinforcement for good conduct by approving, encouraging, and complimenting students, but if the students have conduct problems, the teachers may punish the students. **C** Reinforcement and punishment can be equally effective in reducing aversive behaviors in the classroom, but reinforcement is by far more effective in helping students to develop the desired behavior. **D** It is important to always begin with a number of reinforcement strategies before resorting to punishment. In general, a ratio of five compliments for every one complaint is said to be effective in modifying behavior in a desired manner.

6   Behaviorism has continued to influence modern psychology. It has emphasized the importance of the environment for an individual's development. It has created research methods, which can be used to study individuals, and it has had a lasting effect on psychology in its use of behavioral concepts to solve practical problems.

1 The phrase calls for in the passage is closest in meaning to
- Ⓐ forecasts
- Ⓑ shouts
- Ⓒ cancels
- Ⓓ demands

2 According to Watson's Stimulus-Response Theory in paragraph 1, what can be observed?
- Ⓐ Stimuli and responses
- Ⓑ Our emotions and habits
- Ⓒ Muscular and glandular elements
- Ⓓ Learning by humans and animals

3 Why does Watson list up varieties of professions in his quote in paragraph 2?
- Ⓐ To show abilities, personalities and race do not matter
- Ⓑ To show examples of professions he wants to train
- Ⓒ To show that he can produce any profession
- Ⓓ To show that he is a capable person

4 According to paragraph 2, whom does Watson claim to be able to raise into any kind of professional?
- Ⓐ a specialist
- Ⓑ an ancestor
- Ⓒ a beggar
- Ⓓ an infant

5 The word withholds in the passage is closest in meaning to
- Ⓐ releases
- Ⓑ exposes
- Ⓒ discloses
- Ⓓ refuses

● Passage 4

6 According to paragraph 4, the following are influences of Watson's theory EXCEPT
  (A) more research on how humans learn from their infancy to early childhood
  (B) better understanding of how behaviors are developed and maintained
  (C) the application to behavior modification programs
  (D) the number of patients who are treated with behavior therapy

7 The word aversive in the passage is closest in meaning to
  (A) unsatisfactory
  (B) undesirable
  (C) compassionate
  (D) responsive

8 Who noticed that a dog would salivate when it heard a sound just before it received food?
  (A) a dog trainer
  (B) Ivan Pavlov
  (C) John Watson
  (D) another dog

9 Which of the following is NOT mentioned in the passage?
  (A) How people's thinking patterns change over time
  (B) Effective ratio of reinforcement and punishment in behavior modification
  (C) Techniques to make education more successful
  (D) Behavior therapy to help people with psychological problems

10 Which of the following can be inferred about behaviorism from the passage?
- Ⓐ In 1920, behaviorism began to seriously apply theory to practical problems.
- Ⓑ Behaviorism teaches people how to make their emotions and feelings more scientific.
- Ⓒ Before 1950, the main effect of behaviorism was to inspire research into learning.
- Ⓓ Behaviorism had little effect on psychology outside the United States.

11 Which of the following is the author's main purpose in writing this passage?
- Ⓐ To compare and contrast the influences of classical and operant conditioning
- Ⓑ To explain the history of behavioral psychology and Watson's contribution
- Ⓒ To examine the validity and effects of experimental scientific studies in psychology
- Ⓓ To show how behaviorism contributed to understanding human behavior

12 Select the appropriate sentences from the answer choices and match them to the type of the psychological study to which they relate. TWO of the answer choices will NOT be used.

Classical conditioning	Operant conditioning
•	•
•	•
	•

Answer Choices
- Ⓐ Students are given a sticker if they answered correctly.
- Ⓑ A Russian physiologist, Ivan Pavlov, first described this type of conditioning.
- Ⓒ The mechanism of learning between humans and animals is different.
- Ⓓ This is a method that uses rewards and punishment.
- Ⓔ A trainer may give a dog food if it successfully chases and fetches a ball.
- Ⓕ Dogs learned to associate a tone with food.
- Ⓖ Behavior is studied with regard to inner feelings.

13 Look at the four squares ■ that indicate where the following sentence could be added to the passage.

They may use the technique for classroom management.

Where would the sentence best fit?

14 An introductory sentence for a brief summary of the passage is provided below. Complete the summary by selecting the THREE answer choices that express the most important ideas in the passage. Some sentences do not belong in the summary because they express ideas that are not presented in the passage or are minor ideas in the passage.

Behaviorism is the belief that the scientific study of the mind should be based only on people's behavior.

Answer Choices

- (A) Watson believed that people's inner experiences and feelings are not observable and so can't be scientifically studied.
- (B) Behaviorism calls for the use of experimental scientific techniques to study behavior in relation to the environment.
- (C) One important application was in behavior therapy which treats troubled adults and children with behavior disorders.
- (D) Research improved our understanding of how various kinds of behavior are developed and maintained.
- (E) Behaviorism has emphasized the importance of the environment for an individual's development.
- (F) There have also been detailed studies on the effects of punishments on human and animal behavior.

Passage ●4　ANSWERS

パッセージについて

今回のパッセージは心理学のアプローチの1つである「行動主義」(behaviorism) に関して、これがどのように台頭したか、この分野の発達に貢献した学者 (Watson や Pavlov) の考えとともに、行動主義が行動療法 (behavior therapy)、行動修正 (behavior modification) などに応用されていることを紹介している。なお、行動主義は「感情」に依拠せず、「行動」を科学的に研究し、人や動物の行動も条件付けによって変える（学習させる）ことができるとする考えのこと。

1 正解 D

設問訳 パッセージの calls for と最も意味が近いのはどれか。
ヒント 文脈をヒントに考えよう。

解説 call for ～は「～を要求する」という意味の熟語で、D demand と同じ意味。A「～を予測する」、B「叫ぶ」、C「～を取り消す」。

2 正解 C

設問訳 第1段落のワトソンの刺激・反応の理論では、何を観察することができるか。
ヒント 第1段落第4文を確認しよう。

解説 第1段落第4文に、all behavior ... are made up of simple muscular and glandular elements, both of which can be observed and measured とある。ここの both of which は、and both of them と置き換えることができる。both of them can be observed の them が何を指しているかを考えると、both = 2つのもの、すなわち直前の muscular and glandular elements である。従って、正解は C。

3 正解 C

設問訳 第2段落の引用文の中で、ワトソンはなぜ様々な職業を挙げているのか。
ヒント ワトソンの基本的な主張は何かを考えよう。

解説 第2段落では第1文にあるように「行動は訓練をして変えることができる」という Watson の考えが述べられている。Watson は、人の行動は訓練次第で「いかようにも変えることができる」ことを主張するために具体的にいろいろな職業を挙げて、「どんな子供でも健康であれば、自分が思うように訓練し、医者であろうが法律家であろうが、乞食や泥棒にだってすることができる」と述べているのである。従って、C「どのような職業にでもすることができることを示すため」が正解。

●Passage 4

4 正解 D
設問訳 第2段落によれば，ワトソンは誰をどんな専門家にも育て上げることができると主張しているか。

ヒント 第2段落 Give me 以下，I'll guarantee to take any one at random の one の指すものは何か考えよう。

解説 Watson は，著書の中で，Give me a dozen healthy infants ... and I'll ... take any one at random and train him to become any type of specialist と述べている。つまり，a dozen healthy infants を与えてくれたら，その中のどの子供でも無作為に選択して，その子をどんな専門家にも育てることができる，と言うのである。従って，正解は D。

5 正解 D
設問訳 パッセージの withholds と最も意味が近いのはどれか。

ヒント この文は，前文の反対の場合を述べている文脈であることから考えよう。

解説 問題となっている箇所の前文には，犬の訓練として，犬が投げたボールをきちんと持ってくれば a trainer may give a dog rewards such as food とある。もしボールを持って来られなかったら，訓練士は褒美を「withhold する」のだから，「お預けにする」，つまり refuse「~を拒否する」で，D が正解。A 「~を解放する」，B 「~をさらす」，C 「~を公表する」。

6 正解 D
設問訳 第4段落によると，ワトソンの理論の影響によらないものはどれか。

ヒント 第4段落に Watson's theory inspired a tremendous ... とある。

解説 第4段落を読んで，Watson の理論による影響を選択肢の中から消去していこう。まず，A は第1文 inspired 以下，B は第2文 greatly improved 以下，C は第3文 After 1950，以下から，Watson の理論が影響を与えたことであると分かる。一方，D 「行動療法で治療を受けた患者の数」は Watson の理論が影響しているものではない。従って，D が正解。

7 正解 B
設問訳 パッセージの aversive と最も意味が近いのはどれか。

ヒント 問題となっている文の前文を参照しよう。

解説 前文には，if the students have conduct problems, the teachers may punish the students とあり，「強化と罰は，教室内での aversive behaviors を減らすのに同じように効果がある」というのだから，aversive behaviors は「よくない行動」であると推測がつく。正解は B 「望ましくない」。A 「不十分な」，C 「哀れみ深い」，D 「反応する」。

8 正解 Ⓑ

設問訳 犬は餌を与えられる直前に音を聞かされると唾液を出すことに気がついたのは誰か。
ヒント 犬を使った実験を行ったのは誰か。

解説 第3段落の中程に，In his famous experiment, Ivan Pavlov noticed a dog began to salivate in response to a tone after the sound had been repeatedly paired with the presentation of food. とある。従って，正解は，Ⓑ「イワン・パブロフ」。この文で，In his famous experiment の his は Ivan Pavlov を指しているが，このように，代名詞は指しているものがその後ろにくる場合もあるので，覚えておきたい。

9 正解 Ⓐ

設問訳 パッセージで述べられていないものはどれか。
ヒント 選択肢を1つ1つ確認して，述べられているものを消去しよう。

解説 Ⓑ は第5段落最終文 In general 以下に，Ⓒ は第5段落第1文 Another application was in improving teaching 以下に，そして Ⓓ は第4段落第4文 One important application was in behavior therapy 以下に述べられている。しかし Ⓐ は述べられていない。

10 正解 Ⓒ

設問訳 パッセージから行動主義について推測できるものはどれか。
ヒント 推測できない選択肢を消去していこう。

解説 Ⓐ，Ⓑ，Ⓓ に関しては，そのように推測できる根拠となる文がパッセージ中にない。Ⓒ に関しては，第4段落にあるように，Watson's theory（＝行動主義）は，人間の行動に関する多くの研究をもたらした。つまり，1920年〜1950年に人間の行動に対する理解（すなわち，人間はどのように学習するか）が深まり，1950年以降は，この知識が行動修正プログラムに広く使われるようになった，というのである。ここから Ⓒ「1950年以前は，行動主義の主な影響は学習に関する研究を引き起こしたことだった」と推測できる。

11 正解 Ⓓ

設問訳 筆者がこのパッセージを書いた主な目的はどれか。
ヒント 最後の段落をよく把握しよう。

解説 筆者はパッセージの中で，Ⓐ「古典的条件付けとオペラント条件付けの影響に関して比較・対照する」ことはしていない。また Ⓑ「行動主義心理学の歴史や Watson の貢献を説明する」ことがこのパッセージの目的ではない。さらに，Ⓒ「心理学における実験的な科学的研究の妥当性と効果を調査する」ということもしていない。一方，Ⓓ「行動主義が人間の行動を理解するのにいかに貢献したかを示す」はパッセージで一貫して述べられていることなので，これが正解。

● Passage 4

12 正解 Classical conditioning：Ⓑ，Ⓕ　Operant conditioning：Ⓐ，Ⓓ，Ⓔ

設問訳　以下のそれぞれの心理学の研究に関する記述と一致する文を選択肢から選べ。選択肢のうち2つは使わない。

ヒント　第3段落を整理しよう。

解説　Classical conditioning を表しているのは，Ⓑ「ロシアの生理学者，イワン・パブロフが最初にこの条件付けを説明した」と Ⓕ「犬が音と食べ物を結びつけることを学んだ」。Operant conditioning を表しているのは，Ⓐ「生徒は正解したらシールをもらえる」，Ⓓ「これは報酬と罰を使う方法である」，Ⓔ「犬がうまくボールを追いかけて取ってきたら，訓練士は餌を与える」。一方，Ⓒ「人間と動物の学習メカニズムは異なる」，Ⓖ「行動は内的感情との関連で研究される」はどちらにも該当しない。

13 正解 Ⓑ

設問訳　次の文の挿入箇所として，4つの■のうち最も適切なものはどれか。
「彼らはクラス運営にこの手法を使うことがある」

ヒント　クラス運営が必要なのはどういう人か，文頭の They の指すものは何か，さらに the technique が指しているものは何かを考えよう。

解説　第5段落は，冒頭に behaviorism の応用例として，teaching and training methods in schools, the military, business and industry の改善について述べられている。また，該当の文には，classroom management とある。classroom management をするのは「教師」であるから，They が指すものは「教師」で，「教師」が主語になっている文の後に該当の文が続くのが望ましい。選択肢ではⒷかⒸがこれに当たるが，Ⓑの後の，Teachers give positive reinforcement という文は，よい行動をすれば褒めたりして正の強化（positive reinforcement）を与えるが，問題行動があれば生徒に罰を与える，ということが説明されている。これは教師が「クラス運営」するために行っている具体的な例である。従って該当の文は，この前に入れるのが適切なので，正解はⒷ。つまり，「教師は生徒をしつけるために行動変化の手法を使う」⇒「彼らはクラス運営にこの手法を使う」（該当の挿入文）⇒「つまり，よい行動は強化し，問題行動をした場合は罰を与える」という流れとなる。

14 正解 Ⓑ，Ⓓ，Ⓔ

設問訳　以下はパッセージの要約の冒頭文である。パッセージの最も重要な考えを表している選択肢を3つ選んで要約を完成させなさい。選択肢の中には，パッセージに書かれていないものや，パッセージ中では詳細な事柄に関するため要約には入らないものがある。
「行動主義は，心の科学的研究は人の行動にのみ基づいて行われるべきとする考えである」

ヒント　パッセージのキーポイントとなる記述はどれか。

解説　6つの選択肢の中で，行動主義の中心的な概念（main idea）を表しているのは Ⓑ「行動主義は環境との関係で行動を研究するために実験的な科学的手法を使うことを要求する」，Ⓓ「研究は様々な行動がどのように発展，そして維持されるのかに関して我々の理解を向上させた」，Ⓔ「行動主義は個人が成長するのに環境が重要であることを強調している」。Ⓐ，Ⓒ，Ⓕ はそれらの詳説（supporting details）である。

全訳

行動主義の発展と影響

　行動主義とは心理学の動きの1つで，環境（または刺激）との関連で行動（または反応）を研究するのに実験的，科学的手法を注意深く用いることを求めるものである。行動主義はアメリカの心理学者ジョン・ワトソンによって，20世紀に初めて提唱された。ワトソンは人間が心の中で感じることや気持ちは観察することができないため，科学的に研究することはできない，と言った。心理学を科学的学問とするために，ワトソンは刺激・反応理論を発展させた。これは，感情や習慣なども含めた人の全ての行動は，単純な筋肉運動や腺要素から成っており，いずれも観察と計測が可能であるというものであった。行動主義によれば，行動は，認知や感情といった非常に主観的な内面の精神状態に関係なく，系統的に研究することが可能である。

　行動はまた，訓練でき，それゆえ変えることが可能だとワトソンは考えた。そのため今では古典となった著作『行動主義』（1930）の中で，ワトソンはこう書いている。「健康で五体満足の12人の赤ん坊と，その子たちを育てるための特定の世界を与えてくれれば，私は無作為に選んだどの子でも，その子の才能，好み，傾向，能力，天分，先祖の人種にかかわらず，その子を訓練して，医者，法律家，芸術家，経営者など，私が選ぶどんな専門家にでも，そして，そう，乞食や泥棒にだってすることができる」

　行動主義は，全ての行動は条件付けを通して身につくと主張する。条件付けは，環境との相互作用を通じて起こる。そして我々の行動は，我々が環境にどのように反応するかによって形作られる。条件付けには大きく2つのタイプがある。1つはロシアの生理学者イワン・パブロフによって初めて説明された古典的条件付けだ。これは行動訓練に使われる手法である。イワン・パブロフは，その有名な実験の中で，音と餌の組み合わせを繰り返し提示した後に，犬が音に反応して唾液を出し始めたことに気付いた。パブロフはこれが学習された反応であると悟った。例えば，多くの犬の訓練士たちは，人がペットを訓練するのを助けるために，古典的条件付け手法を使う。もう1つはオペラント条件付けである。これは行動に対する報酬と罰によって生じる学習方法である。犬の訓練の一例では，犬がボールを追いかけて取ってくることに成功すれば，訓練士は犬に餌などの褒美を与える。しかし，犬がボールを取ってくることに失敗した場合には，訓練士は褒美を与えない。教室環境では，教師が，質問に正しく答えた褒美にシールを与えて，オペラント条件付けを使うこともある。

　ワトソンの理論で，人間や動物は乳児期から幼児期にかけてどのように学習す

るのかという研究が盛んに行われた。特に1920年から50年代にかけて行われた研究のおかげで，様々な行動がどのように発達し，維持されるのかがより深く理解できるようになった。1950年以降になると，この知識は行動修正プログラムに広く利用されるようになった。これを応用した重要なものとしては，行動障害の問題を抱える大人や子供に対して行われた行動療法がある。これは，古典的条件付けとオペラント条件付けの原理に基づいて，好ましくない行動を改めることに焦点を当てた心理療法の一種だ。行動療法は，自閉症の子供や，恐怖症や不安の問題を抱える大人に対する行動管理法を発展させた。

また，学校，軍隊，企業や産業で実施される教育方法やトレーニング方法の改善についても，この考え方が応用された。今日，これは非常に広く使われるようになった。例えば，正の強化は，より効率的に業務を遂行できるように，従業員の行動を変える組織的訓練に使われる。教師も，生徒たちをしつけるために行動変化の手法を使う。彼らはクラス運営にこの手法を使うことがある。教師たちは生徒を褒めたり，励ましたり，称賛したりして，よい行いに対する正の強化を与えるが，問題行動があれば，その生徒を罰することもある。強化と罰は，教室における嫌悪行動を減らすのに同じように効果的になりうるが，生徒たちに好ましい行動を身につけさせるには，強化の方がはるかに効果的である。罰に頼る前に，常にたくさんの強化戦略から始めることが重要だ。一般に，行動を好ましいものに変えるためには，小言1つに対して褒め言葉を5つという割合が効果的だと言われている。

行動主義は，現代の心理学に影響を及ぼし続けている。行動主義は個人が成長するのに，環境の重要性を強調している。個人を観察するための研究方法を確立し，現実的な問題を解決するために行動主義的な考え方を用いる点において，心理学に影響を与え続けている。

CHAPTER 4 »

Final Test

Final Test 1　QUESTIONS ······ 224
Final Test 2　QUESTIONS ······ 242
Final Test 1　ANSWERS ········ 260
Final Test 2　ANSWERS ········ 278

Final Test ①

time: 60 minutes

Passage 1

●解答・解説 p.260〜265

Culture and its Influence on People's Communication Styles

1   When the word *culture* is used, it is often used to refer to people and their respective nationalities and backgrounds. These varying backgrounds play a role in influencing the way they communicate. Within a nation, regional differences can exert a powerful influence on communication. The difference in behavior between Alaskans and New Yorkers may cause one to think they are from two different countries. Race and ethnicity can also shape behavior. So can age. The customs, values, and attitudes of a college-age person may vary significantly from those of his or her parents who were raised in the 1950s, or grandparents, who lived through the Great Depression and World War II. Other differences that can create distinctive cultures include gender, sexual orientation, physical disabilities, religion, and socio-economic background.

2   All of these factors lead to a definition of culture as an acquired set of shared notions about beliefs, values, and norms. Culture affects people's behavior, including their communication styles; this is something that has to be learned, rather than something that is instilled at birth. For example, Americans who adopt from Korea should have children that differ in behavior from those who are born and raised in places like Seoul or Busan. This illustrates how an individual may have a worldview that differs from another's, based on where (i.e. a small town, the inner city, or a rural area) he or she grows up. One's perceptions and understanding of the world could also be influenced by how one's cultural heritage is valued. For instance, African heritage has a different value in France than it does in the United States. This difference in values may determine how French and Americans of African descent learn to behave.

3   Underlying what might appear to be idiosyncrasies in behavior are a number of fundamental values that shape the way members of a culture think, feel, and act. When we appreciate these fundamental differences, we will understand how and why people from different backgrounds act as they do, and we will have ideas of how we can adapt to improve the quality of our communication with others.

4   Two distinct types of cultures have been identified, concerning the way

messages are delivered between the members of a single culture. The first one is called a low-context culture, where logical and clear expressions of thoughts, feelings, and ideas are preferred. **A** To communicators in a low-context culture, the literal meaning of words is valued. **B** The second type is called a high-context culture. People who live in this type of culture tend to focus on the subtle, non-verbal part of communication not only to convey messages, but also in order to avoid issues such as embarrassment or social disharmony. **C** If a high-context speaker needs to communicate in a difficult or uncomfortable situation such as one in which a listener may get upset, he or she could speak indirectly by using context, rather than by using straightforward speech. In the case of the United States and Canada, people tend to be more on the low-context side than high. **D** In other words, rather than "beating around the bush," which is not always tolerated, people often speak more frankly. In contrast, countries in the Middle East and Asia often employ high-context communication. For example, when people in some areas in Asia need to handle tough situations, such as when they wish to uphold their dignity while managing a complex or heated conversation, it is common for both parties to practice non-threatening, indirect speech.

5   The clash between directness and indirectness can further aggravate problems between straight-talking, low-context communicators such as Israelis, who value speaking clearly, and high-context communicators such as Arabs, whose culture stresses smooth interaction. It is easy to imagine how the clash of cultural styles could lead to misunderstandings and conflicts between Israelis and Palestinians. Israelis might view their Arab counterparts as evasive, while Palestinians might perceive the Israelis as insensitive and blunt.

6   America embodies a number of cultures that co-exist, which means its people may place value on direct speech differently. Puerto Ricans* who move away from their island to the mainland may continue to use a speaking style that is reminiscent of some high-context Asian cultures, like Japan, which means it is unlike mainstream American speech. The Puerto Rican culture values social balance and despises confrontation, and this is something that can persist even when surrounded by standardized English.

7   The relatively straightforward African-American style of communicating is not totally direct. In many cases it is characterized by the speaker's use of

innuendoes, insinuations, inferences, implications and suggestions to make the point so that the indirect message might not be a result of what is actually said, but of the meaning assigned to it by the hearer. For example, rather than asking one's boss for a change of office outright, a person might describe the advantages of a different office, give a history of how long he or she has been in the present office, and add details or stories, thus taking a circular route to the main point.

> *People of and from Puerto Rico, an American territory and island which lies in the Caribbean Sea to the southeast of Florida State. Puerto Ricans are citizens of the U.S., which means they are able to freely live and work in all parts of the U.S.

1 The word So in the passage refers to
- (A) finding one another's behavior
- (B) influencing race and ethnicity
- (C) shaping behavior
- (D) exerting a powerful influence

2 The word significantly in the passage is closest in meaning to
- (A) specifically
- (B) radically
- (C) incidentally
- (D) sporadically

3 What does the author mean by an acquired set of shared notions?
- (A) A series of understood connotations about cultures
- (B) A set of common knowledge about cultures
- (C) A type of behavior and communication in a certain culture
- (D) A combination of learned ideas having the same understanding

4 Why does the author mention a Korean-born child raised by American parents in America in paragraph 2?
- (A) To suggest that a child raised by American parents is different from a child raised by Korean parents

- B To contrast it with an African-American child raised in France
- C To support the claim that culture is something acquired
- D To give an example of the differences between an Asian child and an American child

5 According to paragraph 3, what are some of the fundamental differences the author suggests that we need to understand to have better communication?
- A Americans and Canadians talk directly while Asians talk indirectly.
- B Region and age shape how people communicate to each other.
- C People think, feel, and act differently because they have different values.
- D Culture is not innate, but it is learned in society.

6 What can be inferred from paragraph 4 about Americans and their way of communication?
- A They are more verbal and direct than high-context communicators.
- B They express thoughts, ideas, and feelings with more nonverbal behavior than do people from low-context cultures.
- C They state words plainly to keep harmony when talking about difficult topics.
- D They are more concerned about the context of communication than Asians.

7 What does beating around the bush mean?
- A hesitating to talk
- B being silent
- C talking indirectly
- D waiting to be spoken to

8 The word aggravate in the passage is closest in meaning to
- A destroy
- B worsen
- C uphold
- D augment

9 Which of the following can be inferred from paragraph 5?
- (A) The clash between Israelis and Palestinians is the result of their historical backgrounds.
- (B) Direct communication style is evasive, insensitive and blunt.
- (C) Low-context communicators cause conflict with high-context communicators because they are too direct.
- (D) Israelis and Arabs have conflicts arising from differences in communication styles.

10 In paragraph 6, why does the author refer to the Puerto Rican language style?
- (A) To explain that directness can have different notions within the same country
- (B) To demonstrate the difference in communication styles in Puerto Rico
- (C) To indicate that not all countries with a low-context culture have direct communication styles
- (D) To give a reason why the Puerto Rican language style resembles that of Japanese

11 According to paragraph 7, the African-American style of communicating is
- (A) implicational
- (B) negative
- (C) straightforward
- (D) interactive

12 Which one of the following statements does the author express in the passage?
- (A) Race and ethnicity have a stronger influence on behavior than age.
- (B) A Korean-born child views the world differently than an African-American child.
- (C) Some cultures interpret the meaning of a statement through non-verbal behavior and others by the words spoken.
- (D) The Puerto Rican language style resembles the African-American language style in that they are both indirect.

13 Look at the four squares ■ that indicate where the following sentence could be added to the passage.

Listeners cannot truly comprehend speakers' intentions without also considering social rules, nonverbal behavior, and the relationship between them and the speakers.

Where would the sentence best fit?

Click on the square ■ to add the sentence to the passage.

14 Directions: Which of the following best summarizes the passage? Select the THREE answer choices that express the most important ideas in the passage. Some sentences do not belong in the summary because they express ideas that are not presented in the passage or are minor ideas in the passage. This question is worth 2 points.

Drag your answer choices to the spaces where they belong. To remove an answer choice, click on it.

-
-
-

Answer Choices

(A) The word *culture* is used to mean values and beliefs related to people from different national, regional, and social backgrounds.

(B) Regional differences can exert a powerful influence on communication.

(C) Culture is a learned set of shared interpretations about beliefs, values, and norms, which affects the behaviors and communication styles of a large group of people.

(D) Idiosyncratic behaviors of individuals are a result of a number of values that shape the way members of a culture think, feel, and act.

(E) It is important to appreciate fundamental differences to understand how and why people from different backgrounds behave as they do and to improve the quality of communication with others.

(F) The clash of cultural styles leads to misunderstandings and conflicts between Israelis and their Palestinian neighbors.

Passage ● 2

Norbert Rillieux

1   The African-American inventor and engineer, Norbert Rillieux, was born in 1806 in New Orleans, Louisiana. His father, Vincent Rillieux, was a wealthy, white New Orleans plantation owner. His mother, a black woman named Constance Vivant, was a slave of his father's. Vincent raised his son as one who was free from slavery, which gave him some of the same privileges that white people had at that time, such as education. During this early stage of life, the younger Rillieux took notice of shortcomings of the sugar refinement system, and the treatment of slaves who work in it. **A** Norbert was a bright boy, and so his father, an inventor himself, sent him off to L'Ecole Centrale in Paris, where he studied engineering. By the age of 24, he was an instructor of applied mechanics at L'Ecole Centrale. **B** In 1830, he published a series of papers on the use of steam for doing work. **C** They represented the beginning of his ideas for the device that would revolutionize the sugar production industry forever. **D** In France, Rillieux found that Europeans were not ready for his new ideas on technology, and believed America to be less conservative and more open to his ideas. Despite the prevalence of racism in America, he returned to New Orleans in the 1930s, where he eventually completed his work on a sugar refining machine.

2   The history of the invention of Rillieux's evaporator spanned over a long period of time. While in New Orleans, Rillieux observed the dangerous process of sugar making called the *Jamaica Train*, by which juice extracted from sugarcane was turned into dry, black sugar. Through a system of consecutively smaller, open kettles, liquefied sugar was transferred from the largest kettle until it reached the smallest one, where the juice finally reached total evaporation, resulting in the final product: solidified, blackened sugar. To make this process more efficient, Rillieux applied his ideas, designed, and then patented the multiple-effect evaporator, a system where the pans were stacked so that only one heat source would be necessary. Additionally, the system also revolved around the idea of containing air in a vacuum chamber so that steam would rise. One main benefit of this was that it was safer not only because of a lower temperature required for boiling, but because of the fact that there was only one container, rather than

many. This meant that the earlier method of having hot liquid ladled by slaves from one kettle to the next was finally discontinued. Another benefit was that greater control was possible with this system, and so the process was adjusted to make sure that the sugar would not be burnt, leaving behind white sugar.

3   Racial injustices, ranging from prejudice to slavery itself, became more severe in Louisiana, which led Rillieux to once again move to Paris in 1854. By this time, he was well-known as an accomplished process engineer for his 1843 patent of the evaporator, but his reputation was torn apart by French engineers who misrepresented his invention, causing him to abandon his life's work. Rillieux moved on to the study of Egyptology, but eventually returned to engineering and patented a method for reducing the cost of sugar beet processing in 1881. Ultimately, he died a poor man in Paris in 1894. While he was alive, the French never gave him credit for his invention of multistage evaporation. It was in 1934 when he was finally recognized by the International Sugar Cane Technologists, and they dedicated a memorial to him.

4   Norbert Rillieux's most notable invention is considered significant not just because it phased out the dangerous methods used in the *Jamaica Train*, nor only because it produced white sugar, which is a better product, but also because its concepts are still relevant even today. At present, we can find uses for his process, such as for making a variety of common household goods or when a factory needs to recover waste liquids. The cost-cutting enabled by Rillieux's methodology is a reason why U.S. makers were catapulted into the global sugar industry as leaders, due to the affordability and availability of the product. His invention is now considered, by some, to be the greatest in the history of American chemical engineering.

1 The phrase the younger Rillieux in the passage refers to
- (A) Vincent
- (B) Norbert's younger brother
- (C) Norbert
- (D) Constance

2 The word extracted in the passage is closest in meaning to
- (A) obtained
- (B) forced
- (C) deduced
- (D) traced

3 The word ladled in the passage is closest in meaning to
- (A) spooned
- (B) mixed
- (C) cooled
- (D) sieved

4 According to paragraph 2, the following can be inferred about the *Jamaica Train* EXCEPT
- (A) It was dangerous.
- (B) It was economical.
- (C) It burned sugar.
- (D) It was wasteful of heat energy.

5 What is the author's purpose in writing paragraph 2?
- (A) To give an example of a chemical process
- (B) To explain a scientific experiment
- (C) To show a commercial application of the vacuum chamber
- (D) To compare two processes

6 According to paragraph 3, how long did Norbert Rillieux remain in New Orleans after patenting his invention?

- Ⓐ 11 years
- Ⓑ 27 years
- Ⓒ 38 years
- Ⓓ It is unclear from the passage.

7 According to paragraph 3, why did Norbert Rillieux stop working on process engineering?

- Ⓐ He suffered from racial discrimination against African-Americans.
- Ⓑ His idea was stolen by European sugar cane technologists.
- Ⓒ He was disrespected in the work field of process engineering.
- Ⓓ His invention was mistreated by some French engineers.

8 The word catapulted in the passage is closest in meaning to

- Ⓐ triggered
- Ⓑ moved
- Ⓒ captured
- Ⓓ dispatched

9 According to paragraph 4, the following describes the outcomes of Norbert Rillieux's invention EXCEPT

- Ⓐ It is now used for the recovery of waste liquids in factories.
- Ⓑ It produced a higher-quality product.
- Ⓒ The sugar making process became less dangerous for laborers.
- Ⓓ Sugar became a luxurious item.

10 By which of the following is this passage organized?

- Ⓐ The passage explains Rillieux's life with his invention.
- Ⓑ The passage compares Rillieux's time in America with his time in Paris.
- Ⓒ The passage contrasts Rillieux's life of study with his life of work.
- Ⓓ The passage illustrates Rillieux's contribution with racial discrimination.

11 According to the passage, the following are true descriptions about Norbert Rillieux EXCEPT

- (A) He was a half-black and half-white American engineer.
- (B) He lived until he was 88 years old, but he was very poor when he died.
- (C) He was not a slave but a free man, although his mother was a slave.
- (D) He was sent to L'Ecole Centrale in Paris at the age of 24 to study engineering.

12 Which of the following best summarizes the author's point of view?

- (A) Rillieux was given exceptional privileges for a Southern black child of that time.
- (B) Rillieux had to withstand severe racial discrimination to make his work pass through successfully.
- (C) Rillieux's invention of a new sugar making process was safe and efficient.
- (D) Rillieux's evaporator completely changed the sugar industry.

13 Look at the four squares ■ that indicate where the following sentence could be added to the passage.

His method would make a purer sugar product, cost less money, and be far less dangerous to workers than previous methods.

Where would the sentence best fit?

Click on the square ■ to add the sentence to the passage.

Final Test 1

Passage ● 3

Venus Flytrap

1   People have long been captivated by carnivorous plants, because they attract, catch, digest, and absorb the body juice of animal prey, unlike other kinds of plants. The Venus flytrap, the pitcher plant, and the sundew, are insect-catchers. Each passively, but cleverly, lures its prey, captures it with ease, digests it by using its plant juices, and then prepares for its next unsuspecting victim. Since carnivorous plants ensnare mainly insects, with over 150 types of prey identified by scientists, they are often simply referred to as insectivorous plants. However, it has been recorded that these plants consume other creatures, ranging from small ones, such as spiders, snails, or worms, to large ones, like fish, rats or even birds.

2   Different carnivorous plants have different insect-attracting structures and use different strategies to attract their prey. They can be sweetly scented, brightly colored, and have fluids that are toxic. They are also often designed in a way that makes it hard for prey to escape, such as with slippery cupped-leaves, sticky hair, or piercing thorns.

3   Receiving nutrition is the next step for carnivorous plants. Enzymes are the most essential factor in this. Most plants are capable of producing their own enzymes, but at other times, they rely on bacteria for the breakdown of ensnared prey. Either way, the plant can typically only absorb nutrients from decayed material, meaning that if bug defecates on a plant or has feces inside, it can be readily absorbed without the need of enzymes. This is why it is possible for nutritious decay to pass through the surface of outer leaves, instead of requiring it to be pulled deeply into the plant.

4   Among all the carnivorous plants, the Venus flytrap has long been an object of wonder by notable figures such as Charles Darwin or Thomas Jefferson, with the latter being known for having a collection of these plants from South Carolina. Its scientific name is *Dionaea muscipula*, and it belongs to the Droseraceae family. *Dionaea* refers to Dione, the mythical goddess of love and beauty (Venus is a daughter of Dione), and it was so called because it develops attractive flowers. *Muscipula* is the Latin word for "mousetrap."

5   There are many characteristics of the Venus flytrap. This carnivorous bog plant

is a low-growing perennial herb. This plant grows to a height of approximately 12 inches (30 cm). The flowers at the tip of its erect stem are small and white, with leaves that reach up to 5 inches (13 cm) long. The leaves have jaw-like, spiny teeth. Under strong sunlight, this typically green plant may develop red or dark leaves. In some occasions, the color does not change. Additionally, it is known to mature after 4 or 5 years, though this approximation may vary by species or other conditions.

6   There are many details to how the Venus flytrap catches its prey. The leaves have an attractive landing place in its center, drawing insects and other creatures to it. Because it appears harmless, the Venus flytrap succeeds in capturing its prey. **A** Less than a second after something or an intruder, such as an insect or frog, activates a trigger hair in the center, the leaf closes in around it, trapping it with its teeth. **B** If the sensory organs determine that the prisoner contains protein — and that it is not just a fallen leaf or twig — the leaf closes further, and the plant's digestive enzymes start to flow. **C** The leaf reopens only after the digestion process has completed. **D**

7   It is known that many types of carnivorous plants can often survive without having to catch prey. Like most plants, they are capable of extracting even all the nutrients they need from the soil. However, the Venus flytrap is on the lower end of this spectrum. The soil in bogs where the Venus flytrap lives is poor in nitrogen, so it has learned to obtain it from insects and small animals. Nevertheless, the ability to draw nutrients from soil has not been lost, so if given proper nutrition somehow, the Venus flytrap should be able to subsist on that alone.

1 According to paragraph 1, why are carnivorous plants also called insectivorous plants?
- (A) Because they live side-by-side with insects.
- (B) Because they catch mostly insects.
- (C) Because they are loved by insects for their sweet scent.
- (D) Because it is an animal eater and an insect eater at the same time.

2 The word ensnare in the passage is closest in meaning to
- (A) entrap
- (B) hoax
- (C) involve
- (D) retrieve

3 Which of the following is NOT described as a strategy of carnivorous plants to capture prey in paragraph 2?
- (A) Some give off a sweet scent.
- (B) Some parts are sticky or slippery so that prey cannot escape.
- (C) Some contain toxic fluids.
- (D) Some catch prey by making them dizzy using bright colors.

4 The word absorb in the passage is closest in meaning to
- (A) dissipate
- (B) ingest
- (C) exude
- (D) disperse

5 According to paragraph 4, the Venus flytrap is called *Dionaea muscipula* because
- (A) it belongs to the family of Droseraceae
- (B) it develops lovely and beautiful flowers, but it traps preys
- (C) it is mysterious and fascinating to people
- (D) Charles Darwin referred to it as one of the most wonderful plants

6. According to paragraph 6, which of the following is a reason why an animal might land on the plant's leaves?
   - (A) Their thorns are hidden.
   - (B) The leaves are hidden.
   - (C) They look delicious.
   - (D) They seem safe.

7. The phrase the prisoner in the passage may refer to the following EXCEPT
   - (A) plant
   - (B) insect
   - (C) invader
   - (D) frog

8. According to paragraph 6, what do the plant's trigger hairs cause the leaves to do?
   - (A) To look attractive
   - (B) To automatically close
   - (C) To act like a spring
   - (D) To capture an insect or small animal

9. Which of the following best describes the last paragraph?
   - (A) A process is described.
   - (B) A reason is given to explain a phenomenon.
   - (C) A conclusion is drawn from new information.
   - (D) The results of an experiment are described.

10. According to the passage, which of the following is true about Venus flytrap?
    - (A) Thomas Jefferson named the plant Venus flytrap.
    - (B) Charles Darwin studied about this plant in South Carolina.
    - (C) It grows as high as human height.
    - (D) It is an insectivorous plant that grows in or near bogs.

11 In which of the following fields is the author probably an expert?

Ⓐ cardiology
Ⓑ biochemistry
Ⓒ botany
Ⓓ physiology

12 Look at the four squares ■ that indicate where the following sentence could be added to the passage.

Now the plant is ready to entrap another victim.

Where would the sentence best fit?

Click on the square ■ to add the sentence to the passage.

13 Directions : An introductory sentence for a brief summary of the passage is provided below. Complete the summary by selecting the THREE answer choices that express the most important ideas in the passage. Some sentences do not belong in the summary because they express ideas that are not presented in the passage or are minor ideas in the passage. This question is worth 2 points.

Drag your answer choices to the spaces where they belong.
To remove an answer choice, click on it.

The Venus flytrap is a low-growing perennial herb with unique characteristics and behavior.

-
-
-

Answer Choices

- (A) The Venus flytrap bears small white flowers at the end of an upright stem, and it grows to be 12 inches tall.
- (B) At the end of each leaf, it has a pair of jaws, edged with teeth.
- (C) Venus flytraps stay alive for four to five years under the right conditions.
- (D) The teeth of the leaves of the plant interlock to imprison both objects and insects.
- (E) Venus flytraps are bog plants that catch prey to get its nutrition.
- (F) Harmlessness is one of the reasons why the plant is able to obtain what it needs to survive.
- (G) When placed under the strong sun, the leaves of the plant get red and dry out.
- (H) The trigger hairs of the Venus flytrap are so sticky that an insect cannot escape.

Final Test ②

time: 60 minutes

Passage 1

解答・解説 p.278〜283

Human Body System

1   The human body consists of a system of organs that provides the necessary functions for self-preservation. This highly complex organization begins with cells, then the more complex tissues, followed by the larger organs, and ends with whole systems. Although this number may vary, the body depends on eleven basic systems to maintain homeostasis. These are analogous to the public infrastructure systems of a city, which also needs a stable, internal environment. For example, the circulatory system consists of blood containing vessels that reach out to cells. Blood flows throughout the body, transporting oxygen, chemicals and fluids. It can also carry broken down gases and waste for removal. Similarly, vehicles, such as trucks or cars, are comparable in that they can transport resources and waste in and out of an area. Other analogies range from the military to the immune system, or a traditional telephone network to the nervous system. However, systems are not just responsible for serving their primary, solo purposes, but also for interacting with other systems. It is only through working together that the body can truly succeed in managing homeostability.

2   The digestive system requires the aid of the circulatory and excretory system to accomplish its aims. It is responsible for breaking down food, absorbing the nutrients, and eliminating waste, but none of these have any meaning without interaction with vessels for transport or kidneys for purification. At the onset of a chemical digestion in the stomach, enzymes are released to speed up the breakdown of food. The small intestine then absorbs processed nutrition into the bloodstream, where the circulatory system takes over and handles distribution, resulting in the provision of nutrients to the cells. Extraneous materials, such as undigested food, end up in the large intestine, the last part of the digestive system, where feces are collected before its removal by the excretory system.

3   Another important, interactive system is the respiratory system, consisting of the nose, mouth, trachea, pharynx, and lungs. Its main purpose is to supply oxygen to the lungs. It also expels carbon dioxide, one of the byproducts of cellular respiration, back into the air. However, it is within the body, that gases are

further exchanged, using one more system, the circulatory system. Specifically, when blood circulates through the body, it needs to get fresh oxygen from the air, through breathing. As essential as the respiratory system is, it is the circulatory system that then carries the fresh oxygen to the cells and the broken down carbon dioxide back to the lungs, thus completing the final objective of getting the body what it needs.

4   The excretory system also works in parallel with other systems. One example of this is how closely the kidneys of the excretory system work with the blood vessels of the circulatory system. **A** These systems are physically connected so that blood must pass through the kidneys on a constant and regular basis. **B** The kidneys, using a process called osmoregulation, filter blood and pull out harmful or unnecessary materials. **C** This results in urine, a mixture of removed waste, excess salt, and extra water. **D** Lastly, the urine passes out of the body through the urethra.

5   In order to manage the body and the interactions between systems, communication is essential. The endocrine system is a major system of cells, tissues and glands that secrete hormones, which are chemical messages that travel by means such as the bloodstream. In order for the kidneys to play a role in maintaining hydration and salt levels, hormones must be sent. For example, when the body does not have sufficient water, these are sent to the kidney, telling it to reabsorb water that would have otherwise been turned into urine, thereby lowering the amount of this excretory fluid. Likewise, the opposite can happen, as the kidneys are consistently monitored and regulated by hormonal messages; leading to yet another example of how the body maintains homeostasis.

1 According to paragraph 1, which of the following does NOT describe the function of a system of a human body?
- (A) It helps the body survive.
- (B) It is a group of cells that make up organs.
- (C) It keeps the internal environment stable.
- (D) Its systems work with other systems.

2 Why does the author talk about vehicles in relation to the circulatory system in paragraph 1?
- (A) To compare and contrast different functions of each system
- (B) To give an example of how circulatory system works
- (C) To explain the characteristics of vessels
- (D) To help the readers understand the system better

3 According to paragraph 1, which of the following is NOT true about the circulatory system?
- (A) It is connected to the entire body.
- (B) It carries chemicals and fluids to cells.
- (C) It creates oxygen efficiently in the system.
- (D) It is a system of vessels connected to the cells.

4 According to paragraph 2, what do enzymes do?
- (A) Break down food into compounds and nutrients
- (B) Help move food through the digestive system
- (C) Absorb the nutrients we need into our body
- (D) Remove feces from our body

5 According to paragraph 2, how do the circulatory system and the digestive system interact with each other?

- (A) The digestive system breaks down nutrients with the help of the circulatory system.
- (B) The circulatory system helps remove the undigested solid from the digestive system.
- (C) The digestive system helps carry the food into the circulatory system.
- (D) The circulatory system distributes the digested nutrients through the body.

6 According to paragraph 3, which of the following does NOT belong to the respiratory system?

- (A) nose
- (B) mouth
- (C) pharynx
- (D) esophagus

7 The phrase in parallel with in the passage is closest in meaning to

- (A) aided by
- (B) in response to
- (C) together with
- (D) with regard to

8 The word filter in the passage is closest in meaning to

- (A) cleanse
- (B) purify
- (C) resolve
- (D) combine

9 The word hydration in the passage is closest in meaning to

- (A) chemical
- (B) moisture
- (C) water
- (D) fluid

10 Which of the following can be inferred from the last sentence of the passage?
- (A) If we drink too much water, hormones are released that allow for more urine production.
- (B) If we sweat, we lose a lot of salt in our body.
- (C) If we are dehydrated, more urine will be produced.
- (D) If our body loses water, the kidney refills it right away.

11 Which of the following can be inferred from the passage?
- (A) Enzymes are released in the stomach.
- (B) The large intestine absorbs nutrients to be carried to the bloodstream.
- (C) Undigested food is dissolved in the kidney.
- (D) The materials that are not absorbed are collected in the small intestine.

12 Directions: Select the appropriate sentences from the answer choices and match them to the type of systems to which they relate. For each of the system, choose three sentences. Two of the answer choices will NOT be used. This question is worth 4 points.

Drag your answer choices to the spaces where they belong. To remove an answer choice, click on it.

The circulatory system	The respiratory system
•	•
•	•
•	•

Answer Choices
- (A) It takes in oxygen for our body.
- (B) It cleans the air we breathe.
- (C) It carries oxygen to our cells.
- (D) It creates hormones to be spread throughout the body.
- (E) It helps our body get rid of carbon dioxide.
- (F) It carries dissolved carbon dioxide back to the lungs.
- (G) It helps the blood to go through the body.
- (H) It carries air to the lungs.

13 Look at the four squares ■ that indicate where the following sentence could be added to the passage.

Related to this is the urinary bladder, which collects and stores urine.

Where would the sentence best fit?

Click on the square ■ to add the sentence to the passage.

14 Directions : An introductory sentence for a brief summary of the passage is provided below. Complete the summary by selecting the THREE answer choices that express the most important ideas in the passage. Some sentences do not belong in the summary because they express ideas that are not presented in the passage or are minor ideas in the passage. This question is worth 2 points.

Drag your answer choices to the spaces where they belong.
To remove an answer choice, click on it.

The human body depends on its whole system to work together for its survival.

-
-
-

Answer Choices

- (A) The digestive system works with the circulatory system to get the absorbed nutrients distributed throughout the body.
- (B) Unabsorbed materials in the digestive system are removed by the excretory system.
- (C) The endocrine system plays a role in helping systems communicate and interact.
- (D) Food is broken down by the digestive system into compounds and nutrients so that it can be absorbed into the bloodstream.
- (E) The transport of oxygen to the cells requires two systems: the circulatory and the respiratory.
- (F) When blood circulates through the body, it needs fresh oxygen from the air.

Passage 2

James Cook

1   James Cook (1728-1779), one of the world's greatest British explorers and navigators, commanded three voyages of discovery for Great Britain and sailed to all seven continents around the world, encountering both hardships and victories. In addition to being most famous for finding the Hawaiian Islands on his third voyage, Cook was also well-known for setting high standards in the accuracy of maps, particularly of Australian waters, and in taking care of the diet and lives of his crew.

2   Cook's first journey was an official expedition to the Pacific Islands. Cook was commissioned to escort two astronomers from Plymouth, England to Tahiti, departing in 1768 on the Endeavor, in order to observe a transit of Venus, in hopes of calculating the distance between the Earth and the Sun. This phenomenon is similar to a solar eclipse of the moon, except that it is the planet Venus that blocks out the Sun. They completed their task in mid-1769. Afterwards, Cook mapped out the Tahitian seas and embarked on a second, secret mission by the British government, which was to search for the existence of the Terra Australis Incognita, a hypothetical southern continent. His orders were to keep searching southward until hitting the 40 degrees latitude mark. If he were not to discover land, he was further instructed to head west to continue the search for land in the South Pacific Ocean, eventually reaching in 1770 what is now referred to as New Zealand and Australia.

3   It was while in these seas that Cook charted the maps that would later be given recognition. These maps of the eastern Australian coast and almost all of New Zealand were found notable not only because it had never been explored by Europeans at this time, but because Cook put in a lot of detail into them. Up to that time, only a few parts, mostly in the west and in the north, had been discovered and sketchy maps were drawn. Explorers had never realized the scope of these areas until after Cook reached them from the east, turning speculation into fact.

4   While in Australia, Cook observed indigenous people, claimed coastline areas as British territory, and even gave names to locations. One such instance was the

naming of Botany Bay, a body of water that remains in present-day Sydney. It was also while he was exploring the Australian waters when he faced adversity. His ship ran into the Great Barrier Reef, which sidelined him for nearly seven weeks. Eventually, Cook was able to overcome the matter of his damaged ship and set course for home via Indonesia, arriving back in England in July 1771.

5 Cook was also very renowned for setting a high standard in maintaining health of his crew during his first voyage, despite the hard nature of ship exploration. In comparison to other voyages of this time, Cook fed them with replenished food. **A** Goat milk, wine, beef and pork were consumed at times. **B** Scurvy, a disease due to a lack of vitamin C intake, was prevented with sauerkraut and other strict rules such as keeping clean. **C** Most importantly, the abandonment of the practice of eating fat compounds from copper pans prevented scurvy. **D** Had they eaten the fat, which would have chemically reacted to the air, the efficacy of the little vitamin C that was already in their bodies would have been greatly reduced. Despite their good health, there were some exceptions, such as cases of weariness due to the length of the journey, and one particular instance of venereal disease, which caused a delay in their progress towards south after Tahiti. Overall, there was a relatively low rate of mortality. Only seven died between his expedition from England to Indonesia.

1. According to paragraph 1, what does the author think Cook is most well-known for doing?
   - (A) Exploring the South Pacific Ocean
   - (B) Mapping Australia and caring for his crew
   - (C) Discovering the Hawaiian Islands
   - (D) Making three voyages of discovery and exploration

2. The word transit in the passage is closest in meaning to
   - (A) passage
   - (B) conveyance
   - (C) freight
   - (D) transform

3. According to paragraph 2, what is the Endeavour?
   - (A) The name given to the expedition
   - (B) The name of a place in England
   - (C) The name for the sailors on the ship
   - (D) The name of Cook's ship

4. According to paragraph 2, after leaving Tahiti, in which directions did Cook most likely sail?
   - (A) North and then west
   - (B) South and then west
   - (C) North and then east
   - (D) South and then east

5. According to paragraph 2, why was Cook chosen to command a voyage to the South Pacific Ocean?
   - (A) To lead the establishment of colonies throughout the Pacific islands
   - (B) To navigate a scientific expedition and also to seek a southern continent
   - (C) To observe an eclipse and calculate the distance from the Sun to the Earth
   - (D) To map the Southern Pacific islands more accurately

6 The word indigenous in the passage is closest in meaning to
- Ⓐ attentive
- Ⓑ native
- Ⓒ lethal
- Ⓓ impassive

7 What is the author's main purpose in the last paragraph?
- Ⓐ To indicate how strict Cook was in keeping the crew healthy
- Ⓑ To describe how to maintain a healthy diet on board
- Ⓒ To propose to take in more vitamin C when on voyage
- Ⓓ To discuss what makes crews unhealthy and weary

8 The word abandonment in the passage is closest in meaning to
- Ⓐ seizing
- Ⓑ bringing up
- Ⓒ refilling
- Ⓓ giving up

9 What does the passage mainly describe?
- Ⓐ What happened on Cook's first voyage
- Ⓑ Discovering Australia and New Zealand
- Ⓒ People's belief in an undiscovered continent
- Ⓓ Cook's journey to Great Britain

10 According to the passage, which of the following statements can be inferred?
- Ⓐ Cook knew there was a large continent south of the equator before he set sail.
- Ⓑ Cook had rough maps of where land had previously been seen in the southern seas.
- Ⓒ A huge, undiscovered continent was just a story and no one really believed in it.
- Ⓓ Cook mapped Australia but not the islands of New Zealand.

11 The following is true about James Cook EXCEPT
   (A) He traveled all seven continents while he was alive.
   (B) He was sent to Tahiti to calculate the distance from the Sun to the Earth.
   (C) He was selected by the British government to search for Terra Australis Incognita.
   (D) He found Terra Australis Incognita after a long trip.

12 The attitude of the author toward Cook is best described as
   (A) irreverent
   (B) respectful
   (C) critical
   (D) understating

13 Look at the four squares ■ that indicate where the following sentence could be added to the passage.

He even made them eat other vegetables and air out their inner quarters.

Where would the sentence best fit?

Click on the square ■ to add the sentence to the passage.

14 Directions: Which of the following best summarizes the author's point of view? Select the THREE answer choices that express the main ideas in the passage. Some sentences do not belong in the summary because they express ideas that are not presented in the passage or are minor ideas in the passage. This question is worth 2 points.

Drag your answer choices to the spaces where they belong.
To remove an answer choice, click on it.

-
-
-

Answer Choices

(A) Cook's journey was very lengthy and weary, and many of the crew died of scurvy.
(B) Cook led the official British expedition to observe the transit of Venus.
(C) Cook is one of the world's greatest explorers.
(D) One of Cook's missions was to seek a large continent in the southern hemisphere.
(E) Cook commanded three voyages and sailed around the world.
(F) Cook was very concerned about the crew's health and sanitary conditions.

Passage ● 3

Nobel Prize

1   The Nobel Prize is internationally recognized as the most prestigious award that an individual or institution may receive for a remarkable achievement in a variety of fields. It was first given in 1901 under five categories: physics, chemistry, physiology or medicine, literature, and peace. A recipient is presented with a medal, a diploma, and a cash prize. Upon receiving the prize, a speech is typically delivered. Past honorees have often donated their winnings back into their fields or the community.

2   The Nobel Foundation manages its operation through its statutes. For instance, the monetary prizes, based on the annual yield of the fund capital, must be maintained to be given out annually. However, it does not mean that the prize is in fact given out yearly. The rules also add that if a candidate is not chosen by the committees, the money will be kept in the fund for a later year. It also contains many guidelines and restrictions to the award process. One example is a deceased candidate is ineligible to be nominated for a prize. Another example is that an award can only be given to up to three people and the prize money is divided amongst them. The Peace Prize is an exception, where both people and organizations are eligible.

3   The prizes were instituted by Swedish inventor Alfred Nobel through his final will. In this document, it was stipulated that his fortune would become a managed fund, in which the interest was to be distributed "in the form of prizes to those who, during the preceding year, shall have conferred the greatest benefit on mankind." Five years after his death on December 10, 1896, the first prizes were awarded. For example, the first Nobel Prize in Physics was awarded to Wilhelm Röntgen for the discovery of X-rays. In recent times, cosmic radiation, communication technology, quantum systems, and subatomic particles in matter have been considered forefront areas of interest concerning prize nomination. In 1968, one more category, The Sveriges Riksbank Prize in Economic Sciences in Memory of Alfred Nobel, known in shorthand, as the Nobel Prize in Economics, was established by the Bank of Sweden during its 300th anniversary. As of 2013, a total of 561 Nobel Prizes have been awarded to these six categories.

4   There are many aspects to the Nobel Prize selection process. Typically, in the realm of science, time is a factor. At times, it is required that the discoveries be time-tested before they can be accepted by the scientific community. There have been many instances where the key scientist in a certain discovery or matter had died before being able to get proper recognition. However, the Nobel Peace Prize differs from this because it may be awarded to those who are still in the process of resolving an issue, rather than upon resolution, like with the prizes in physics or chemistry. For example, being in the position of a pacifist leader may fulfill the requirements, as evidenced by the first Peace Prize, jointly given to peace leader Fredric Passy, and Henry Dunant, who founded the Red Cross. Another trend lies with the Nobel Prize in Physiology or Medicine. **A** This award represents two fields, meaning that in any given year, an award cannot be given in both fields. **B** A scientific breakthrough from the genetics and neurobiology side must be weighed against any discovery in the field of medicine, such as in immunology or cancer research. **C** If a discovery leads to a cure for a disease, it is more likely that it will be considered as a candidate for an award, especially if thousands or more are saved. This is why the most recent award in classical physiology was given in 1963 to John Eccles, Alan Hodgkin and Andrew Huxley for their study of cell membrane mechanisms. **D** Regardless of these trends and the intricacies to how the prizes work behind the scenes, the fundamental message of Alfred Nobel's will remains clear: "Worthy" people can "benefit mankind" with their "outstanding work."

1. According to paragraph 1, which of the following fields is NOT an original Nobel Prize category?
   - (A) Engineering
   - (B) Medicine
   - (C) Physics
   - (D) Peace

2. The word prestigious in the passage is closest in meaning to
   - (A) high-status
   - (B) trivial
   - (C) expensive
   - (D) undervalued

3. According to paragraph 1, which of the following does the prizewinner NOT receive?
   - (A) A check
   - (B) A certificate
   - (C) A chance to give a speech
   - (D) A medal

4. The word statutes in the passage is closest in meaning to
   - (A) institutions
   - (B) legislations
   - (C) itineraries
   - (D) rules

5. According to paragraph 2, which of the following is NOT true?
   - (A) The prize may not be awarded to anyone.
   - (B) The prize can be shared by 3 people.
   - (C) The prize can be shared by 4 people.
   - (D) The prize can go to an institution.

6 Why does the author use quotation marks (" ") in paragraph 3?
- Ⓐ The author is referring to one of Nobel's speeches.
- Ⓑ The author wants to show exact words used in Nobel's will.
- Ⓒ The author thinks it is a very important point.
- Ⓓ The author is implying the uniqueness of the expression.

7 The word conferred in the passage is closest in meaning to
- Ⓐ nominated
- Ⓑ consulted
- Ⓒ contributed
- Ⓓ honored

8 According to paragraph 3, how many years after Nobel's death was the sixth field for a Nobel Prize established?
- Ⓐ 5 years
- Ⓑ 45 years
- Ⓒ 72 years
- Ⓓ 300 years

9 According to the passage, what is different about the Nobel Peace Prize from the other Nobel Prizes?
- Ⓐ It is awarded to people upon the resolution of the issue.
- Ⓑ It is awarded only to individuals.
- Ⓒ It may be awarded even if the issue is not solved.
- Ⓓ It may be awarded if persons lead movements peacefully.

10 What can be inferred from the passage about the amount of prize money?
- Ⓐ It will automatically get larger every year.
- Ⓑ It will depend on how well the fund capital performed that year.
- Ⓒ Someday, all the money will be spent.
- Ⓓ The peace prizewinner gets more money than the other prizewinners.

11 According to the passage, which of the following is considered a recent trend in the field of physics?

 (A) Achievements in communication technology
 (B) Discoveries in cell membrane mechanisms
 (C) Immunology or cancer research
 (D) The search for the existence of X-rays

12 Which of the following can be inferred from the passage?

 (A) The Prizes have been awarded every year so far since the inception.
 (B) Some prizewinners had died when they were given a Nobel Prize.
 (C) Alfred Nobel deposited a lot of money in the Bank of Sweden.
 (D) The prizewinners usually give away money to contribute to society.

13 Look at the four squares ■ that indicate where the following sentence could be added to the passage.

The field continues to expand as people continue to struggle against disease.

Where would the sentence best fit?

Click on the square ■ to add the sentence to the passage.

14 Directions: Select the appropriate sentences from the answer choices and match them to the type of the Nobel Prizes to which they relate. TWO of the answer choices will NOT be used. This question is worth 4 points.

Drag your answer choices to the spaces where they belong.
To remove an answer choice, click on it.

Nobel Peace Prize	Nobel Prize in Physics	Nobel Prize in Physiology or Medicine
•	•	•
•	•	•

Answer Choices

- (A) Röntgen was awarded this prize for his discovery of X-rays.
- (B) When an individual is recognized for saving thousands of lives by discovering a cure, he or she will be awarded this prize.
- (C) The prize is given to those who are working toward resolving issues like international conflicts.
- (D) This prize was instituted by the Bank of Sweden and was not a part of Nobel's will.
- (E) A great achievement in immunology, genetics, and neurobiology is considered when selecting a recipient.
- (F) A better understanding of chemical processes may result in being awarded this prize.
- (G) The prize is awarded for discoveries and achievements in communication technology.
- (H) The first prize was given to two individuals, one of whom was the founder of the Red Cross.

Final Test ① ANSWERS

Passage ● 1

●問題 p.224〜229

1 正解 C

設問訳 パッセージの So は何を指すか。

解説 So can age. という文は Race and ethnicity can also shape behavior. に続いており，この文を受けて，「年齢に関しても同じことが言える」という意味で使われている。So が文頭に置かれているため，主語 (age) と述語 (can) が倒置した形になっている。So は前文の shape behavior を指し，言い換えると，Age can shape behavior, too. である。従って，C 「行動を形作ること」が正解。

2 正解 B

設問訳 パッセージの significantly と最も意味が近いのはどれか。

解説 まず，冒頭で国籍や背景だけでなく，同じ国内でも地域による違いがコミュニケーションに大きな影響を与えると述べられている。そして次に，年齢に関しても同じで，その具体例が So can age. の後に述べられている。年齢が両親の世代やさらに祖父母の世代と違っていたら，習慣などは significantly に異なるだろうという文脈から，これが「著しく」を意味すると推測できるだろう。正解は B 「根本的に」。

3 正解 D

設問訳 筆者の言う an acquired set of shared notions とはどういうことか。

解説 ここでは，当該段落の第2文 Culture affects people's behavior, including their communication styles 以下から，文化というものは生まれつき備わったものではなく has to be learned 「学習されなければならない」ものであると主張していることが分かる。つまり文化とは，第1文にあるように，社会の中で信条 (beliefs)，価値観 (values)，規範 (norms) に関して同じ考え (shared notions) を持つように学習されたものの集合体 (an acquired set) ということで，人は同じ考えをするように社会の中で学習するのである。正解は D 「同じ理解を持つよう学習された考えの団体」。

4 正解 C

設問訳 筆者はなぜアメリカでアメリカ人の両親に育てられた韓国生まれの子供について第2段落で言及しているのか。

解説 第2段落の冒頭部分に，文化は an acquired set of shared notions で，第2文には「生まれつき」なものではなく，「学習されなければならないもの」であると述べられている。韓国生まれの子供の例は第2文の直後の文に For example と続けて挙げられているので，C 「文化は (生得的なものではなく生まれてから) 獲得されるものであるという主張を裏付けるため」が正解。韓国人の子供の例は，冒頭の主旨 (main idea) を支持する事例 (supporting facts / details) である。

Final Test 1 Answers

5 正解 C

設問訳 第3段落によると，筆者が提案しているコミュニケーションをよりよく図れるようにするために我々が理解すべき根本的な違いとは何か。

解説 第3段落第2文に，When we appreciate these fundamental differences とあり，これらの fundamental differences が分かれば，お互いよりよいコミュニケーションを図ることができるようになるというのである。ここで these は前文の，a number of fundamental values that shape the way members of a culture think, feel, and act を指している。従って，C が正解。

6 正解 A

設問訳 第4段落からアメリカ人と彼らのコミュニケーション方法について推測できることは何か。

解説 第4段落後半に In the case of the United States and Canada, people tend to be more on the low-context side than high. と，アメリカ人は low-context「低コンテクスト」の文化を持っていることが述べられている。low-context の文化の特徴は，第2～3文にあるように，言葉で全ての意味を伝えようとすることにある。従って，正解は A「高コンテクストの人々のコミュニケーションより言葉に頼り，直接的である」が正解。

7 正解 C

設問訳 beating around the bush とはどういう意味か。

解説 In the case of the United States and Canada 以下に，この両国は low-context の文化に属することが書かれている。そして次の文に，「beating around the bush ではなく，人々はより端的に話す」とある。この文脈から beating around the bush というのは「直接的に話さないこと」の意味だと推測ができる。これは，C「遠回しに言う」という意味の慣用表現。

8 正解 B

設問訳 パッセージの aggravate と最も意味が近いのはどれか。

解説 aggravate は directness and indirectness の衝突 (clash) が，low-context communicators (= Israelis) と high-context communicators (= Arabs) の間の問題をさらに aggravate するという文脈に出てくる。そして続く文にあるように，その衝突が misunderstandings を招き，conflicts を起こすのだから，文脈から判断して，B worsen「～を悪化させる」が正解。

9 正解 D

設問訳 第5段落から推測できることはどれか。

解説 選択肢を見ると，A，B，C を正解にする根拠となる文が段落中にない。D「イスラエル人とアラブ人はコミュニケーションスタイルの違いが原因で争いを起こしている」というのは, straight-talking のイスラエル人と smooth interaction を重んじるアラブ人のように，直接的な話し方の人々と間接的な話し方の人々が衝突すると問題を悪化させる，という第1文から推測できる内容なので，これが正解。

10 正解 C

設問訳 第6段落で，筆者はなぜプエルトリコ人の言語様式に言及しているのか。

解説 第1文では，「アメリカは共存する数多くの文化を持ち，人によって直接的な話し方の価値について異なる考えを持つことがある」と述べられている。プエルトリコ人は，その一例として挙げられている。パッセージの最後の注に，「プエルトリコ人はアメリカ市民である」と述べられており，パッセージではプエルトリコをアメリカの一部としてとらえていることが分かる。プエルトリコの例は，第1文の主旨（main idea）を支持する例（supporting facts/details）である。従って，C「低コンテクストの文化を持つ国全てが直接的なコミュニケーションスタイルを持っているわけではないことを示すため」が正解。

11 正解 A

設問訳 第7段落によると，アフリカ系アメリカ人のコミュニケーションスタイルはどんなものか。

解説 第1～2文から，アフリカ系アメリカ人のコミュニケーションスタイルは，not totally direct であり，多くの場合, innuendoes, insinuations, inferences, implications や suggestions を多く含んでいるとある。その例として，オフィスを変えてもらいたいことを上司に伝える場合も，outright には言わず，taking a circular route to the main point とあることから，A「含意的，示唆的」が正解。

12 正解 C

設問訳 以下の記述のうち，筆者がパッセージ中で表現しているものはどれか。

解説 選択肢の中で筆者が主張している内容は C「ある文化圏では，発言の意味を言葉によらない行動から解釈し，別の文化圏では話された言葉によってその意味を解釈する」以外にない。A「人種や民族性は年齢よりも行動に大きな影響がある」，B「韓国で生まれた子供はアフリカ系アメリカ人の子供とは違った世界観がある」，D「プエルトリコの言語様式はアフリカ系アメリカ人の言語様式と間接的だという点で似ている」とはパッセージ中では述べられていない。

13 正解 C

設問訳 次の文の挿入箇所として，4つの■のうち最も適切なものはどれか。
「聞き手は，社会のルール，言葉を伴わない行動，そして聞き手と話し手との間の関係も考慮しなければ，話し手の意図を本当に理解することはできない」

解説 この内容は high-context culture を表している。A と D 前後の文は low-context culture について述べられているので，その間に該当の文を挿入すると，つながらなくなる。また B の後に，The second type is と初めて high-context culture の概念が述べられているので，B に挿入することもできない。C に該当の文を挿入すると，high-context culture の特徴がまず説明され，その後に具体例が続き自然な流れとなる。従って，正解は C。

14 正解 A , C , E

設問訳 以下の中でパッセージを最もよくまとめているものはどれか。パッセージの最も重要な考えを表している選択肢を3つ選べ。文の中には，パッセージに書かれていないものや，パッセージ中では詳細な事柄に関する内容のため要約には入らないものがある。この問題は2点である。

解説 正解は A「『文化』という言葉は異なる国，地域，そして社会的背景を持つ人々に関連した価値観や信条を意味するのに使われる」，C「文化とは信条，価値観，規範に関して共通した解釈が学習されたものの集合体で，大勢の人々の行動やコミュニケーションスタイルに影響する」，E「根本的な違いを認めることは，異なった背景を持つ人々がどのように行動し，そしてなぜそのような行動をとるのかを理解し，他者とのコミュニケーションの質をよくする上で重要である」。B，D，F は間違った内容ではないが，詳説にあたる部分である。パッセージの概要としては，「文化」の表す意味（＝A），文化は学習されるものであること（＝C），そして人がどうして異なる行動をとるのかを理解することがコミュニケーションを向上するために必要であること（＝E）の3つがふさわしい。

全訳

文化とそれが人々のコミュニケーションスタイルに及ぼす影響

「文化」という言葉が使われるとき，それはしばしば人々と各々の国籍や背景に対して使われる。こうした様々な背景は，人々のコミュニケーションの方法に影響を与える一因となる。1つの国の中でも地域差がコミュニケーションに強力な影響を及ぼすことがあり得る。アラスカの人々とニューヨークの人々の行動の違いは，彼らが2つの異なる国の出身であるかのように思わせるかもしれない。人種と民族性も行動を形作ることができる。年齢も同様である。大学生の年齢の人の習慣，価値観，態度は，1950年代に育った彼らの親のそれや，大恐慌や第二次世界大戦を生き抜いた彼らの祖父母のそれとは著しく異なるかもしれない。そ

れ以外の独特の文化を生み出し得る違いには性別，性的志向，身体的な障害，宗教，社会経済的背景が含まれる。

　これらの要素は全て，信条，価値観，規範に関する共通した考えが習得されたものの集合体という文化の定義につながる。文化はコミュニケーションのスタイルを含めて，人々の行動に影響を与える。これは生まれつき備わったものではなく，学習されなければならないものである。例えば，アメリカ人が韓国から養子をもらえば，ソウルやプサンのような場所で生まれ育った子供とは行動が異なる子供を持つことになるはずだ。これは，どこで育ったか（例えば小さな町か，都心部か，あるいは田舎か）によって，個人が他の人とは世界を見る目が異なるかもしれないことを表す。世界に対する感じ方や理解もまた，その人の先祖伝来の文化の価値の置かれ方によっても影響を受けるかもしれない。例えば，フランスにおけるアフリカの伝統の価値は，アメリカにおけるそれの価値とは異なる。この価値観の違いは，アフリカ系フランス人とアフリカ系アメリカ人の子孫がどのようにして行動を身につけるかを決定付けるかもしれない。

　特異とすら映ることもある行動の根底には，ある文化圏に属する人たちの考え方や感じ方，行動を形作る根本的な価値観がいくつも存在する。これらの根本的な違いを正しく認識したときに，人は，異なった背景を持つ人々がどのように行動し，そしてなぜそのような行動をとるのかを理解できるようになり，他者とのコミュニケーションの質をよくするためにはどうしたらよいかを考えられるようになる。

　ある1つの文化圏内で人々の思いを伝える方法に関して，2つの異なるタイプの文化が確認されている。1つ目は低コンテクスト文化と呼ばれ，考え方や感情，アイデアを論理的にはっきりと表すことが好まれる。低コンテクスト文化でコミュニケーションをする人たちにとっては，言葉の文字どおりの意味が大事にされる。2つ目のタイプは高コンテクスト文化と呼ばれる。このタイプの文化圏に住む人々は，思いを伝えるためだけでなく，困惑や社会的な不調和といった問題を避けるために，微妙な，言葉を使わないコミュニケーションの要素に重点を置く傾向がある。聞き手は，社会のルール，言葉を伴わない行動，そして聞き手と話し手との間の関係も考慮しなければ，話し手の意図を本当に理解することはできない。もし，高コンテクストの話し手が，聞き手が動揺してしまうかもしれないような困難なあるいは厄介な状況でコミュニケーションをとる必要がある場合には，直接的な言い回しを使うのではなく，コンテクストを用いて間接的に話すことができる。アメリカ合衆国やカナダについて言えば，人々は高コンテクストよりも低コンテクストに属する傾向がある。言い換えると，必ずしも容認されるとは限らない「回りくどい言い方をする」のではなく，人々はしばしばより端的に話す。

対照的に，中東やアジアの国々ではしばしば高コンテクストなコミュニケーションを用いる。例えば，アジアのある地域の人々が威厳を保ちつつ込み入ったあるいは熱の入った会話をするときなど，困難な状況をこなさなければならないとき，両者は威嚇的でない，間接的な会話をするのが一般的だ。

この直接的であることと間接的であることが衝突すると，両者間の問題をさらに悪化させてしまうこともある。イスラエル人のように物事を率直にはっきりと伝えることを評価する低コンテクストの人々と，アラブ人のように物事をスムーズに運ぶことを重視する文化である高コンテクストの人々の関係がそのよい例である。文化の様式の衝突がいかにイスラエル人とパレスチナ人の誤解や争いにつながるかは容易に想像できる。イスラエル人たちには相手のアラブ人たちが回りくどいと映るかもしれない。一方で，パレスチナ人たちはイスラエル人たちを無神経で無遠慮な人たちと見ているかもしれない。

アメリカは共存する数多くの文化を持つ。これは，人によって直接的話し方の価値についての考えが異なるかもしれないことを意味する。島から離れて本土へ移ったプエルトリコ人は，日本のようなアジア文化の高コンテクストを思い起こさせる話し方を用い続けるかもしれない。これは，アメリカ人の主流な話し方とは異なっていることを意味する。プエルトリコの文化は，社会的な均衡に重きを置き，対立を嫌う。これは標準的な英語に取り囲まれても存続するものである。

アフリカ系アメリカ人の比較的単刀直入なコミュニケーション方法は必ずしも直接的ではない。多くの場合，その特徴は，話し手が使う当てこすり的表現やほのめかし，推論や含意，提案で要点を伝え，そうすることで遠回しな表現は実際に言葉にされたものではなく，聞き手側のとらえ方による意味となる。例えば，上司にオフィス（の部屋）を変えてほしいと単刀直入に伝えるのではなく，他のオフィスの利点を挙げたり，自分が現在のオフィスにどれくらい長くいるかを話したり，また詳細なことや物語を付け加えることで，回り道をしながら要点にたどり着くのである。

＊プエルトリコの人，およびプエルトリコ出身の人。プエルトリコはフロリダ州南東のカリブ海に浮かぶアメリカ領の島。プエルトリコ人はアメリカ市民である。これは彼らが米国全土で自由に生活し，働くことができることを意味する。

Passage ● 2

●問題 p.230〜234

1 正解 C
設問訳 パッセージの the younger Rillieux とは誰のことか。

解説 第1段落第2文から，Norbert の父親は Vincent だと分かる。the younger Rillieux を含む前の文に Vincent raised his son as one who was free from slavery, which gave him some of the same privileges that white people had at that time, such as education. とある。him は Norbert のことを指す。続く文でも Norbert のことが書かれているので，正解は C 。

2 正解 A
設問訳 パッセージの extracted と最も意味が近いのはどれか。

解説 当該の語は *Jamaica Train*, by which juice extracted from sugarcane という文に出てくるが，この文は，juice was extracted from sugarcane by *Jamaica Train* と置き換えることができ，「*Jamaica Train* と呼ばれる方法で，サトウキビから汁を extract する」という意味である。この文脈から，extract は「〜を絞り出す」という意味であることが推測できる。正解は A 「〜を手に入れる」。 B 「〜を強いる」， C 「〜を推測する」， D 「〜を追跡する」。

3 正解 A
設問訳 パッセージの ladled と最も意味が近いのはどれか。

解説 ladled という語は，「熱い液状の砂糖を，奴隷が釜から釜へと ladle する」という文脈に出てくる。ここから，ladled は「移し替える」のような意味であると推測できるだろう。ladle は「(おたまで)(スープなど)をすくう」という意味。名詞は「(料理で使う)おたま，ひしゃく」。従って，正解は A 。

4 正解 B
設問訳 第2段落によると，*Jamaica Train* に関して推測できないのはどれか。

解説 A は第2段落第2文 Rillieux observed the dangerous process of sugar making called the *Jamaica Train* から， C は第3文 blackened sugar や最終文の Rillieux が考案した機械では，the sugar would not be burnt から正しい記述だと分かる。また D は，段落中盤にある Rillieux の多重効用蒸発缶では pans were stacked so that only one heat source would be necessary から，*Jamaica Train* ではそうではなかったと推測できる。しかし B に関しては，そのように推測できる文がパッセージ中にないので，これが正解。

Final Test 1 Answers

5 正解 D

設問訳 筆者が第2段落を書いた目的は何か。

解説 第2段落には，Rillieux が観察した *Jamaica Train* という従来の危険な製糖工程がまず述べられ，これを彼が改善したことが段落中盤の To make this process more efficient 以下に述べられている。そして後半では，彼の考案した方法の方が優れていることを述べている。従って，D「2つの方法を比較するため」が正解。

6 正解 A

設問訳 第3段落によると，ノーバート・リリューは発明の特許を取ってからどれくらいニューオーリンズに留まったか。

解説 第3段落第2文から，Rillieux は1843年に（ニューオーリンズで）特許を取ったことが分かる。そして第1文に which led Rillieux to once again move to Paris in 1854 とあるので，1854 − 1843 = 11 で，A が正解。

7 正解 D

設問訳 第3段落によると，ノーバート・リリューはなぜプロセスエンジニアの仕事をやめたのか。

解説 第2文 but his reputation was torn apart by French engineers who misrepresented his invention 以下から，「フランス人のエンジニアたちが彼の発明を間違って伝えたことによって，彼の評判は傷つけられ，生涯の仕事をあきらめることを余儀なくされた」ことが書かれているので，D「彼の発明は一部のフランス人エンジニアたちから不当な扱いを受けた」が正解。

8 正解 B

設問訳 パッセージの catapulted と最も意味が近いのはどれか。

解説 catapulted という語は，The cost-cutting enabled by Rillieux's methodology is a reason why U.S. makers were catapulted into the global sugar industry as leaders という文に出てくる。最終段落第1文を読むと，Rillieux の発明は，「その概念が現在でもいまだに関連があるから重要である」と書かれている。「リリューの方法によって，米国メーカーが世界的な製糖業のリーダーへと catapult された」というのだから，「導かれた」といった意味であると推測できる。catapult は「～を（突然ある状態に）させる（to move up suddenly）」の意味。従って，正解は B。trigger「～を引き起こす」，capture「～を捕らえる」，dispatch「～を急派する」。

9 正解 Ⓓ

設問訳 第4段落によると，ノーバート・リリューの発明が招いた結果を表していないものはどれか。

解説 Ⓐ「現在，工場での排水の再生に使われている」は第2文，Ⓑ「より品質の高い製品を生産した」は第1文 it (Norbert Rillieux's most notable invention) produced white sugar, which is a better product，Ⓒ「砂糖の生産工程が労働者にとって前ほど危険ではなくなった」は第1文 it phased out the dangerous methods used in the *Jamaica Train* で述べられている。しかしⒹ「砂糖は高級品となった」は間違い。最後から2文目の the affordability and availability of the product から，一般的なものになったことが分かる。

10 正解 Ⓐ

設問訳 このパッセージはどのように構成されているか。

解説 パッセージは，Rillieux の生い立ちや経歴，そして彼が発明した機械と彼の製糖技術が述べられているので，Ⓐ が正解。

11 正解 Ⓓ

設問訳 パッセージによると，ノーバート・リリューに関して正しい記述でないものはどれか。

解説 Ⓐ「彼は黒人と白人のハーフで，アメリカ人エンジニアだった」は，第1段落第1文および第2文 His father ... was a wealthy, white と第3文 His mother, a black woman から正しい内容。Ⓑ「彼は88歳まで生きたが，亡くなったときはとても貧乏だった」は，彼が生まれた年は第1段落から1806年，そして第3段落後半に Ultimately, he died a poor man in Paris in 1894. とあることから，88歳で亡くなり，貧乏であったことが分かるので，正しい記述。Ⓒ「母親は奴隷であったが，彼は奴隷ではなく自由な身であった」というのは，第1段落第4文 Vincent raised his son から始まる文に，父親が彼を自由の身にしたと書いてあることから正しい内容。しかし，Ⓓ「24歳のときにパリの L'Ecole Centrale に工学を学ぶために送られた」は間違い。第1段落後半 By the age of 24 以下にあるように，彼は24歳のときにはすでに L'Ecole Centrale で講師をしていた。従って，正解は Ⓓ。

12 正解 Ⓓ

設問訳 筆者の考えが最もよくまとまっているものはどれか。

解説 筆者がこのパッセージで強調していることは，第1段落後半の revolutionize the sugar production industry forever，そして最終段落第1文 Norbert Rillieux's most notable invention に述べられているように，「製糖産業に革命を起こした」ということである。従って，Ⓓ「リリューの蒸発機は製糖産業を完全に変えた」が正解。

● ● ●Final Test 1 Answers

13 正解 D

設問訳 次の文の挿入箇所として，4つの■のうち最も適切なものはどれか。
「彼の方法はこれまでの方法と比べて，砂糖をより精製された製品にし，経費もそれほどかからず，また労働者にとっても危険がずっと少ないものであった」

解説 第1段落で彼が考案した機械について書かれているのは They represented で始まる文である。この後に上記の文を挿入すると，前後の関係が論理的かつ自然な文となる。よって，正解は D。

全訳

ノーバート・リリュー

　発明家でありエンジニアでもあるアフリカ系アメリカ人，ノーバート・リリューは，1806年にルイジアナ州ニューオーリンズで生まれた。彼の父親であるビンセント・リリューは，裕福な白人で，ニューオーリンズのプランテーションの持ち主だった。彼の母親はコンスタンス・ビバンという名の黒人女性で，彼の父親の奴隷であった。ビンセントは息子を奴隷の身分から解放された人として育てた。このことで，ノーバートには，教育のようなその当時白人が持っていたものと同じ権利が与えられた。この人生の早い段階の間，若いリリューは製糖システムの欠点とそこで働く奴隷の待遇の悪さに気付いた。ノーバートは賢い少年だったので，自身が発明家であったノーバートの父親は，彼をパリのエコール・セントラルに行かせ，そこで彼は工学を学んだ。24歳になる頃には，彼はエコール・セントラルで応用機械学の講師となっていた。1830年には，作業での蒸気の利用に関する一連の論文を発表した。これらには，彼がやがて製糖産業に永久的な革命を起こす機械の初期のアイデアが説明されていた。彼の方法はこれまでの方法と比べて，砂糖をより精製された製品にし，経費もそれほどかからず，また労働者にとっても危険がずっと少ないものであった。フランスで，リリューはヨーロッパの人々が彼の新しい技術のアイデアを受け入れる準備ができていないことに気付いた。そしてアメリカの方が彼のアイデアに対してヨーロッパほど保守的でなく，もっと受け入れてもらいやすいと思った。アメリカでは人種差別が横行していたにもかかわらず，彼は1930年代にニューオーリンズに戻り，やがてそこで製糖機を完成させた。

　リリューの蒸発機の発明過程は，長期間にわたった。ニューオーリンズにいる間，リリューはサトウキビから絞った汁を乾燥させて黒砂糖を作る「ジャマイカ・トレイン」と呼ばれる危険な砂糖の生産工程を観察した。大きさがだんだん小さくなる釜のシステムでは，液状の砂糖が最も大きな釜から最も小さな釜に至るまで移された。その結果，汁が完全に蒸発して，固体化した黒い砂糖が最終製品となった。この工程をもっと効率的にするため，リリューは自分のアイデアを取り入れ，考案し，そして多重効用蒸発缶の特許を取った。これは1つの熱源だけですむように，鍋を積み上げたシステムである。さらに，このシステムは蒸気が上昇するように真空チャンバーの中に空気を入れるというアイデアを中心にも展開された。この主な利点の1つは，より低温で沸騰するからだけでなく，複数ではなく1つの容器だけですむという事実からより安全だということだ。これは，奴隷が1つの釜から次の釜へと熱い液体をひしゃくを使って移し替えていくという

初期の方法がようやく廃止されたことを意味した。もう1つの利点は，このシステムによって管理がよりうまくできるようになったので，生産工程を調整して砂糖が焦げることなく，白い砂糖が確実にできるようにしたことだ。

　偏見から奴隷制そのものに至るまで，人種的な不平等はルイジアナでさらに深刻になった。このためリリューは1854年にもう一度パリに移った。この頃までに，彼は1843年の蒸発機の特許によって熟練したプロセスエンジニアとしてよく知られていた。しかし，彼の発明を間違った形で伝えたフランス人のエンジニアたちによって，彼の評判は傷つけられ，彼は生涯の仕事をあきらめることを余儀なくされた。リリューはエジプト学を学ぶようになったが，やがて工学へと戻り，1881年にテンサイから砂糖を精製するコストを減らせる製法の特許を取った。彼は最終的に，1894年にパリで貧困の中，その一生を終えた。生前，フランス人は彼の多重式蒸発法の発明を認めることはなかった。国際サトウキビ技師会によって彼がようやく認められたのは，1934年のことで，彼らは彼のために記念碑を建てた。

　ノーバート・リリューの最も有名な発明が重要だと考えられているのは，「ジャマイカ・トレイン」で使われていた危険な方法を段階的に廃止したからだけでも，よりよい商品である，白い砂糖を生産したからだけでもない。その概念が現在でもいまだに関連があるからである。現在，彼の方式は，様々な一般的な家庭用品の製造や工場が排水を再生する必要がある際など，幅広い用途で使われていることが分かる。リリューの方法が可能にしたコスト削減は，製品の値ごろ感と入手のしやすさの点から，米国メーカーが世界的な製糖業のリーダーへと上りつめた理由である。現在，彼の発明をアメリカの化学工学史における最高の物として考える人もいる。

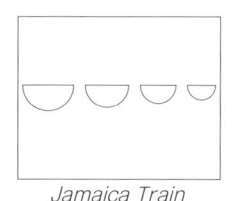

Jamaica Train

Passage ● 3

●問題 p.236〜241

1 正解 Ⓑ

設問訳 第1段落によると,なぜ食肉植物は食虫植物とも呼ばれるのか。

解説 第1段落最後から2文目に Since carnivorous plants ensnare mainly insects (食肉植物は主に昆虫をわなにかけるので), ... they are often simply referred to as insectivorous plants. と述べられている。従って,Ⓑ「主に昆虫を捕らえるから」が正解。

2 正解 Ⓐ

設問訳 パッセージの ensnare と最も意味が近いのはどれか。

解説 ensnare という語は,Since carnivorous plants ensnare mainly insects という文に出てくる。これより前の第1段落第1〜3文から,食肉植物が餌となる動物をおびき寄せ,捕らえ,消化して,その体液を吸収することが分かる。ここから,ensnare は「〜を捕らえる」という意味であることが推測できる。正解は Ⓐ「〜をわなにかける」。なお,ensnare は第3段落第2文中にも出てくるので,ヒントにしたい。Ⓑ「(人)をだます」,Ⓒ「〜を巻き込む」,Ⓓ「〜を取り戻す」。

3 正解 Ⓓ

設問訳 食肉植物が獲物を捕らえる方法として第2段落で述べられていないものはどれか。

解説 第2段落には獲物を捕らえる方法として,甘い香りを振りまいたり (sweetly scented),色鮮やかだったり (brightly colored),毒性の体液を持っていたり (have fluids that are toxic) する。他にも滑りやすいカップ状の葉 (slippery cupped-leaves),べたついた毛 (sticky hair),鋭いとげ (piercing thorns) が挙げられている。しかし,Ⓓ「鮮やかな色で獲物にめまいを起こさせ捕まえる」とは書かれていない。

4 正解 Ⓑ

設問訳 パッセージの absorb と最も意味が近いのはどれか。

解説 absorb は,the plant can typically only absorb nutrients という文に出てくる。この段落では,「どのように獲物が消化されるか」が説明されている。当該の語を含む文は「植物は通常,腐敗したものからしか栄養素を absorb できない」という意味である。従って,Ⓑ「(食べ物など)を摂取する」と最も意味が近い。Ⓐ「(心配など)を消す」,Ⓒ「(匂いなど)を放つ」,Ⓓ「〜を分散させる」。

5 正解 Ⓑ

設問訳 第4段落によると，ハエジゴクが *Dionaea muscipula* と呼ばれるのはなぜか。

解説 第4段落にこの植物が *Dionaea muscipula* と呼ばれる理由が述べられている。*Dionaea muscipula* というのは専門用語（scientific name：学名）であるが，*Dionaea* は it was so called because it develops attractive flowers（魅力的な花を咲かせる）ことから，また *muscipula* は the Latin word for "mousetrap" であり，「ネズミ捕り」を意味することからそのように呼ばれていることが分かる。従って，Ⓑ「かわいらしい美しい花を咲かせるが，獲物を捕らえる（ため）」が正解。

6 正解 Ⓓ

設問訳 第6段落によると，動物がこの植物の葉に着地するかもしれない理由はどれか。

解説 第6段落第2〜3文 The leaves have an attractive landing place in its center, drawing insects and other creatures to it. Because it appears harmless から，「葉の中央が魅力的な場所で，無害に見える」ことが分かる。従って，正解は Ⓓ。

7 正解 Ⓐ

設問訳 パッセージの the prisoner が指していないと考えられるものはどれか。

解説 the prisoner は，If the sensory organs determine that the prisoner contains protein という文に出てくる。「感覚器官が，the prisoner がタンパク質を含んだものであると認識すると」という文脈から，the prisoner は Venus flytrap の「餌食になったもの」である。パッセージには，同段落第4文に an intruder, such as an insect or frog とあるので，Ⓑ，Ⓓ，および intruder と同意語の Ⓒ invader は the prisoner になり得る。一方，Venus flytrap は plant を捕獲することはないので，plant が the prisoner にはなり得ない。従って，Ⓐ が正解。prisoner は「囚われの身」を意味する。

8 正解 Ⓑ

設問訳 第6段落によると，植物の感覚毛は葉に何をさせるか。

解説 第6段落第4文に，「昆虫やカエルのような獲物が感覚毛に触れると，1秒もしないうちに（less than a second）葉が閉まり，その歯で獲物を捕える」とある。またその次の文の If the sensory organs determine 以下にも，the leaf closes further とある。つまり，感覚毛は獲物が着地したことを認識すると一瞬にして葉を「閉じる」のである。従って，正解は Ⓑ「自動的に（葉が）閉じること」。

9 正解 B

設問訳 最終段落を最もよく表しているのはどれか。

解説 最終段落は，どうしてハエジゴクが昆虫や小動物を餌にしなければならないのかが説明されているので，B が正解。

10 正解 D

設問訳 パッセージによると，ハエジゴクに関して正しい記述はどれか。

解説 第4段落を見ると，A「トーマス・ジェファーソンがこの植物をハエジゴクと命名した」とは書かれていないので誤り。また，B「チャールズ・ダーウィンが，サウスカロライナ州でこの植物について研究を行った」は，South Carolina に関係しているのは Thomas Jefferson なので誤り。C「それは人間の背丈くらいに成長する」は，第5段落第3文 This plant (= carnivorous plant) grows to a height of approximately 12 inches (30 cm). とあることから誤り。一方 D は，第5段落第2文 This carnivorous bog plant から正しい文で，これが正解。

11 正解 C

設問訳 筆者はおそらくどの分野の専門家か。

解説 植物に関する記述なので C「植物学」が正解。A「心臓学」，B「生化学」，D「生理学」。

12 正解 D

設問訳 次の文の挿入箇所として，4つの■のうち最も適切なものはどれか。
「そこで今度は別の獲物をわなにかける準備ができるのである」

解説 当該の文は「そこで another victim（次の犠牲者＝獲物）を捕らえる準備ができる」という意味なので，最初の獲物が捕獲された後に行うことと考えられる。すなわち，第6段落にあるように「獲物が葉の中央に着地する」→「感覚毛の働きで葉が閉じる」→「獲物が消化される」→「消化し終わると再び葉が開く」という過程をたどるが，再び葉が開けば次の獲物を狙う準備が整うことから，この後，すなわち D に挿入するのが最も適切。

13 正解 D , E , F

設問訳 以下はパッセージの要約の冒頭文である。パッセージの最も重要な考えを表している選択肢を3つ選んで要約を完成させなさい。選択肢の中には，パッセージに書かれていないものや，パッセージ中では詳細な事柄に関するため要約には入らないものがある。この問題は2点である。

「ハエジゴクは背丈が低い多年性草本で，独特の特性と習性を持つ」

解説 冒頭文は，ハエジゴクの特性を一部紹介している部分である。これに続き，D , E , F はパッセージの中に書かれているこの植物の特性を表す記述となっている。一方，C 「ハエジゴクは適正な状況下では，4，5年生きる」は第5段落から誤り。G 「強い太陽光を浴びるとハエジゴクの葉は赤くなり，干上がってしまう」は第5段落から，必ず色が変わるとも限らないので不正解。H 「ハエジゴクの感覚毛はとてもベタベタしているので，昆虫が逃げられない」，などとはどこにも書かれていないのでこれも不適切。また，A , B は詳細に関することなので，ここでは選ばないように気を付けよう。

全訳

ハエジゴク

　人々は長年，食肉植物に魅了されてきた。食肉植物は他の種類の植物と違い，餌となる動物をおびき寄せ，捕らえ，消化し，その体液を吸収するからだ。食虫植物であるハエジゴクやモウセンゴケは昆虫を捕らえる植物だ。それぞれは受動的ながらも巧妙に獲物をおびき寄せ，いとも簡単に捕らえ，自らが出す液で消化し，そして次に来る何の疑いも持っていない獲物に備えるのである。食肉植物は主に昆虫をわなにかけ，獲物として150種類を超える昆虫が科学者によって確認されているため，よく単に食虫植物と呼ばれる。しかしながら，これらの植物は，クモ，カタツムリ，ミミズなどの他の小さな生物から，魚，ネズミ，鳥類さえまでもの大きな生物を摂取することが記録されている。

　食肉植物によって昆虫をおびき寄せる仕組みが異なり，獲物をおびき寄せる方法もそれぞれ違っている。それらは甘い香りを振りまいたり，色鮮やかだったり，毒性の液体を持っていたりする。また，獲物が逃げ出すのを難しくするような，滑りやすいカップ状の葉やべたついた毛，鋭いとげなどを持つこともよくある。

　食肉植物にとっての次のステップは栄養素を得ることだ。ここで最も重要な要素が酵素である。食肉植物のほとんどは自ら（消化）酵素を作り出すことができるが，わなにかけた獲物の分解をバクテリアに頼るときもある。どちらにしても，植物は通常，腐敗したものからしか栄養素を吸収できない。つまり，虫が植物の上で排泄するか，その中に糞がある場合は，それらは酵素を必要とせずに難なく吸収することができるということだ。栄養のある腐敗物が，（土の中の根から）植物の奥深くに引き込まれる必要がある代わりに，外側の葉の表面を通り抜けられるのはこのためである。

　全ての食肉植物の中で，ハエジゴクは長年，チャールズ・ダーウィンやトーマス・ジェファーソンなどの著名人の驚きの対象となってきた。トーマス・ジェファーソンは，サウスカロライナ原産のこれらの植物の収集で知られている。その学名は「ディオネア・マスシプラ」で，モウセンゴケ科に属する。ディオネア（Dionaea）は，愛と美の神話上の女神，ディオーネ（ビーナスはディオーネの娘である）のことを指し，魅力的な花を咲かせることからそのように呼ばれている。マスシプラ（Muscipula）は，「ネズミ捕り」という意味のラテン語である。

　ハエジゴクには多くの特性がある。この湿地帯に自生する食肉植物は，丈が低い多年生草本で，最大で約12インチ（約30センチ）の高さまで成長する。直立茎の先に咲く花は小さくて白く，葉は5インチ（13センチ）まで成長する。葉はあごのようなとげ状の歯を持っている。強烈な太陽光の下，一般的には緑色の植

物の葉は赤や黒ずんだ色になる。時折，色が変わらないこともある。加えて，4，5年で成熟することで知られているが，この年数は種やその他の環境で変わることもある。

　ハエジゴクの獲物の捕らえ方には多くの細々としたことがある。その葉の中央には，魅力的な着地場所があり，昆虫やその他の生物を引きつける。ハエジゴクが獲物を捕らえるのに成功しているのは，それが無害に見えるからである。何か，あるいは昆虫やカエルのような侵入者が中央にある感覚毛を作動させると，1秒もしないうちに葉はそれを取り巻くように閉まり，その歯で獲物を捕らえる。もし感覚器官が，閉じ込めた獲物が単なる落ち葉や枝ではなく，タンパク質を含んだものであると認識すると，葉はさらにきつく閉じ，植物の消化酵素が分泌され始める。消化工程が完了すると葉は再び開く。そこで今度は別の獲物をわなにかける準備ができるのである。

　食肉植物の多くの種類は，しばしば獲物を捕らえなくても生きられることが知られている。ほとんどの植物のように，それらは必要とする全ての栄養素を土壌から得ることができる。しかしながら，ハエジゴクはこの領域の末端に位置している。ハエジゴクが自生する湿地内の土壌は窒素が乏しいため，昆虫や小動物からその栄養素を得るようになったのである。とは言え，土壌から栄養素を得る能力は失われていないので，何らかの形で適切に栄養素を与えてやれば，ハエジゴクはそれだけで生きられるはずである。

Venus Flytrap

Final Test ② ANSWERS

Passage ●1

●問題 p.242〜247

1 正解 Ⓑ

設問訳 第 1 段落によると，人体の系統の機能を説明していないものはどれか。

解説 Ⓐ「体が生きていくのを助ける」は，第 1 文 The human body 以下「人間の体は，自己保存に必要な機能を供給する器官の集まりから成っている」から，Ⓒ「体内環境を安定させる」は，第 3〜4 文「人体は恒常性を維持するために，11 の基本的系統に依存しており，それは，安定した内的環境を必要とする public infrastructure systems of a city に似ている」という文から，また，Ⓓ「他の系統とともに働く」は段落最後から 2 文目 responsible ... for interacting with other systems から，これらは人体の系統の機能を説明している文である。しかし，Ⓑ「器官を構成している細胞の集まりである」とは書かれていない。

2 正解 Ⓓ

設問訳 第 1 段落で，筆者はなぜ循環器系との関連の中で車の話をしているのか。

解説 これは筆者の意図を問う設問。つまり，筆者は Ⓓ「系統（の仕組み）を読み手がよりよく理解するのを手助けするため」に，誰もが知っている車を例に体の複雑な系統を説明しているのである。Ⓐ「それぞれの系統の異なる機能を比較・対照するため」や，Ⓑ「循環器系がどのように働くか例を挙げるため」，Ⓒ「血管の特徴を説明するため」ではない。

3 正解 Ⓒ

設問訳 第 1 段落によると，循環器系に関する記述で正しくないものはどれか。

解説 まず第 5 文 the circulatory system consists of blood containing vessels that reach out to cells「循環器系は，細胞にまで伸びる血管を含む血液で構成される」という記述があることから，Ⓓ「細胞とつながっている血管系である」は正しい。Ⓐ「体全体とつながっている」は第 6 文 Blood flows throughout the body から正しい記述。Ⓑ「化学物質と体液を細胞に運ぶ」も，第 6 文後半 transporting oxygen, chemicals and fluids という記述から正しい。しかし，Ⓒ「循環器系は酸素を効率よく作り出す」とは書かれていないので誤り。

Final Test 2 Answers

4 正解 Ⓐ

設問訳 第2段落によると、酵素は何をするか。

解説 まず第2文に、消化器系は responsible for breaking down food, absorbing the nutrients とあるように食物を分解して、栄養素を吸収する役割をしている。そして enzymes 「酵素」は第3文 At the onset of 以下にあるとおり、消化が始まると speed up the breakdown of food「食物の分解速度を上げる」働きをする。従って、Ⓐ「食物を化合物や栄養分に分解する」が正解。なお、chemical digestion（化学的な消化作用）というのは、「酵素」と呼ばれる化学物質が消化に携わることからこのように言われる。参考までに、歯で食物をかみ砕いてだ液と混ぜ合わせ、胃腸に送り込む消化作用は physical digestion などと言われる。Ⓑ「消化器系を通って食物を移動させる」、Ⓒ「必要な栄養分を体内に吸収する」、Ⓓ「排泄物を体から排泄する」はいずれも誤り。

5 正解 Ⓓ

設問訳 第2段落によると、循環器系と消化器系は互いにどのように関係しているか。

解説 第2段落第4文に The small intestine then absorbs processed nutrition into the bloodstream, where the circulatory system takes over and handles distribution, resulting in the provision of nutrients to the cells. とある。消化器系は吸収した栄養分を血液中に取り込み、さらに循環器系がその栄養分を細胞に運ぶのである。これを表している Ⓓ「循環器系は（消化器系で）消化された栄養分を体中に運ぶ」が正解。

6 正解 Ⓓ

設問訳 第3段落によると、呼吸器系に属さないものはどれか。

解説 第3段落第1文を読むと、呼吸器官は the nose, mouth, trachea, pharynx, and lungs から成ることが述べられている。ここから、Ⓐ, Ⓑ, Ⓒ は呼吸器系に属することが分かる。しかし、Ⓓ esophagus「食道」は、例として述べられていないので、これが正解。

7 正解 Ⓒ

設問訳 パッセージの in parallel with と最も意味が近いのはどれか。

解説 Ⓐ aided by は「～に支援を受けている」、Ⓑ in response to は「～に応じて」、Ⓓ with regard to は「～に関しては」の意味。in parallel with というのは、Ⓒ together with「～と一緒に」と同じ意味。第4段落第1文の「The excretory system も other systems と in parallel with に働く」という文脈から、意味が推測できるだろう。

8 正解 Ⓑ

設問訳 パッセージの filter と最も意味が近いのはどれか。

解説 filter は第4段落第4文 The kidneys ... filter blood and pull out harmful or unnecessary materials. という文に出てくる。腎臓は血液をフィルターにかけ，有害な，もしくは不必要な物質を取り除くことから，filter は Ⓑ purify と同義と推測できるだろう。Ⓐ「～を清潔にする」，Ⓒ「～を分解する」，Ⓓ「～を結合する」。

9 正解 Ⓒ

設問訳 パッセージの hydration と最も意味が近いのはどれか。

解説 hydration は，In order for the kidneys to play a role in maintaining hydration and salt levels, hormones must be sent. という文に出てくる。この後に「体に十分な水分がない場合，尿に変わるはずだった水分を再吸収するようにホルモンが伝える」とある。つまり，腎臓は水分を一定に保つ役割をしているわけである。正解は Ⓒ。

10 正解 Ⓐ

設問訳 パッセージの最後の文から推測できるものはどれか。

解説 Ⓑ，Ⓒ，Ⓓ に関してはそれを正解にする根拠となる文がパッセージ中に書かれていない。Ⓐ に関しては，第4段落で述べられているように，腎臓は「血液をろ過して，有害な，あるいは不必要な物質を取り除いて，尿を作る」ことを把握している必要がある。また第5段落にあるように，腎臓は「水分や塩分量を維持する役割を果たす」のである。体内の水分が少なければ，水分を再吸収するように，ホルモンが送られる。ということは，水分が多くなれば，排泄するようにホルモンが送られると推測できる。従って，Ⓐ「もし水を飲み過ぎたら，もっと尿を排出するようホルモンが分泌される」と推測することができるので，これが正解。

11 正解 Ⓐ

設問訳 パッセージから推測できるものはどれか。

解説 Ⓑ，Ⓒ，Ⓓ に関しては，内容として正しくない記述である。第2段落第4文の The small intestine 以降から，栄養分を吸収するのは large intestine（大腸）でなく small intestine（小腸）なので，Ⓑ は不正解。第2段落第5文から，消化されない食物は large intestine に運ばれることが分かるので Ⓒ「消化されない食物は腎臓で分解される」は不正解。さらに Ⓓ「消化されない食物は小腸に集められる」も間違い。Ⓐ「酵素は胃で分泌される」は第2段落第3文 At the onset of a chemical digestion in the stomach, enzymes are released to speed up the breakdown of food. から推測できることで，これが正解。

● ● ● Final Test 2 Answers

12 正解 The circulatory system：Ⓒ , Ⓕ , Ⓖ
　　　　　The respiratory system：Ⓐ , Ⓔ , Ⓗ

設問訳　以下のそれぞれの系統の種類に関する記述と一致する文を選択肢から選べ。それぞれの系統につき，3つずつ選べ。選択肢のうち2つは使わない。この問題は4点である。

解説　循環器系に関しては，Ⓒ「細胞に酸素を運ぶ」，Ⓕ「溶解された二酸化炭素を肺に戻す」，Ⓖ「血液が体中を巡るのを助ける」が正解。呼吸器系に関しては，Ⓐ「体のために酸素を取り入れる」，Ⓔ「体が二酸化炭素を排出するのを助ける」，Ⓗ「肺に空気を運ぶ」が正解。

13 正解　Ⓓ

設問訳　次の文の挿入箇所として，4つの■のうち最も適切なものはどれか。
「これに関連しているのが膀胱で，尿を集め，蓄える」

解説　文頭に Related to this is the urinary bladder とあるので，この文の前には urinary bladder（膀胱）に関連した内容が書かれているはずである。Ａ から Ｄ を見ると，Ｄ に入れると直前に尿に関する記述があるので適切。

14 正解　Ⓐ , Ⓒ , Ⓔ

設問訳　以下はパッセージの要約の冒頭文である。パッセージの最も重要な考えを表している選択肢を3つ選んで要約を完成させなさい。選択肢の中には，パッセージに書かれていないものや，パッセージ中では詳細な事柄に関するため要約には入らないものがある。この問題は2点である。
「人の体は生きていくために一体になって働く全系統に依存している」

解説　冒頭文は，このパッセージ全体の主旨（main idea）にあたる部分である。これを支持する事例を選択肢から選ぶと，正解は，Ⓐ , Ⓒ , Ⓔ である。Ⓐ , Ⓒ , Ⓔ からはそれぞれの系統が他のどの系統とどのように関連しているかが分かる。Ⓑ , Ⓓ , Ⓕ はその系統の働きが述べられているだけで，他の系統と一体となって働く（work together）ことを支持する例となっていない。

全訳

人体の系統

　人間の体は，自己保存に必要な機能を供給する器官の集まりから成っている。この極めて複雑な集合体は，まず細胞から始まり，より複雑な組織へと続き，さらにより大きい器官へ，そして組織全体へと集約する。この数は異なるかもしれないが，人体はホメオスタシス（恒常性）を維持するために，11の基本的系統に依存している。これらは都市の公共基盤システムに似ている。都市も，安定した内的環境を必要とする。例えば，循環器系は，細胞にまで伸びる血管を含む血液で構成される。血液は全身を流れ，酸素や化学物質や体液を運んでいく。その流れは分解された気体や老廃物を運び出してもくれる。同様に，トラックや車などの車両は，ある地域へと資源を運び入れ，そこから廃棄物を運び出すことができる点で，これに類似している。他にも，免疫系は軍隊に似ているし，伝統的な電話網は神経系に似ている。しかし，身体系統は本来の単一の目的を果たす役割を担うだけではなく，他の系統と相互に作用し合っている。一緒に働くことによってのみ，人体は真にホメオスタシスを保つことに成功することができるのだ。

　消化器系はその目的を達成するために，循環器系と排泄系の助けを必要とする。消化器系は食物を分解し，栄養分を吸収し，老廃物を排出する役割を果たすが，そうした役割はどれも，運搬に血管と，あるいは浄化に腎臓との相互作用なしには果たせない。胃の中で化学的消化が始まると，食物の分解速度を上げるために酵素が分泌される。すると小腸が処理された栄養分を血液中に取り込み，そこで循環器が受け継いで分配を担当し，細胞に栄養分を供給する。未消化の食物などの異物は消化器系の最後の部分である大腸に行きつき，そこで糞が集められ，排泄系によって排出される。

　もう1つの重要な相互作用システムは，鼻，口，気管，咽頭，そして肺で構成される呼吸器系である。その主な目的は，肺に酸素を供給することにある。呼吸器系はまた，細胞呼吸の副生成物の1つである二酸化炭素を空気中に放出する。しかし，気体がさらに交換されるのは体内でのことで，もう1つのシステム，循環器系を使って行われる。特に，血液が体内を循環するときには，呼吸を通して空気から新鮮な酸素を取り込む必要がある。呼吸器系と同じように必要不可欠なのは循環器系で，これがその新鮮な酸素を細胞に運び，分解された二酸化炭素を肺に戻す。かくして，体に必要なものを与えるという最終的な目的を完了する。

　排泄系も他のシステムと並行して働く。その一例が，排泄系の腎臓と循環器系の血管との密接な共同作業だ。2つのシステムは物理的につながっているので，血液は常に，定期的に腎臓を通らなければならない。腎臓は浸透圧調節と呼ばれ

る過程を使って血液をろ過し，有害な，あるいは不必要な物質を取り出す。この結果が尿，つまり取り除いた老廃物，過剰な塩分や水分の混合物だ。これに関連しているのが膀胱で，尿を集め，蓄える。最後に，尿は尿道を通って体から出ていく。

　体と系統間の相互作用を管理するためには，コミュニケーションが重要だ。内分泌系はホルモンを分泌する細胞や組織や腺から成る主要な系統で，ホルモンとは血流などによって伝えられる化学的メッセージである。腎臓が水分や塩分量を維持する役割を果たすためには，ホルモンが送られなければならない。例えば，体に十分な水分がない場合，ホルモンが腎臓に送られ，尿に変わるはずだった水分を再吸収するように伝える。その結果，この排泄液の量が減る。同じように，腎臓は常にホルモンのメッセージによって監視され調節されているので，逆も起こる。人体がいかにホメオスタシスを維持するかのもう１つの例につながるのである。

Passage ● 2

●問題 p.248～253

1 正解 C

設問訳 第1段落によると，クックは何をしたことで最もよく知られていると筆者は考えているか。

解説 第1段落第2文に In addition to being most famous for finding the Hawaiian Islands「クックはハワイ諸島を発見したことで最も有名であるが」とある。従って，正解は C 。

2 正解 A

設問訳 パッセージの transit と最も意味が近いのはどれか。

解説 transit は A 「（天体の）通過」という意味で使われている。第2段落第3文 This phenomenon 以降の「この現象は月の日食に似ているが，太陽を隠すのは金星だ」という文脈から推測できるだろう。なお, transit の動詞は「（天体が別の天体など）を通過する」の意味。（例: The comet will transit on September 11.「彗星は9月11日に通過する」）

3 正解 D

設問訳 第2段落によると，the Endeavour とは何か。

解説 第2段落第2文，Cook was commissioned 以下に，「クックは1768年に，イングランドのプリマスからタヒチまで天文学者を護衛するよう任命され，the Endeavour で出発した」とある。この内容を考えると，正解は D 。

4 正解 B

設問訳 第2段落によると，タヒチをたってからクックはおそらくどちらの方角に向かったか。

解説 第2段落後半をよく読もう。クックは南下して，その後西へ進路を変えるよう指示されていたことが分かるので，B が正解。

5 正解 B

設問訳 第2段落によると，なぜクックは南太平洋への航海を指揮する任務に選ばれたか。

解説 第2段落第2文 Cook was commissioned to escort two astronomers 以降にあるように，クックはイングランドのプリマスからタヒチまで2名の天文学者を護衛するよう任命されたのである。それは，天体を観測するためであった。そしてもう1つは第2段落第5文以下にあるように，テラ・アウストラリス・インコグニタと呼ばれる伝説の島が存在するかどうかを調査するためであった。従って，B 「科学的探検を指揮し，そして南の大陸を探すため」が正解。C は一部しか述べられていないので，正解にできない。

● ● ● Final Test 2 Answers

6 正解 B

設問訳 パッセージの indigenous と最も意味が近いのはどれか。

解説 「オーストラリア滞在中，クックは indigenous の人々を観察した」という文脈から意味を推測しよう。indigenous は「現地の，土着の，生まれながらの」という意味なので，正解は B native。A attentive「注意深い」，C lethal「致命的な」，D impassive「無表情の」。

7 正解 A

設問訳 最終段落を書いた筆者の主な目的は何か。

解説 第1段落を読むと，これから述べられる全体の概要として，クックは，1) 3度の航海を通して数々の功績を上げた偉大な探検家であること (one of the world's greatest British explorers and navigators, commanded three voyages of discovery)，2) 精度の高い地図を作成したこと (setting high standards in the accuracy of maps)，3) 乗組員の健康を気遣ったこと (taking care of the diet and lives of his crew)，が述べられている。これに沿って，まず第2段落で1)に関して，第3段落では2)に関して書かれており，最終段落では，3) 乗組員の健康を気遣ったことが述べられている。従って，正解は A。

8 正解 D

設問訳 パッセージの abandonment と最も意味が近いのはどれか。

解説 「fat compounds を食べる習慣の abandonment が，壊血病 (scurvy) を防いだ」という文脈を考えよう。またこの後の文の Had they eaten the fat は文法的に言い換えると，If they had eaten the fat となり，「もし脂肪を食べていたら」という意味になる。この文脈から abandonment は D giving up「～をあきらめること」と同じ意味と推測できる。

9 正解 A

設問訳 このパッセージは主に何について述べられているか。

解説 第1段落を読むと，まず第1文にクックが one of the world's greatest British explorers and navigators であること，クックがオーストラリア海域の地図を正確に書き上げたことと，乗組員たちの健康を気遣ったことが述べられている。以降，パッセージは彼が科学的探究のために天文学者を護衛するよう任命され，最初の航海に出ることになったこと，そしてその航海の様子を中心に展開している。従って，A「クックの最初の航海で何が起きたか」が正解。B「オーストラリアとニュージーランドの発見」，C「発見されていない大陸に関する人々の信念」，D「クックの大ブリテンへの旅」を中心にパッセージは展開していない。

CHAPTER 4

285

10 正解 Ⓑ

設問訳 パッセージによると，以下のどの文が推測できるか。

解説 第3段落第3文に Up to that time, only a few parts, mostly in the west and in the north, had been discovered and sketchy maps were drawn. とあることから，Ⓑ「クックは以前，南方の海で目撃された大陸の大ざっぱな地図を持っていた」と推測できる。一方，Ⓐ「クックは赤道の南に大きな大陸が存在することを航海前に知っていた」と推測できる文はパッセージ中に存在しない。また Ⓓ は第3段落第2文から誤り。さらに，Ⓒ「巨大なまだ発見されていない大陸は単なる物語で，誰も信じていなかった」は，もしそうであれば英国政府がクックに南の島を探検するよう命じなかっただろうから，これも正解にできない。正解は Ⓑ 。

11 正解 Ⓓ

設問訳 以下のジェームズ・クックに関する記述で正しくないものはどれか。

解説 Ⓐ「彼は生きている間に7つの大陸を旅した」は第1段落第1文 (sailed to all seven continents) から，Ⓑ「彼は地球から太陽までの距離を計算するためにタヒチに送られた」は，第2段落第2文 Cook was commissioned to escort 以下から正しい記述だと分かる。さらに Ⓒ は，第2段落後半 Cook ... embarked on a second, secret mission 以下から正しい記述である。しかしクックが伝説の Terra Australis Incognita を発見したというような記述はパッセージ中にないので，Ⓓ が正解。

12 正解 Ⓑ

設問訳 クックに対する筆者の態度は以下のどの語で表現することができるか。

解説 筆者は第1段落で，クックがハワイ諸島を発見したこともさることながら，彼は精度の高い地図を作成し，乗組員の食事や生命に大変気を遣ったことで有名だと述べていること (Cook was also well-known for setting high standards in the accuracy of maps, ... and in taking care of the diet and lives of his crew) や，最終段落で，できるだけ乗組員を死なせずに帰港させたと述べていることから，筆者のクックに対する態度は Ⓑ「敬意を表する」だろう。他の選択肢の意味は，Ⓐ「的外れな」，Ⓒ「批判的な」，Ⓓ「理解のある」。

13 正解 Ⓒ

設問訳 次の文の挿入箇所として，4つの■のうち最も適切なものはどれか。
「彼は他の野菜を食べることや，船室の換気をすることまで強制した」

解説 当該の文は He から始まるので，その主語が誰かを考える必要がある。文の内容から，He は乗組員の健康を気遣った Cook を指していることが分かる。当該の文は「他の野菜を食べることや換気することを強制した」とあるので，前の文には，クックが野菜を食べるように促したことや掃除に関する内容が述べられていると考えられる。Ⓒ に入れると，論理的に自然な流れとなる。

● ● ● Final Test 2 Answers

14 正解 C , D , F

設問訳 以下の中で筆者の考えを最もよくまとめているのはどれか。パッセージの重要な考えを表している選択肢を3つ選べ。文の中には，パッセージに書かれていないものや，パッセージ中では詳細な事柄に関する内容のため要約には入らないものがある。この問題は2点である。

解説 このパッセージの主旨は最初の段落に述べられている。C, F は，第1段落で書かれているとおりで，正解。第2段落にあるように，クックは伝説の島を発見するように命ぜられたので，D 「南半球の大きな大陸を探す」は彼の航海の大きな目的の1つである。しかし，A は事実とは反する内容，B, E は事実であるが，パッセージの中心的な内容ではない。

全訳

ジェームズ・クック

　世界の最も偉大な英国人探検家かつ航海者の1人であるジェームズ・クック（1728 〜 1779）は，英国のために3度の探検航海を指揮し，数々の困難に出会い，数々の成功を収めながら，世界中の7つの大陸全てを訪れた。クックはその3度目の航海でハワイ諸島を発見したことで最も有名であるが，それに加えて，特にオーストラリア海域の高水準の精度の地図を作成したことや，乗組員の食事や生命に細かな気配りをしたことでもよく知られている。

　クックの最初の航海は，太平洋の島々への公式の遠征だった。彼はイングランドのプリマスからタヒチまで2名の天文学者を護衛するよう任命され，1768年エンデバー号で出発した。太陽から地球までの距離が計算できることを期待して，金星の通過を観察するためだった。この現象は月の日食に似ているが，太陽を隠すのは金星だ。一行は，1769年半ばにその仕事を成し遂げた。その後，クックはタヒチの海岸線の地図を作成し，英国政府による第2の内密の任務に乗り出した。それはテラ・アウストラリス・インコグニタ，つまり仮説上の南方大陸の存在を探れというものだった。彼の指令は南緯40度になるまで南下して探し続けるというものだった。もし陸地が見つからない場合は，西に航路を取り，南太平洋で陸地を探し続けるよう指示されていたクックは，ついに1770年，今日ニュージーランドとオーストラリアと呼ばれるところに到達した。

　クックが後に認められることになる地図を作ったのは，これらの海にいた間でのことだった。オーストラリアの東海岸とニュージーランドのほとんどを描いたこれらの地図は，すばらしいものだった。当時のヨーロッパ人にとっては未踏の地であったばかりか，クックがそれらを非常に精密に作ったからだ。それまでは，主に西部と北部のほんの数か所だけが発見され，大ざっぱな地図が描かれていただけだった。クックが東からそこに到達し，推測を事実に変えるまで，探検家たちはこの地域の広さに気付いていなかった。

　オーストラリア滞在中，クックは先住民を観察し，沿岸地域を英国領土と宣言し，土地に名前までつけた。このような命名例の1つがボタニー湾で，現在のシドニーに残る水域である。また，オーストラリア海域を探検していたとき，彼は不運に見舞われた。彼の船がグレートバリアリーフに乗り上げたのだが，おかげでほぼ7週間も航海に出られなかった。やがてクックは破損した船の問題も克服し，インドネシア経由で帰国の途に着き，1771年7月イングランドに戻った。

　クックは，船での探検という厳しい生活条件にもかかわらず，最初の航海の間，乗組員の健康を維持する高い基準を設定したことでも知られている。当時の他の

航海と比較すると，クックは彼らに補給食を食べさせていた。時にヤギの乳，ワイン，牛肉や豚肉も食された。ビタミンＣの摂取不足による壊血病はザウワークラウト（キャベツの酢漬け）と清潔を保つといった厳しい規則によって防がれた。彼は他の野菜を食べることや，船室の換気をすることまで強制した。何よりも，銅の鍋から脂肪化合物を食べるのをやめさせたことが壊血病を防いだ。脂肪を食べていたら，空気に反応して酸化していたはずで，体内にすでにあった少量のビタミンＣの効果はかなり減ってしまっただろう。健康状態は良好だったが，例外もあった。長旅による疲労の場合もあるし，タヒチの後の南下の遅れの原因となった性病の例もある。全体として，死亡率はかなり低かった。イングランドからインドネシアまでの探検の間に死んだ乗組員はわずか7名だった。

Passage ● 3

●問題 p.254〜259

1 正解 A

設問訳 第1段落によると,当初のノーベル賞の部門に含まれていないものはどれか。

解説 第1段落第2文から,ノーベル賞は five categories: physics, chemistry, physiology or medicine, literature, and peace に贈られたことが分かる。 A 「工学」は含まれていないので,これが正解。

2 正解 A

設問訳 パッセージの prestigious と最も意味が近いのはどれか。

解説 ノーベル賞は internationally recognized (国際的に認められている) や the most 〜 award (最も〜な賞) という文脈から,prestigious は「威信のある,名声のある」という意味であることが推測できるだろう。 A 「格の高い」が正解。 B は「ささいな,平凡な」という意味。 D は「軽視された」という意味で,under と value からも意味を推測できる。

3 正解 A

設問訳 第1段落によると,受賞者が授与されないものはどれか。

解説 受賞者に授与されるのは第1段落第3〜4文にあるように a medal, a diploma, and a cash prize と a speech の場である。ここから A 「小切手」は含まれていないことが分かるので,これが正解。

4 正解 D

設問訳 パッセージの statutes と最も意味が近いのはどれか。

解説 statutes という語は,The Nobel Foundation manages its operation through its statutes. に出てくる。この語が出てくる段落は,ノーベル賞はどのような人に,どのように授与されるのかなどが述べられている。ノーベル財団の方針や規則がまとめられているので, D 「規約」が正解。

Final Test 2 Answers

5 正解 C
設問訳 第 2 段落によると，正しくないものはどれか。

解説 A は第 2 段落第 3 文 it does not mean that the prize is in fact given out yearly，また B は最後から 2 文目 an award can only be given to up to three people，D は最終文 The Peace Prize is an exception, where both people and organizations are eligible. から正しいことと分かる。しかし C に関しては，最後から 2 文目から規定外のことだと分かるので，これが正解。up to ～は「最高～まで」という意味である。

6 正解 B
設問訳 筆者は第 3 段落でなぜ引用符（" "）を用いているのか。

解説 該当部分はノーベルがどのような人に賞を贈ってほしいか，彼の遺志が述べられている遺書の一部である。筆者はそれを直接引用することによって，ノーベルの遺志を読み手に正確に記している。従って，正解は B。

7 正解 C
設問訳 パッセージの conferred と最も意味が近いのはどれか。

解説 当該の語は，ノーベルの遺書に綴られた言葉の中に出てくる。ノーベル基金（fund）の利子は，「賞金という形で，その前年に人類に最大の恩恵を confer した人物に贈ること」が書かれている。ここから confer の意味は，contribute と同義であることが分かる。C が正解。A「～を推薦する」，B「～に相談する」，D「～に敬意を表す」。

8 正解 C
設問訳 第 3 段落によると，ノーベルの死後何年たってノーベル賞として 6 番目の分野ができたか。

解説 まず第 3 段落第 3 文から，ノーベルが死んだのは 1896 年だと分かる。6 番目のノーベル賞，すなわち，ノーベル経済学賞は同段落後半から 1968 年に創設されたことが分かる。つまり，1968 － 1896 ＝ 72 で，死後 72 年たって 6 番目の分野ができたことが分かる。正解は C。

9 正解 C
設問訳 パッセージによると，ノーベル平和賞は他のノーベル賞とどう違うか。

解説 ノーベル平和賞について述べられている第 4 段落第 5 文をよく理解しよう。the Nobel Peace Prize ... may be awarded to those who are still in the process of resolving an issue, rather than upon resolution, like with the prizes in physics or chemistry とある。つまり，ノーベル平和賞は問題が解決されなくても，解決しつつある段階であれば，個人や団体に贈ることができるようになっているのである。従って，C が正解。B に関しては，第 2 段落最終文から誤りだと分かる。

10 正解 Ⓑ

設問訳 賞金の金額についてパッセージから推測できることは何か。

解説 Ⓐ, Ⓒ, Ⓓ に関しては，そのように推測できる根拠となる文がパッセージ中にない。しかし Ⓑ に関しては，第２段落第２文 the monetary prizes, based on the annual yield of the fund capital から推測できることなので，これが正解。

11 正解 Ⓐ

設問訳 パッセージによると，物理学の分野における最近の傾向と見なされているものはどれか。

解説 物理学の分野に関しては，ノーベル物理学賞についての第３段落第５文 In recent times, 以下で述べられているように，「宇宙放射線，コミュニケーション技術，量子系，物質の亜原子粒子」が近年の中心的分野と見なされている。従って，正解は Ⓐ。Ⓑ は最終段落後半にあるように生理学，Ⓒ は医学部門，Ⓓ は最初のノーベル物理学賞のことを述べているので，誤り。

12 正解 Ⓓ

設問訳 パッセージから推測できるものはどれか。

解説 推測できないものをまず消去する。Ⓐ, Ⓑ, Ⓒ に関しては，正解の根拠となる文がパッセージ中にないので正解にできない。Ⓓ に関しては，第１段落最後の文に，Past honorees have often donated their winnings back into their fields or the community. とあるので，Ⓓ「受賞者はたいてい，社会に貢献するために賞金を寄付する」と推測できる。

13 正解 Ⓓ

設問訳 次の文の挿入箇所として，４つの■のうち最も適切なものはどれか。
「この分野は，病気に対する人間の闘いが進む中，さらに範囲が広がっている」

解説 当該の文には continues to expand や struggle against disease などの表現があり，生理学・医学部門のまとめの表現になっていることから，Ⓓ に挿入するのが適切。Ⓐ から Ⓒ では，前後の文章がよくつながっているので，挿入するのは適切ではない。

14 正解 Nobel Peace Prize：Ⓒ, Ⓗ
Nobel Prize in Physics：Ⓐ, Ⓖ
Nobel Prize in Physiology or Medicine：Ⓑ, Ⓔ

設問訳 以下のそれぞれのノーベル賞に関する記述と一致する文を選択肢から選べ。選択肢のうち2つは使わない。この問題は4点である。

解説 Ⓐ レントゲンはX線を発見した人。彼は物理学者である。Ⓑ 治療法を発見して生命を救う分野に関連しているのは「ノーベル生理学・医学賞」。Ⓒ international conflicts の解決に関連しているのは「ノーベル平和賞」。Ⓓ スウェーデン銀行が始めたのは「ノーベル経済学賞」。Ⓔ 免疫学, 遺伝学, 神経生物学は「ノーベル生理学・医学賞」。Ⓕ chemical process は「ノーベル化学賞」。Ⓖ コミュニケーション技術は物理学の分野。Ⓗ Red Cross「赤十字社」の創設者はアンリー・デュナンで, 彼は「ノーベル平和賞」を受賞。この中で, Ⓓ, Ⓕ は設問の該当するノーベル賞に属さない。

全訳

ノーベル賞

ノーベル賞は，様々な分野における優れた功績に対して，個人あるいは団体が受け取る可能性のある最も権威のある賞として国際的に認められている。第1回のノーベル賞は，1901年，物理学，化学，生理学・医学，文学，平和の5部門で授与された。受賞者にはメダル，賞状，賞金が贈られる。賞を受賞すると通常はスピーチが行われる。過去の受賞者たちは，しばしばその賞金を自分の研究分野あるいは団体に寄付してきた。

ノーベル財団は，その規約によって運営を行っている。例えば，基金の資本の年間利子収入に基づく賞金は，毎年支給するために維持されなければならない。しかし，実際に賞が毎年与えられることを意味するわけではない。規約は，候補者が委員会によって選ばれない場合，賞金は後年のために財団に留め置かれることも付け加えている。規約にはまた，賞選考過程に関する数多くのガイドラインや禁止事項も含まれている。一例として，死亡した候補者は指名される資格がない，というのがある。もう1つの例は，1つの賞は3人までにしか与えることができず，賞金はその受賞者間で分配することである。平和賞は例外で，人にも組織にも受賞資格がある。

同賞は，スウェーデン人の発明家アルフレッド・ノーベルの遺言によって創設された。この遺言の中で，彼の遺産を運用ファンドとし，その利子収入を「賞金という形で，その前年に人類に最大の恩恵を与えた人物に」贈ることが明記された。彼が亡くなった1896年12月10日の5年後に，第1回目のノーベル賞が授与された。例えば，最初のノーベル物理学賞は，X線を発見したヴィルヘルム・レントゲンに贈られた。最近では，宇宙放射線，コミュニケーション技術，量子系，物質の亜原子粒子が，賞候補の中心的分野と見なされている。1968年には，もう1つの分野，アルフレッド・ノーベル記念経済学スウェーデン国立銀行賞，略してノーベル経済学賞が，スウェーデン国立銀行の創立300周年を記念して同銀行により創設された。2013年現在，561のノーベル賞が，これら6部門に授与されている。

ノーベル賞の選考過程には数多くの側面がある。一般的に，科学部門においては時機が要素となる。時には，その発見が科学界に受け入れられる前に，実績が積まれていることが求められる。ある発見や事柄の中心となる科学者が正当な評価を得られる前に死去している例が数多くあった。しかしながら，ノーベル平和賞はこれとは異なる。物理学や化学での賞のように問題を解決してからというよりは，まだ問題を解決している最中の人々に贈られることもあるからだ。例えば，

平和主義指導者といった立場にある人も，要件を満たすことがある。その証拠に，最初のノーベル平和賞は，平和主義指導者のフレデリック・パシーおよび赤十字社の創設者であるアンリー・デュナンに共同で贈られた。ノーベル賞のもう1つの傾向は，生理学・医学部門に見られる。この賞は2つの部門で1つなので，どの年でも両方の部門に賞が与えられることはない。遺伝学，神経生物学の側からの科学的大発見は，免疫学やがん研究などの医学分野における発見と比較検討されなければならない。発見が病気の治療法につながる場合は，特に大勢の人々が救われるのであれば，賞の候補と見なされる可能性が高い。古典的な生理学における最近の賞が，ジョン・エックルス，アラン・ホジキン，アンドリュー・ハクスリーに細胞膜の構造研究に対して1963年に授与されたのは，このためである。この分野は，病気に対する人間の闘いが進む中，さらに範囲が広がっている。賞のこうした傾向や舞台裏の複雑さにかかわらず，アルフレッド・ノーベルの遺言に込められた基本的なメッセージは明確なままである。「価値ある」人々はその「優れた業績」で「人類に恩恵をもたらし」得るのである。

TOEFL®テスト大戦略シリーズ

自分に合った参考書を選んで，目標スコアを獲得しよう！

英語力に自信がなく，基礎から力をつけたいなら

⓪ 超基礎からのTOEFL®テスト入門 〈iBT対応〉
アゴス・ジャパン 岡田徹也，松園保則 著
定価：本体1,800円＋税
CD 1枚付

インターネットで受験できる！Web模試
＋ダウンロードコンテンツ特典付

試験形式を知りたい，模試を受けたいなら

❶ はじめてのTOEFL®テスト完全対策 〈iBT対応〉
Paul Wadden, Robert Hilke, 松谷偉弘 著
定価：本体2,200円＋税
CD 1枚付

ダウンロードコンテンツ特典付

ボキャブラリー対策をしたいなら

❷ TOEFL®テスト 英単語3800 〈iBT&ITP対応〉
神部 孝 著
定価：本体2,300円＋税
CD 3枚付

❸ TOEFL®テスト 英熟語700 〈iBT&ITP対応〉
神部 孝 著
定価：本体1,800円＋税
CD 2枚付

インターネットで受験できる！Web模試特典付

セクションごとに試験対策したいなら

❹ TOEFL®テスト リーディング問題270 〈iBT対応〉
田中真紀子 著
定価：本体2,100円＋税

❺ TOEFL®テスト リスニング問題190 〈iBT対応〉
喜田慶文 著
定価：本体2,400円＋税
CD 3枚付

❻ TOEFL®テスト スピーキング問題110 〈iBT対応〉
島崎美登里，Paul Wadden, Robert Hilke 著
定価：本体2,200円＋税
CD 2枚付

❼ TOEFL®テスト ライティング問題100 〈iBT対応〉
Paul Wadden, Robert Hilke, 早川幸治 著
定価：本体2,100円＋税
CD 1枚付

［TOEFL テスト リーディング問題270 4訂版］